二見文庫

冷酷なプリンス

ホリー・ブラック／久我美緒＝訳

The Cruel Prince
by
Holly Black

Published in agreement with the author,
c/o BAROR INTERNATIONAL, INC., Armonk, New York, U. S. A.,
through Japan UNI Agency, Inc., Tokyo

とうとうわたしを妖精の国に誘いこんだ、カサンドラ・クレアに捧《ささ》げます。

エルフェイムの
うつろう島々
の地図
ロックの領地
忘却の塔
インスムア
インスウィール
虚《うつ》ろの館《やかた》

とうとうわたしを妖精の国に誘いこんだ、カサンドラ・クレアに捧《ささ》げます。

エルフェイムの
うつろう島々
の地図
ロックの領地
忘却の塔
インスムア
インスウィール
虚《うつ》ろの館《やかた》

ねじれの森
エルフェイムの王宮
乳の木の森
インスマイア
仮面の湖
マドックの領地

冷酷なプリンス

登場人物紹介

ジュード	人間の娘
タリン	ジュードの双子の姉
ヴィヴィアン（ヴィヴィ）	ジュードの異父姉。マドックの娘
マドック	ジュードの養父。妖精国の将軍
オリアナ	マドックの後妻
オーク	マドックとオリアナの息子
バレキン王子	妖精国の第一王子
デイン王子	妖精国の第二王子
カーダン王子	妖精国の第三王子
エロウィン王女	妖精国の王女。バレキン王子の妹
エルドレッド王	妖精国の王
ゴースト	デイン王子のスパイ
ボム	デイン王子のスパイ
ヴァレリアン	カーダン王子の取り巻き。妖精国の貴族
ロック	カーダン王子の取り巻き。妖精国の貴族
ニカシア	カーダン王子の取り巻き。妖精国の貴族

第一部

妖精の子に服は必要ない
食べ物も火も必要ない
心からほしいと思うものは必ず手に入る
ポケットは金貨でいっぱいだし、
七つになれば結婚する
どの妖精の子もたくましいポニーを二頭と羊を十頭持てるし、
れんがや御影石でできた自分の家を持っている
サクランボを食べて生きている彼らは、自由気ままに駆けまわる──
わたしは妖精の子になりたい

ロバート・グレイヴズ『妖精の子になりたい』

プロローグ

眠気を誘われるあたたかな日曜の午後、街路樹が連なる通りに立つ一軒の家の前で、丈の長い黒っぽい上着をまとったひとりの男がためらうように足を止めた。そばに車は止まっていないし、タクシーで来たのでもなく、歩いて来るのを見た者もいない。陰から陰へと飛び移るように、男はこつぜんと現れた。

玄関の前まで行った男が、ドアを叩《たた》こうとこぶしをあげる。

そのとき家のなかではジュードがリビングルームの敷物の上に座り、電子レンジにかけてべちょっとしたフィッシュスティックにべっとりケチャップをつけて食べていた。ジュードの双子の姉のタリンはソファで毛布にくるまり、フルーツポンチの味のする口に親指をくわえて昼寝をしている。ソファの反対の端にはふたりの姉であるヴィヴィアン――ヴィヴィが座り、瞳孔がふたつに分かれた奇妙な瞳をテレビに据えて、猫から逃げまわるネズミのアニメを見ていた。ネズミが猫に食べられそうになるたびに、声をあげて笑っている。

ヴィヴィはみんなの家にいるお姉ちゃんとは違っているけれど、七歳のジュードとタリンは双子でぼさぼさの茶色い髪とハート形の顔がそっくりなので、ふたりとももちろん違っていた。けれどヴィヴィの目も、ちょっと毛深い耳の先も、ジュードには自分とそっくり同じ人間がもうひとりいる奇妙さとたいして変わらないように思えた。それに近所の子どもがヴィヴィを避けていたり、その子たちの親が不安そうにヴィヴィのことをひそひそ話していたりしても、ジュードはそれほど心配していなかった。大人はいつだって不安そうな顔をしているし、ひそひそ何か話しているから。

タリンがほっぺたをヴィヴィの膝に押しつけて、あくびをしながら伸びをした。

照りつける太陽が道路のアスファルトをじりじりと焼いている外から、芝刈り機のエンジン音や子どもたちが裏庭のプールで遊んでいる音が聞こえていた。父さんは鍛冶の作業場にしている庭の小屋にこもっているし、母さんは台所でハンバーガーを作っている。つまりいつもどおり、すべてが平和で退屈な午後だった。

ドアを叩く音が響くと、ジュードは急いで開けに行った。近所の家の誰かがゲームをしようとか、夕食のあとで泳ぎに行こうとか誘いに来たのかもしれないと思ったからだ。

　ところが玄関の敷物の上には背の高い男がいて、ジュードを見おろしていた。この暑いのに茶色い革の長い上着を着ているし、銀色の靴は敷居をまたぐときに鈍い音がした。陰になっている男の顔を見あげると、ジュードはなぜか体が震えた。

「母さん！　母さーん！　誰か来たよ！」

　濡《ぬ》れた手をジーンズで拭きながら台所から出てきた母さんは、男を見ると真っ青になって、怖い声でジュードに命令した。「自分の部屋に行ってなさい。いますぐに！」

「それは誰の子だ？　きみのか？　あいつのか？」ジュードを指さしてきいた男のしゃべり方には、変な訛《なま》りがあった。

「誰の子でもないわ」母さんがジュードを見もせずに返す。

　それはおかしい。ジュードとタリンは父さんにそっくりなのだ。みんなそう言う。ジュードは階段に向かったが、ひとりで部屋で待つのがいやで、心のなかで訴えた。

〝ヴィヴィ、ヴィヴィならこの背の高い男が誰かわかるよね。どうすればいいかわかるよね〟

　ところがジュードはそれ以上進めなくなった。

「これまでいろいろ、ありえないものを見てきた。オークの木が生える前のドングリも、火がおこる前の火花も。だが、こんなのは初めてだ。死んだ女が生きている。無から生まれた子どもがいる」

母さんは何も言えずにぶるぶる震えている。ジュードは手をぎゅっと握ってあげたかったが、そうする勇気はなかった。

「ここに来ればきみがいるとバレキンに言われたときは、信じられなかったよ」男が優しい声を出した。「領地内の建物の焼け跡から、人間の女とおなかのなかの子の骨が見つかっていたからね。戦いから戻って妻とただひとりの跡継ぎを失ったと知ったとき、わたしがどんな気持ちだったかわかるか？　それまでの人生が灰になったと知ったときの気持ちが？」

母さんは首を横に振った。質問に答えるのではなく、男の言葉を振り払おうとしているみたいだ。

男が一歩近づくと、母さんは一歩さがった。背の高い男の動きは、片脚だけちょっとおかしかった。痛みがあるのか、ぎこちない。よく見ると玄関を入ったところだけ光の加減が違うからか、肌が妙に緑色がかっているし、下の歯が口と比べて少し大きすぎる。

それからもうひとつ、男の目がヴィヴィとそっくりなことにジュードは気がついた。

「あなたとは絶対に幸せになれなかった。あなたの世界はわたしみたいな人間が住むところじゃなかったもの」

背の高い男が母さんをじっと見たあと、口を開く。「きみは誓った」

母さんが顎をあげた。「ええ。そしてそれを破ったわ」

ジュードに目を向けた男が怖い顔になる。「何をもらえば、人間の妻がした約束と引き換えになるかな？　どうやら答えは目の前にあるようだ」

振り返った母さんににらまれて、ジュードはリビングルームに駆けこんだ。

タリンはまだ眠っていて、テレビはついたままだった。ヴィヴィが眠そうな猫の目をジュードに向けてくる。「誰が来たの？　けんかしてるみたいな声が聞こえたけど」

「怖い男が来たの。母さんが二階にあがってなさいって」ちょっとしか走っていないのに、ジュードはハアハアと息が切れ、心臓は胸から飛びだしそうだった。

母さんはジュードだけに言ったのだが、そんなのは関係なかった。ひとりで行くのはいやだった。ソファの上で丸くなっていたヴィヴィがため息をついて体を起こし、タリンを揺する。タリンはぼうっとしたまま、ジュードたちのあとから廊下に出た。

カーペット敷きの階段に向かおうとしたところで、父さんが裏庭から戻ってきたのが見えた。父さんはアイスランドの博物館で調べていた斧《おの》を真似して作ったみたいで、そっくりなものを持っている。そういうのは不思議でもなんでもなかった。父さんには古い武器が好きな仲間がいて、〝ぶっしつぶんか〟――昔の人たちが作ったものらしい――についてあれこれ言いあったり、いろんな形の武器を想像して紙に描いたりしている。だけど今日の父さんの斧の持ち方は、いつもとちょっと違う。まるでこれから本当に使おうとしているみたい――。

父さんが背の高い男に向かって斧を振りおろした。

ジュードたちがどんなにひどいいたずらをしても、父さんは絶対に叩かない。人に痛い思いをさせるような真似は絶対にしない人なのだ。

それなのに、いまは違う。

斧は男を外れて、ドアの木枠にめりこんだ。

タリンが泣いているみたいな変な声をあげ、あわてて両手で口をふさぐ。

男が革の上着の下から湾曲した刃を取りだした。物語に出てくるような剣。男は戸枠から斧を引き抜こうとしている父さんのおなかにそれを突き刺して、上向きにぐっと押しこんだ。小枝が折れるみたいな音と動物の悲鳴みたいな声が響いて、父さんがどさっと倒れた。泥をつけるといつも母さんに怒られる、玄関の敷物の上に。

敷物が赤く染まっていく。

母さんが悲鳴をあげた。ジュードとタリンとヴィヴィも悲鳴をあげた。男以外のみんなが叫んでいる。

「こっちに来い」男がヴィヴィをまっすぐに見て、命令した。

「ば、化け物！　彼を殺すなんて！」母さんが叫んで、台所に飛びこんだ。

「わたしから逃げるな。あんな真似をしておいて、また逃げたりしたら――」

それでも母さんは逃げたが、角を曲がろうとしたところで男が振りおろした剣が背中に食いこんだ。母さんがリノリウムの上に崩れ落ち、腕になぎ払われた冷蔵庫のマグネットがばらばらと散らばる。

金《かな》くさい匂いがあたりに立ちこめた。フライパンにこびりついた焦げ跡を母さんがこすり落とすときに使う金たわしみたいな匂いだ。

ジュードは男に向かって走り、胸にこぶしを叩きつけ脚を蹴った。怖くはなかった。何も感じていなかった。

男はジュードのほうなど見もしなかった。自分のしたことが信じられないとでもいうように、じっとそこに立っている。この五分間にあったことを、全部取り消したいと思っているみたいに。それから男は床に片膝をつき、ジュードの肩をつかんだ。両手を滑りおろして殴られないように腕を押さえたが、ジュードのことを見ていない。

男の目はヴィヴィに向けられていた。

「おまえはわたしから盗まれた。だからここへ来たのだ。本当の故郷である丘の下のエルフェイムへ連れ戻すために。そこではおまえは想像もつかないほど裕福になり、同族の者たちと生きていける」

「いやよ。あんたとなんかどこにも行かない」ヴィヴィが小さいけれどはっきりした声で拒否した。

「わたしはおまえの父。おまえはわたしの血を引く跡継ぎなのだ。これからは、わたしの言うことに従わなければならない」男の声が鞭《むち》のように鋭く響く。

ヴィヴィは動かなかったが、顎に力が入るのが見えた。

「あんたはヴィヴィの父さんじゃない」ジュードは怒鳴った。男がヴィヴィと同じ目をしていても、父親だなんて信じるわけにはいかなかった。

肩を握られている手に力がこもり、思わず小さく悲鳴をもらしてしまったが、男をにらむ目はそらさなかった。ジュードはこれまで、目をそらさずににらみあう大会で何度も勝っている。

男が先に目をそらして、タリンのほうを向いた。タリンは母さんの横に膝をついて、起こそうとするかのように泣きながら揺さぶっている。でも、母さんは動かない。母さんも父さんも死んでいて、二度と動かないのだ。

「あんたなんか大嫌い。一生憎んでやるわ。そうするって誓う」ヴィヴィが憎々しい声で男に宣言をするのを聞いて、ジュードは胸がすっとした。

男の硬い表情は変わらなかった。「それでもわたしと来てもらう。そのちびの人間どもの支度をしてやれ。荷物は少なくしろ。暗くなる前に出発する」

ヴィヴィが顎をあげた。「妹たちは放っておいて。どうしてもって言うんなら、わたしだけ連れていきなさいよ」

男はヴィヴィをじっと見て、ふんと鼻を鳴らした。「妹たちをわたしから守っているつもりか？　ではきくが、妹たちをどこに行かせるつもりだ？」

ヴィヴィは答えなかった。妹たちを頼めるような祖父母や親戚はひとりもいないからだ。少なくとも、彼女たちが知っている限りでは。

男はジュードに視線を戻すと、肩をつかんでいた手を離して立ちあがった。「ふたりとも妻の子どもだ。だからわたしに面倒を見る責任がある。わたしは残酷な化け物で人殺しかもしれないが、自分の責任から逃れはしない。おまえも姉としての責任から逃げるんじゃないぞ」

何年も経ってからジュードはこの日のことを思い出そうとしたが、荷造りをしているときのことはまったく覚えていなかった。ショックが記憶を消してしまったのだ。

おそらくヴィヴィがかばんを見つけてきて、そこにお気に入りの絵本やおもちゃ、それに写真やパジャマや上着やシャツなどあれこれ詰めこんでくれたのだろう。

あるいは自分で詰めたのかもしれないが、ジュードは覚えていなかった。

一階には両親の遺体が転がっているという状況で自分たちがどんなふうに手を動かしていたのか、まったく頭に浮かばない。そのときの気持ちが想像できないし、時が経つにつれて当時の激しい感情を呼び起こすことはできなくなった。両親が殺されたときの恐怖は次第に薄れ、記憶はかすんでいった。

男に連れられて三人が家を出ると、黒い馬が芝生をむしゃむしゃ食べていた。

ジュードは大きくて優しげな目をした馬の首に抱きついて、すべすべのたてがみに涙に濡れた顔をうずめたかった。でもそうする前に荷物でも持ちあげるように鞍《くら》に乗せられ、すぐにタリンも同じようにされた。ヴィヴィは男の後ろに乗せられた。

「しっかりつかまれ」男は命じた。

三人とも、妖精の国に着くまでずっと泣いていた。

1

妖精国にはフィッシュスティックもケチャップもテレビもない。

2

わたしはクッションの上に座って、髪が顔にかからないように妖精インプに編んでもらっていた。長くて尖《とが》っている爪が当たって思わず顔をしかめると、化粧台の上に置いてある獣の脚のついた鏡のなかで、黒い目のインプと目が合った。

「競技会まで、まだ四日あるんですよ」借金を返し終わるまで召使いとしてマドックに仕えているタターフェルは、わたしが小さい頃からずっと面倒を見てくれている。たいていの魔法に惑わされない真の視力《トゥルーサイト》が得られる妖精の軟膏《なんこう》（かなりしみる）を目に塗ってくれたのも、ブーツについた泥を落としてくれたのも、ナナカマドの実をつないだ魔よけのネックレスを作ってくれたのもタターフェルで、鼻水が垂れたら拭いてくれたし、森で道に迷わないよう靴下を裏返しにはくことを教えてくれた。「それにどんなに念じても月が出たり沈んだりするのを早めることはできないんですから、今夜は将軍家の誇りとなれるように、支度に集中してください」

わたしはため息をついた。

不機嫌そうにしていると、タターフェルがすかさず小言を重ねた。「丘の下で上王陛下の臣下の方々と踊るのは名誉なことです」

不実な妻が産んだ、妖精の血が一滴も流れていない人間の娘。それなのに正当な妖精の子として扱ってもらえるのがどれだけ運のいいことか、召使いたちはしょっちゅう言って聞かせる。わたしと、そしてタリンに。

妖精の貴族の子どもたちと同じように育てられるのがどれだけ名誉なことか、もちろんわたしにもわかっていた。自分にそれだけの価値があるとは思えない、恐るべき名誉だ。

常に思い出させられているので、忘れられるはずがない。

「ほんと、そうよね」タターフェルが親切で言ってくれているのはわかっているので、そうとだけ返した。

妖精は嘘《うそ》をつけないから、どんな口調で言われても言葉どおりに受け取る。人間のあいだで暮らしたことがない者は特にそうだ。気をよくしてうなずいたタターフェルの目は濡れた黒玉みたいで、虹彩《こうさい》も瞳孔もない。「あなたに目をとめ、結婚を申しこんでくれる方がいらっしゃるかもしれません。そうしたら上王陛下の宮廷に正式に迎え入れられますよ」

「わたしは自分でその地位を勝ち取りたいの」

インプがヘアピンを持ったまま、動きを止めた。もしかしたら、それでわたしを突き刺したいと思っているのかもしれない。「ばかなことを」

悲劇に終わった母さんの結婚の話を持ちだして反論しても、意味はない。人間が妖精の宮廷の正式な臣下として認められる道はふたつだけ。妖精と結婚するか、人並み外れた技量——鍛冶の技術やリュートの演奏など——を示すか。結婚にまったく興味がないわたしが目指しているのは自分の腕を示すほうだ。

角が生えているように見える複雑な形に髪を編みあげたタターフェルは、次にサファイア色のベルベットのドレスを着せた。でも、そんな髪型もドレスもわたしの正体を隠せはしない。人間だということを。

「幸運に恵まれるように、結び目を三つ作っておきました」インプが優しいと思えるほどの口調で言う。

タターフェルがようやくドアに向かったので、ふうっと息を吐いてベッドまで行き、ゴブラン織りのカバーの上に顔から倒れこんだ。召使いに世話をされるのには慣れている。インプやホブやゴブリンやグリッグ、透けるように薄い羽や緑色の爪、角や牙を持つ者たちに。妖精国に来て十年。そういう者たちを見ても、もう奇妙だと思わなくなっている。ここではわたしのほうが奇妙なのだ。尖っていない指と丸い耳、はかない命を持つわたしのほうが。

人間にとって、十年という時は長い。

マドックはわたしたちを人間の世界から盗みだし、インスマイアにある自分の領地に連れ帰った。力の島インスマイアは、上王の力が強く及んでいる場所だ。マドックは名誉を重んじる心から、そこでわたしたち三人――ヴィヴィとタリンとわたし――を育てた。タリンとわたしは母さんが裏切った証《あかし》ではあるけれど、妖精の慣習では妻の子どもには夫が責任を負う。

上王に仕える将軍であるマドックは、戦いのためにしょっちゅう家を空けている。それでもわたしたちはきちんと面倒を見てもらった。タンポポの綿毛を詰めたマットレスで寝かせてもらったし、マドックは自ら短刀《カトラス》や短剣《ダガー》や片刃の剣《ファルシオン》の使い方、素手での戦い方を教えてくれた。暖炉の前でナイン・メンズ・モリスやフィドヘル、キツネとガチョウといったボードゲームの相手をしてくれたし、わたしたちを膝にのせ、自分の皿にのっているものを食べさせてくれた。

夜には戦略の本を読んでくれるマドックの声を聞きながら眠りについていたわたし

は、両親にあんな真似をした、自分とは異質な存在である彼を、いつのまにか愛するようになっていた。いまのわたしは彼を愛している。

その愛が、心地よいとは言えない種類のものであるというだけだ。

「その髪、いいじゃない」真紅のベルベットのドレスを着たタリンが、栗色《くりいろ》の長い巻き毛を短いケープのように後ろになびかせて部屋に走りこんできた。おろした髪のなかに、きらきら光る銀の糸を編みこんだ三つ編みが数本作られている。タリンがわたしのいるベッドに飛びのってきたので、ぼろぼろのぬいぐるみの山が崩れた。コアラと蛇と黒猫のぬいぐるみは七歳のときに大好きだったもので、いまも捨てられないでいる。

わたしは体を起こし、照れながら鏡をのぞいた。「うん。気に入ってる」

「予感がするの。今晩は楽しいわよ、きっと」タリンが言ったので、わたしは驚いた。

「楽しい？」競技会で王族に騎士として認められるにふさわしい結果を残せるかが心配で、いつもの隠れ場所から暗い表情でみんなを見おろしているいつもの自分しか思い浮かんでいなかった。競技会のことを考えるだけで落ち着かなくなるのに、しょっちゅう考えてしまう。いまも欠けている薬指の先を親指で撫《な》でてしまったが、これは不安になったときの癖だ。

「そうよ」タリンが脇腹をつつく。

「へえ！　やったね！」タリンの肘が届かないところに逃げてから、きき直した。

「で、何をするつもりなの？」宮廷に行くと、わたしたちはたいていどこかに隠れて過ごす。いろいろとおもしろいものは目にしてきたけれど、いつも遠く離れた場所からだ。

タリンが両手をあげた。「何をするつもりって？　ただ楽しいっていうだけ！」

上機嫌なタリンについていけなくて、とりあえず笑った。「別に何も考えてないのね。それならいいけど。あんたに予言の才能があるかは、すぐにわかるはずだし」

成長するにつれて、いろんなことが変わりつつある。わたしたちは変化しているのだ。それは望んでいることではあるが、怖くもあった。

タリンがベッドから飛びおりて、ダンスに誘うみたいに両手を差しだした。その手を取って一緒に部屋を出ながら、無意識に腰の後ろを探ってナイフがあることを確かめる。

粗削りの大きな木の梁《はり》が目につくマドックの屋敷の内部は、白漆喰《しろしっくい》塗りで仕上げられている。窓ガラスは煙を固めたような灰色で、通した光を奇妙に変えてしまう。タリンと一緒にゆるやかにカーブしている階段をおりていくと、ヴィヴィが小さなバルコニーに隠れて、人間の世界から盗んできた漫画雑誌をしかめっ面で読んでいるのが見えた。

　こっちを向いてにやりとしたヴィヴィはジーンズにバルーンシルエットのシャツという姿で、どう見ても宮廷に行く格好ではなかった。マドックの血を引いているヴィヴィは、彼を喜ばせなければという焦りがない。だから鉄に弱いという妖精ならではの弱点を持つ身でありながら、指先が焦げる危険を冒して糊《のり》づけじゃなくホッチキスで綴《と》じてある雑誌を読むなんていう、勝手気ままなふるまいをする。

「どっか行くの？」陰になった場所からヴィヴィにいきなり声をかけられて、タリンがびくっとした。

　本当は、わたしたちがどこに行くのかヴィヴィはよくわかっている。

　ここに来た頃は、わたしたち三人はヴィヴィの大きなベッドでしょっちゅう体を寄せあって、父さんや母さんと暮らしていたときのことを語りあっていた。母さんが焦がしちゃった料理や父さんが作ってくれたポップコーンのこと、隣の家に住んでいた人たちの名前、家の匂い、学校がどんなだったか、休みの日に何をしたか、誕生日のケーキにかかっていた砂糖衣《アイシング》の味、テレビでやっていた番組。それまでの生活のありとあらゆる断片や会話を、記憶が理想化されぴかぴかに光り輝くまで三人で磨きをかけた。

いまはひとつのベッドで身を寄せあうことはないし、記憶を無理によみがえらせることもない。新たに加わっていく記憶はすべてここで作られたもので、ヴィヴィはそういう記憶につかのまの興味しか持たない。

ヴィヴィは昔、マドックを一生憎むと誓ったが、いまでもその誓いにこだわり続けている。最初の頃、思い出にふけっていないときのヴィヴィは手に負えなかった。手当たり次第にものを壊し、大声で叫び、ここでの生活に満足しているわたしたちに怒って殴りかかった。だんだんそんなことはなくなったけれど、いまでもヴィヴィの心の片隅には、妖精の世界に順応しているわたしたちに対する怒りがある気がする。ここでの生活を受け入れ、マドックの屋敷をわが家だと思っているわたしたちへの怒りが。

「ヴィヴィもおいでよ。タリンがなんか変なの」わたしは誘った。

ヴィヴィは考えこむようにタリンを見つめたものの、結局首を横に振った。「ほかにやりたいことがあるから」ひと晩人間の世界を楽しんでくるか、このままバルコニーで雑誌を読むつもりか、どちらかなのだろう。

どっちにしても、マドックにいやな思いをさせられればいいのだ。

マドックは玄関ホールで、二番目の妻であるオリアナと一緒にわたしたちを待っていた。オリアナの肌は青みがかったスキムミルクのような色で、髪は空から舞いおりたばかりの雪みたいに真っ白。きれいだけれど、幽霊を見たように一瞬ぎょっとしてしまう。今夜は繊細に輝く金色の襟がついた苔《こけ》みたいな色のドレスが、ピンク色の口と耳と目によく映えている。マドックの服も緑色で、こちらは深い森のような色合いだ。腰に帯びている剣はただの飾りではない。開いている両開きのドアの外に目をやると、ホブが五頭の斑馬《ぶちうま》の手綱を持って待っているのが見えた。複雑に編みこまれている馬のたてがみには、おそらく魔法の結び目も作られているはずだ。わたしの髪に作られているものとどれくらい似ているのだろう。

「ふたりともすてきだ」マドックが優しい声で珍しく褒め言葉をかけたあと、わたしたちの後ろの階段に目を向けた。「おまえたちの姉はあとから来るのか？」

「さあ、知らない。忘れちゃったのかも」わたしは嘘をついた。ここでは簡単に嘘が通用する。一日じゅうついていても、絶対にばれない。

マドックはちらりと失望を浮かべたが驚いている様子はなく、そのまま外に出て馬と待っているホブに何か話しかけた。マドックのそばに、彼が使っているスパイがひとり見える。パースニップみたいな鼻をした背中のこぶが頭より高く盛りあがっているしわしわの生き物で、マドックに紙を渡すと驚くほどすばやく去っていった。

　オリアナが間違い探しでもするように、まじまじとわたしたちを見つめる。

「今夜は気をつけるのよ。何か食べたり飲んだりしてはだめ。それにダンスも絶対にしないと約束して」

「宮廷に行くのは初めてじゃないのよ」妖精流に巧みに答えをはぐらかした。妖精流なんてものがあるのかはわからないけれど。

「塩があれば大丈夫だと思っているかもしれないけど、あなたたちはすぐに忘れてしまうから、最初から何も口に入れないほうがいいわ。それからダンスは、人間はいったん始めたらわたしたちがやめさせなければ踊り続けてしまうんですからね。それこそ死ぬまで」

　視線を爪先に落として、オリアナが言いたいことを言い終えるのを待つ。

わたしたちは何も忘れたりしない。

　マドックは七年前に再婚し、それからすぐにオリアナは子どもを産んだ。ちっちゃなかわいい二本の角が生えている、オークという名前の体の弱い男の子だ。オリアナがマドックのためにわたしとタリンに我慢しているのは見え見えで、本当は夫が飼っているお気に入りの猟犬くらいにしか思っていないのはわかっている。しつけが足りなくて、ご主人さまにいつ飛びかかるかわからない、というふうに。

でもオークはわたしたちを姉だと思っていて、そのことをオリアナは快く思っていなかった。だけど、わたしはオークを傷つけるような真似は絶対にしない。

「上王のお気に入りの家臣であるマドックの庇護《ひご》を受けているのだと、絶対に忘れないように。ばかな真似をしてマドックに恥をかかせることは許しませんからね」

ようやく満足したオリアナは、馬たちが待っているところに行った。馬が音を立てて息を吐き、地面をかく。

タリンとわたしは視線を交わすと、オリアナのあとに続いた。マドックはすでに一番大きい馬にまたがっていた。片目の下に傷跡のある堂々としたその馬はいらだったように鼻の穴を広げ、たてがみを振っている。

わたしは沼みたいな匂いのする淡い緑色をした鋭い歯を持つ馬に飛び乗った。普通の馬を選んだタリンが脇腹を踵《かかと》で蹴って弾丸のように飛びだすと、わたしもすぐにあとを追って夜のなかへ駆けだした。

3

妖精は黄昏《たそがれ》に活動する生き物で、いまやわたしもその仲間だ。わたしたちは影が長く伸びてくる頃に起き、日がのぼる前に眠りにつく。わたしたちがエルフェイムの王宮のある大きな丘に着いたときには、真夜中をとっくに過ぎていた。丘のなかに入るにはオークの木と棘《とげ》のある木のあいだに馬を乗り入れたあと、廃墟《はいきょ》のように見える石壁に突っこんでいかなくてはならず、もう何百回となくやっていることだが毎回ひるんでしまう。わたしは衝撃に備えて全身に力を入れ、手綱をきつく握って目をつぶった。

その目を開けると、丘のなかにいた。

わたしたちは広い地下空間を進んだ。柱のようになっている根のあいだを抜けながら、踏み固められた土の上を行く。

王座のある広々とした謁見の間の入り口には、何十人もの人々が集まっていた。ぼ

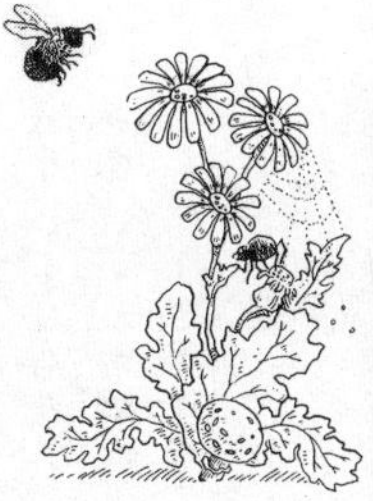

ろぼろの羽と長い鼻の妖精ピクシー、ドレスの裾をゴブリンに持たせている緑色の肌の貴婦人、いたずら好きな妖精ボガン、笑い転げているキツネ人《ビト》、フクロウの仮面と金の頭飾りをつけた少年、肩にカラスを何羽ものせた老婆、髪に野バラを差した騒々しい少女たち、首のまわりに羽根をつけた樹皮の肌を持つ少年、コガネムシみたいな緑色の鎧《よろい》をつけた騎士の集団。見覚えのある顔がたくさんあるし、何人かとは話したこともある。大勢いすぎて見ているとくらくらしてくるが、目をそらすこともできない。

　このきらびやかな光景は何度見ても飽きない。わたしたちがいつかこうしたものに魂を奪われ、のみこまれてしまうかもしれないとオリアナが心配するのも、無理はないのだろう。宮廷の人々が織りなす美しい悪夢に人間が屈服し、喜んで溺れる理由がよくわかる。

　両親を殺され、人間の世界からいやいや連れてこられたわたしがこんなふうに妖精に魅入られるのは間違っていると思うけれど、好きなものは好きでどうしようもない。

　マドックが馬からひらりとおりた。オリアナとタリンはすでにおりていて、手綱を馬番に渡している。あとはわたしだけで、マドックが手を貸そうとしてくれたけれど自分で飛びおりた。革靴の底が地面を打って、パンという音がする。

騎士らしい身のこなしだと、マドックに思わせたかった。

オリアナが近づいてきた。おそらくタリンとわたしに、やってはいけないことをもう一度言って聞かせるつもりなのだろう。そこでオリアナが口を開く前に、タリンの腕に腕を絡めてさっさとなかに入った。室内には燃やしたローズマリーとつぶしたハーブの香りが満ちていた。マドックの重い足音が後ろから聞こえたけれど、どこに行くべきかはわかっている。宮廷に着いてまずやらなくてはいけないのは、上王への挨拶だ。

エルドレッド上王は王位を示す灰色の服をまとい、薄くなった金糸のような髪にずっしりと重い金のオークの葉の冠をかぶって玉座についていた。わたしたちは身をかがめ、上王が指輪をはめた節くれ立った手で頭に軽く触れるのを待って、立ちあがった。

上王の祖母はグリーンブライア一族のマブ女王で、角を生やした夫と彼の部下である鹿に乗った戦士たちとともに妖精の世界を征服するまで、はぐれ妖精として暮らしていた。この女王の夫の特徴を受け継いで、エルドレッドの六人いる子どもたちはみなどこかに動物の形質を持っていると言われている。妖精のあいだでは珍しいことではないものの、貴族にはそういう者はあまりいない。

長男のバレキン王子と弟のデイン王子が一緒に立って、銀の帯がついた木のカップからワインを飲んでいる。デインは膝丈ズボン《ブリーチズ》をはいていたので、鹿の脚と蹄《ひづめ》が見えている。熊の毛皮の襟がついたお気に入りの長い上着を着ているバレキンは、手の指のすべての関節に棘がある。棘は腕にも一列に生えていて、シャツの袖口の下に続いているのが、彼とデインがマドックを呼び寄せたときに見えた。

オリアナが身をかがめて王族に挨拶をする。バレキンとデインはいまは一緒にいるが、普段は仲がよくない。妹のエロウィン王女も合わせた三人はしょっちゅう仲たがいをしているので、宮廷は三つの大きな派閥に分かれていると考えられていた。

長男であるバレキンと彼に従う者たちはクロムクドリモドキ団。彼らは楽しいことを愛し、それを邪魔するものを軽蔑する。吐くまで酒を飲み、いい気分になれる毒の粉を体がしびれるまで使う。もっとも狂気に満ちた派閥だが、わたしが話したときはバレキンはいつも冷静で、酔っ払ったりしている様子はまったくなかった。狂乱の宴に身を投じて彼らを感心させるという道もあると思うけれど、わたしとしてはそれは避けたい。

二番目の子であるエロウィンの派閥はヒバリ団で、彼らは芸術を何よりも尊ぶ。この派閥には数人の人間が認められて加わっているが、わたしはリュートがうまいわけでもなければ朗唱ができるわけでもないので、彼らの仲間になれるチャンスはまるでない。

三番目の子であるデインはハヤブサ団を率いている。ここに加われるのは騎士と戦士と戦略家で、マドックが属しているのはもちろんここだ。彼らは名誉について語るが、本当に気にかけているのは力だ。わたしは剣の腕はまあまあだし、戦略についても学んでいる。彼らに加わるために必要なのは、自分の力を証明するチャンスだけだ。

「さあ、好きに楽しむといい」マドックが言ったので、わたしとタリンは振り返ってもう一度王子たちを見たあと、みんなが集まっているほうに向かった。

王の宮殿には恋人たちや暗殺者、それにパーティーの喧騒《けんそう》から外れてまったりしていたい者が使えるひそやかな壁のくぼみや隠し廊下がたくさんある。小さい頃はタリンと一緒に晩餐用《ばんさんよう》の長いテーブルの下にもぐりこんでいたが、もうレディなんだから床を這《は》ってドレスを汚すような真似はできないとタリンが言いだして、もっといい隠れ場所を探さなくてはならなくなった。そうして見つけたのが石の階段をのぼって二階の踊り場を過ぎたところにある、ちらちら光る大きな岩が棚みたいに飛びだしている場所で、いつもはそこに座って音楽を聴いたりわたしたちが手を出すべきではないと言われているあらゆるお楽しみを眺めたりしている。

でも今夜のタリンはそこを選ばずに階段の前を通り過ぎて、銀のトレイから緑のリンゴとブルーチーズをひと切れ取った。塩を振りかけることなくさっさとそれらをかじったあと、リンゴをわたしに差しだした。わたしたちには普通の果実と妖精の実を見分けられないとオリアナは言うけれど、妖精の実は濃い金色の粉を吹いているし、果肉は赤くて密、収穫時には甘ったるい香りが森に満ちる。

かじったリンゴはしゃきっとして冷たかった。わたしたちはそれをひと口かじっては相手に放り、芯だけになったところでわたしがふた口で食べきった。

ふと見ると、すぐ近くに白い髪がタンポポみたいに丸く広がった小さな妖精の少女が立っていた。次の瞬間、その子が小さなナイフで妖精オグルのベルトのストラップを切ったので、わたしは驚いた。なんという早業だろう。オグルの腰にあった剣とポーチが消え、少女はさっさと人込みにまぎれていく。いまのは気のせいだったと思いかけたとき、少女が振り向いた。

わたしと目を合わせて、ウインクをする。

そのときようやくオグルが、盗みに遭ったことに気づいた。

「盗人の匂いがするぞ！」怒鳴りながらきょろきょろとあたりを見まわす。オグルは濃い茶色のビールが入ったジョッキが倒れるのを無視して、いぼのある鼻をうごめかせた。

突然、近くで騒ぎが起こった。一本のろうそくがパチパチと音を立てて青い炎を噴きあげ、その激しさにみんなが――オグルさえも――気を取られる。そして炎がもとに戻る頃には、白い髪の盗人はとっくに消えていた。

わたしは思わずくすっと笑って、タリンのほうに顔を戻した。タリンは踊っている人々を焦がれるように見つめていて、それ以外のものはほとんど目に入っていない。

「代わりばんこに踊ればいいじゃない。あんたがやめられなくなったら、やめさせてあげる。わたしにも同じようにしてくれれば大丈夫よ」タリンが言う。

タリンの提案に鼓動が速くなった。楽しんでいる人々の群れを見つめ、オグルの鼻先で彼の持ち物をかすめ取った少女のような勇気を奮い起こそうとする。

ヒバリ団の真ん中で金色にきらめく肌に蔦《つた》の葉のような深緑色の髪をしたエロウィン王女がくるくる踊っていて、そのすぐそばでは人間の少年がバイオリンを弾いていた。少年の横にはさらにふたり人間がいて、少年より技量は劣るものの、ウクレレで楽しそうな音色を奏でている。エロウィンの妹のカエリアも父親と同じ絹糸のようなトウモロコシ色の髪に花の冠をつけ、近くで踊っていた。

新しい譚詩曲《たんしきょく》が始まり、その歌詞が聞こえてきた。「〝ウィリアム王の息子のなかでもっとも悪名高きジェイミー王子。げに悲しきは、この王子が長男だったこと〟」

この歌は聴いていると別の王子を思い出すので、あまり好きではなかった。その別の王子は、ライア王女と同じく今夜は出席していないようだ――いいえ、違う。彼が見えた。

エルドレッド上王の六番目の子であり、明らかに最悪の子でもあるカーダン王子が、わたしたちのほうに近づいてきている。

その後ろにはヴァレリアンとニカシアとロック――もっとも忠実で意地悪でおしゃれな三人の取り巻き――が続いていた。人々が口をつぐんでふたつに分かれ、お辞儀をする。カーダンはいつもどおりのしかめっ面で、目の下をコール墨で縁取り、漆黒の髪の上に金の飾り輪をのせている。ぎざぎざの高い襟のついた黒の長い上着には、星座の刺繍《ししゅう》が全体にほどこされていた。ヴァレリアンは真紅の衣装をまとっていて、袖口に輝いている半球形のルビーは凍った血のようだ。ニカシアは海を思わせるブルーグリーンの髪に帯状のパールの冠をつけ、編んだ部分をきらきら輝くクモの巣の網で覆っている。一番後ろにいるキツネと同じ色の髪のロックは、どことなく退屈している感じだ。

「あの人たち、ばかみたい」そう言うと、タリンがわたしの視線をたどった。それでも彼らが美しいことは否定できない。まさに歌に登場する妖精貴族そのものだ。一緒に授業を受け、彼らが自分たちの機嫌を損ねた者にどれほどひどい仕打ちをするか目の当たりにしていなければ、みんなと同じようにわたしもどうしようもなく恋してしまっていたかもしれない。

「カーダンには尻尾があるって、ヴィヴィが言ってた。この前の満月の晩に、王子とライア王女と湖に泳ぎに行って見たんだって」タリンがささやいた。

カーダンが湖で泳いでいる姿は想像できなかった。飛びこんで水しぶきをあげ、みんなをびしょ濡れにして笑っているところなんて。彼があざ笑うという以外の理由で笑うことなど、あるはずがない。「尻尾？」思わず顔がにやけたが、ヴィヴィがわたしにはその話をしてくれなかったと考えると笑いは引っこんだ。三人姉妹というのは微妙な関係だ。いつも誰かひとりが仲間外れになる。

「しかも先にふさふさの毛がついてたらしいよ。いつもは服の下に縮めて隠してるのが、鞭みたいに伸びたって。ヴィヴィったら、自分にもあったらよかったのに、なんて言うんだもん」タリンがくすくす笑いながら言うので、最後の部分はよく聞こえないほどだった。

「なくてよかったわ」思わずそう言ってしまったが、本当は尻尾に反感なんか持っていないのに、どうしてそんなふうに言ってしまったのかわからなかった。

　そうこうしているうちにカーダンと取り巻きがいよいよ近くまで来たので、彼らの話はできなくなった。わたしは床に視線を落とし、いやいや地面に片膝をついて頭を垂れ、歯を食いしばった。隣でタリンも同じような姿勢を取っている。まわりじゅうが王子に敬意を表していた。

〝こっちを見ませんように。お願いだから見ないで〟

　通り過ぎるとき、わたしの編んだ髪で作った角をヴァレリアンがつかんだ。ヴァレリアンだけが足を止め、わたしを見おろしてせせら笑う。

「見つからないとでも思ったのか？　どこにいても、おまえたちふたりはすぐにわかる」彼が顔を寄せると、むせ返るような蜂蜜酒の香りが漂った。自分を抑えるために手を握りしめ、身につけているナイフを意識する。それでも彼の目は見なかった。

「こんなにつまんない髪のやつも、こんなに地味な顔のやつも、ほかにいないからな」

「ヴァレリアン」カーダンが呼んだ。もともと鋭かった王子の視線が、わたしを見てさらに険しさを増した。

　ヴァレリアンに編んだ髪をきつく引っ張られて顔がゆがみ、やり場のない怒りが体の奥からわきあがる。ヴァレリアンは笑って去っていった。

怒りはすぐに自分を恥じる気持ちに変わった。彼の手をぴしゃりと払いのけてやればよかったのだ。そんな真似をすれば、もっとひどいことになるとわかっていたとしても。

タリンがわたしの表情に気づいた。「なんて言われたの？」

わたしは黙って首を横に振った。

カーダンが銅色の長い髪と蛾《が》のような小さい羽を持った少年の横で立ちどまった。少年は頭を垂れていない。笑い声をあげた少年に、カーダンは襲いかかった。まばたきをする間にこぶしが顎に叩きこまれ、少年が吹っ飛ぶ。宙を舞った少年の羽をカーダンがつかむと紙でできているかのように簡単に破け、高くて細い悲鳴があがった。地面に落ちた少年は苦痛に顔をゆがめて丸まった。妖精の羽は再生するのだろうか。蝶《ちょう》は一枚でも羽を失えば、二度と飛べない。

見ていた者たちは一瞬息をのんだあとさざめくように笑い、すぐにダンスや歌に戻った。何事もなかったかのように喧騒が戻る。

彼らはこういう者たちなのだ。カーダンの邪魔をした者は、その場で情け容赦なく罰せられる。王宮での授業から、ときには宮廷そのものから完全に追放される。傷つけられ、破滅させられるのだ。

用がすんだとばかりに少年から離れていくカーダンを見て、もっと尊敬できる王子や王女がいることに感謝した。カーダンが王座につくことは、ほぼ確実にないだろう。いま以上の力を持つ彼は見たくない。

ニカシアとヴァレリアンでさえ、眉をひそめて視線を交わしている。ヴァレリアンはすぐに肩をすくめてカーダンのあとを追ったものの、ロックは少年の横で足を止め、手を貸して立ちあがらせた。

少年の友人たちが寄ってきて、彼を連れだしていく。そのときたまたま顔をあげたロックと目が合って、彼が驚いたように目をみはった。とたんに心臓が激しく打ち始め、体が固まる。てっきり侮蔑の表情を向けられると思ったのに、彼の口の端がぴくりとあがった。まずいところを見られたというように、ロックがウインクをする。わたしを嫌悪すべき存在だと見なし、そばに寄ったら限りある命が伝染すると思っているはずの相手からの秘密を共有するような仕草に、思わず混乱する。

「そんなに見つめるのはやめなさいよ」タリンが言う。

「いまのを見てなかったの？」説明しようとしたが、タリンは聞こうとせずにわたしの手をつかんで階段へ行き、いつもの隠れ場所であるちらちら光る岩棚のある踊り場に向かった。タリンの爪が食いこんで痛い。

「これ以上あの人たちに目をつけられるような、よけいな真似はやめて！」タリンの口調の激しさに驚いて、手を引き抜いた。つかまれていたところに半月状の赤い跡が点々とできている。

振り返ると、ロックはすでに人込みにのまれて見えなくなっていた。

4

夜が明けかかっていたので、わたしは寝室の窓を開けて夜気の名残を部屋に入れながら、宮廷用のドレスを脱いだ。体じゅうに興奮が渦巻いていた。肌は敏感になってぴりぴりしていて、心臓がどきどきと激しく打っている。

これまでも、宮廷には何度も行っていた。羽が破られるよりひどい仕打ちを目撃したこともあるし、侮辱されたのだって初めてではない。妖精は嘘をつけない分を策略と冷酷な行動――誤解を招くような言いまわし、悪ふざけ、省略、謎かけ、スキャンダル、思い出せないほど昔の侮辱に対する復讐《ふくしゅう》の繰り返しなど――で補っている。

たとえばマドックが〝赤頭巾〟と呼ばれているのは、人魚が海水を必要とするように流血を必要としているからだ。戦いが終わるたび、マドックは儀式のように頭巾を敵の血に浸す。武器庫のガラスケースのなかにしまわれているその頭巾を見たことがあるけれど、黒ずんだ赤茶色に染まった生地はごわごわで、ところどころに緑色の染

みもついていた。

わたしはときどき地下におりてその前に立ち、幾重にも重なった血の跡を見つめながら、両親の姿を思い浮かべる。かすかなむかつきだけではない何かを感じたいからだ。でも激しい感情を呼び起こしたいという思いとは反対に、頭巾を見るたびに心の揺らぎは小さくなる。

いまも頭巾を見に行こうかと考えて、結局やめた。その代わりに窓の前に立って、恐れを知らぬ騎士や魔女になった自分を想像した。魔女になったわたしが心臓（唯一の弱点）を薬指に隠し、その指を切り落として無敵の存在と化したところを（実際は単に指を食いちぎられただけだけれど）。

「もういや。本当にいや」声に出して言う。

しばらくそこに座ってのぼりゆく太陽が空を金色に染めるのを見つめ、引き潮の波の音に耳を澄ましていると、何かが飛んできて窓の外に止まった。最初はフクロウかと思ったが、目を見るとホブだ。「何がいやなんだ?」それが話しかけてくる。

わたしはため息をついて、正直に答えた。「自分に力がないこと」

ホブはわたしの顔をじっと見つめ、それから飛び去った。

昼間じゅう眠って目が覚めたわたしは、ベッドのまわりにかかっている長い刺繡のカーテンをかき分けて、よろよろとベッドを出た。片方のほっぺたによだれの乾いた跡がついている。

浴槽に湯が張られているが、すでにぬるくなっていた。召使いが来て用意してくれたのだろう。かまわず浴槽に入って、顔に湯をかける。妖精国に住んでいると、自分以外の誰もがバーベナやつぶした松葉、乾いた血やミルクウィードの匂いがすることに気づかずにはいられない。それなのにわたしはまめに体を洗わなければ、脇にかいた汗とすえた息の匂いがしてしまう。

タターフェルがランプを灯しに部屋へ入ってきたとき、わたしは学校へ行くために着替えをすませていた。授業は午後遅くから夜にかけて行われる。今日はマドックの紋章がついたチュニックにグレーの革のブーツという格好だった。マドックの紋章は短剣と三日月を組みあわせたもので、弧を下にして杯のように見える三日月の片方の端から血が一滴落ちている図柄が、絹糸で刺繡されている。

階下におりるとタリンが宴会用のテーブルにひとりで座っていて、イラクサのお茶を飲みながらロールパンをちびちび食べていた。楽しくなりそうだなんて言いだす気配は、今日はない。

おそらく罪悪感か自分のしたことを恥じる気持ちからだろうけれど、わたしたちは妖精の子どもたちと同等に扱われているとマドックは言う。同じ授業を受けているし、彼らが持っているものはなんでも与えられている、と。取り替えっ子が上王の統べるこの国に連れてこられたことはこれまでにもあったが、貴族として育てられた者はいない。

でも、そういうふうに扱われていることでわたしたちが彼らからどれだけ憎まれているか、マドックはわかっていない。

感謝していないわけではないのだ。授業は好きで、教師に正しい答えを返す喜びは誰もわたしから奪えない。ときどき教師がそうではないというふりをして、熱烈に褒める代わりにいまいましそうにうなずくが、そんなときは黙ってそれを受け入れ、喜びを噛《か》みしめる。彼らがどう思おうと、授業で着実に知識を得ていくことは、わたしがこの妖精国の一員としてやっていけるという証だからだ。

前はヴィヴィも一緒だったけれど、いまは飽きて行かなくなった。マドックは怒ったものの、彼が賛成する何もかもをヴィヴィは嫌うので、怒られれば怒られるほどヴィヴィの決意は固まった。ヴィヴィはわたしたちのことも引きとめようとした。けれど授業に出るのをやめてマドックに泣きついたりしたら、自分の力で妖精たちのいやがらせに対抗できるということを示せない。そうしたら、マドックはどうしてわたしたちが宮廷でやっていけると信じられるだろう。宮廷ではさらにひどい謀略が渦巻いているのだ。

　タリンとわたしはバスケットを持って出発した。上王の宮殿へ行くのにインスマイアを出る必要はないが、わたしたちはより小さいふたつの島――石の島ことインスムアと悲しみの島ことインスウィール――のへりを通っていった。三つの島は半分水をかぶった岩だらけの道と飛び石でつながっていて、簡単に行き来できるのだ。いまも鹿の群れが、おいしい草の生えているインスムアに向かって泳いでいる。仮面の湖を過ぎて乳の木の森に入り、淡い銀色の幹と白っぽい葉を持つ木々のあいだを抜けていく。そこからはごつごつした岩場の洞窟のそばでひなたぼっこをしている人魚たちが見え、夕日を浴びてうろこが琥珀色《こはくいろ》に輝いているさまに目を奪われた。

　年齢にかかわらず、貴族の子は王国じゅうから集められた教師の教えを王宮内で受けることになっていた。授業は木立のなかのエメラルド色の苔に覆われた空き地で行われることもあれば、高い塔や木の上で行われることもある。わたしたちは夜空に見える星座の動き、さまざまなハーブの医学的効能や魔力、妖精族の言葉だけでなく鳥や花や人間の言葉（妖精の言葉はわたしの口ではうまく言えないものもある）、なぞなぞの作り方、落ち葉やイバラの上で跡を残さず足音を立てずに歩く方法を学び、ハープやリュートの奏で方、弓や剣の扱い方を丁寧に教わった。妖精の子たちが魔法の練習をするのを、タリンとわたしは見守った。休み時間には、木々に囲まれた広い野原でみんなと戦争ごっこをした。

マドックはわたしを、木の剣でも侮りがたい力を発揮できるよう鍛えあげてくれた。もう稽古をやめてしまったけれど、タリンの腕も悪くない。あともう何日かで開かれる夏の競技会で、わたしたちは王族の観覧のもと模擬戦をする。マドックが許してくれたら騎士に名乗りをあげ、王子か王女の誰かに選んでもらえるかもしれない。王族に仕える騎士になるというのは力を得るということであり、彼らの庇護を受けられるということだ。

そうなればタリンのことも守れるようになる。

学校に着くとカーダン王子とロック、ヴァレリアン、ニカシア、それに何人かの妖精がすでにいて、草地に広がっていた。鹿の角を持つ少女ポージーが、カーダンの言ったことにくすくす笑っている。彼らはわたしたちが毛布を広げて座りノートやペンやインク壺《つぼ》を出しても、目を向けようとはしない。

わたしはほっとした。

授業では、海を統べる女王オーラーと地上を統べる妖精の王や女王たちとのあいだで慎重な交渉を重ねて保たれている平和の歴史を学んだ。オーラーの娘であるニカシアは上王の宮廷に送りこまれ、育てられている。オーラーの美しさを称《たた》える歌は数多く作られているが、人柄を称えるものはなく、娘を見て母親である女王の人となりも推して知るべしというところなのだろう。

ニカシアは自らの国に対する誇りで、授業のあいだじゅう得意そうな顔をしていた。教師の話が白蟻《ターマイト》の国のロイベン卿《きょう》の話に差しかかると、わたしは興味が失せて戦いの流れを頭のなかでシミュレーションし始めた。打ちかかり、突き、かわし、攻撃を受けとめる。ノートを取るのを忘れ、剣の柄であるかのようにペンを握りしめた。

太陽が低く沈むと、タリンとわたしは家から持ってきたバスケットを開けた。なかにはパンとバターとチーズ、それにスモモが入っている。おなかがすいたわたしは、勢いよくパンにバターを塗り広げた。

ところが、わたしたちの横を通ったカーダンがそのパンに土を蹴りかけ、みんなが笑った。

顔をあげると、彼が意地悪い喜びに目を輝かせて見つめていた。わざわざ食べる価値があるかどうか推し量りながら小さなネズミを見つめる、猛禽類《もうきんるい》のようだ。彼は角が刺繍された襟の高いチュニックを着ていて、手には指輪をいくつもはめている。あざ笑うような表情はしょっちゅう浮かべているものだ。

　わたしは歯を食いしばった。このまま無視していれば、興味を失って立ち去るだろう。あとほんの何日かなら、こういう侮辱にも耐えられるはずだ。

「どうかした？」ニカシアが甘ったるい声でききながらカーダンに歩み寄り、彼の肩に腕をまわした。「あなたたち人間は土から作られたのよ。そして遠からず、また土に戻る。だからかまわずお食べなさい」

「食べさせてみたら？」我慢できずに言ってしまった。たいした言葉ではないけれど、てのひらに汗がにじみでている。タリンが驚いた表情になった。

心臓が激しく打ち始めた。ナナカマドの実のネックレスをしていなかったら、彼は魔法を使ってわたしに土をごちそうだと思いこませることができる。マドックの地位を考えて、そうせずにいるだけだ。チュニックの下につけているネックレスに触りたくなるのを我慢して、それが魔法を跳ね返してくれるように祈った。つけているのを見抜かれて、奪われてしまったら終わりだ。

　教師のほうを見たものの、年寄りの妖精プーカは鼻をうずめるようにして本を読んでいる。

カーダンは王子なので、これまで誰にも衝動を抑えるように注意されたことがない可能性が高い。だが彼がどこまでやるのか、教師がどこまでなら許すのかがわからない。

「そんなことはされたくないよな」ヴァレリアンが偽りの同情をこめて言いながら、わたしたちのランチにさらに土を蹴りかけた。彼が近づいていたことに、まったく気づいていなかった。以前ヴァレリアンは、わたしから銀のペンを盗んだことがある。マドックがそのペンの代わりに自分の机の上にあったルビーが埋めこまれたペンをくれたことを知ると、ヴァレリアンは怒り狂って練習用の木の剣でわたしの後頭部を殴った。「バスケットにあるものを全部食べたら、今日はもうおまえたちにかまわないと約束したらどうだ？　ぼくたちと友だちになりたいだろう？」彼の笑みは偽りに満ちている。

タリンが膝の上に視線を落とした。そんなことはないと言いたかった。あんたたちと友だちになんかなりたくない、と。

わたしは何も言わないまま、目を伏せずにカーダンを見つめ続けた。何を言っても、彼らをやめさせられないとわかっている。ここではわたしに力はないのだ。でも今日は、自分の無力さに対する怒りをのみこむことができなかった。

　ニカシアがわたしの髪からピンを抜いたので、三つ編みが一本首筋に落ちた。彼女の手を叩こうとしたが、すばやすぎて間に合わなかった。

「これはなんなの？」ニカシアが金線細工のサンザシの実が先についた金のピンを掲げた。「盗んだのかしら。これをつけたらきれいに見えるとでも？　わたしたちと同じになれると思ったの？」

　わたしは頬の内側を噛んだ。もちろん、彼らのようになりたかった。彼らは聖なる火で鍛えられた剣のように美しく、永遠の命を持っているのだ。ヴァレリアンの髪は磨いた金のように輝いているし、ニカシアはすらりと長い完璧な形の手足と、珊瑚《さんご》のようなコーラルピンクの口、深海のように冷たく神秘的な色の髪を持っている。ヴァレリアンの後ろに注意深く表情を消して無言で立っているキツネのような目のロックは、顎の先が耳の先と同じように尖っている。この三人よりカーダンはさらに美しく、黒髪はカラスの羽のような玉虫色の光沢を放ち、頬骨は女の子たちの心を張り裂けさせるほど鋭い。わたしは彼をほかの誰よりも憎んでいた。憎くて憎くて、彼を見ただけで息が吸えなくなることがある。

「あなたたちは絶対に、わたしたちと同等にはなれないわ」ニカシアが言う。

もちろん、そんなことはわかっている。

「さあ、もういいじゃないか。こんなやつらは放っておけばいい」ロックはどうでもいいというように笑うと、ニカシアのウエストに手をかけた。

「ジュードは悪かったって思ってるわ。わたしたちふたりとも、そう思ってる」タリンがすばやく言った。

「どれだけ悪いと思っているか、彼女は見せてくれてもいいんじゃないかな。夏の競技会には出なくていいと、伝えておいてくれ」カーダンがゆったりとした口調で言う。

「わたしが勝つのが怖いの？」ばかな真似だと思いながら、思わず口にしてしまった。

「競技会は人間が出るものじゃない。やめておくんだな。でないと後悔する羽目になる」カーダンが冷たい声で返した。

わたしはさらに言い返そうと口を開いたが、先にタリンが言っていた。「ジュードにはちゃんと言って聞かせるわ。たいしたことじゃないし。ただのゲームだもの」

ニカシアがタリンに鷹揚《おうよう》な笑みを向け、ヴァレリアンは色気を含んだ視線でタリンの体の曲線を目でたどった。「そう、すべてはただのゲームだ」

カーダンと目が合うと、彼にはこれで終わらせるつもりはないとはっきりわかった。

王子たちが彼らのために食事が用意されている場所に行ってしまったあと、タリンが詰め寄った。「どうしてたてついたの？　王子に言い返すなんて、ばかとしか言いようがないわ」

〝食べさせてみたら？〟

〝わたしが勝つのが怖いの？〟

「わかってる。もう言わない。ただ――腹が立っちゃって」

「怖がってるほうが身のためよ」タリンは忠告して、頭を振りながら台なしになった食事を片づけた。わたしはおなかが鳴るのを懸命に無視した。

　彼らはわたしを怖がらせたいのだ。その午後の模擬戦ではヴァレリアンに転ばされ、カーダンにはさんざんいやがらせを耳元でささやかれた。帰り道のわたしの体は、転んだり蹴られたりしたためにできた痣《あざ》でいっぱいだった。

　彼らにはわかっていないことがある。たしかにわたしは彼らが怖いけれど、恐怖ならこの国に来たときからずっと感じていた。両親を殺した男に、化け物が生きる土地で育てられたのだ。わたしは恐怖とともに暮らしながら、骨の髄まで染みこんだそれを無視してきた。怖くなんかないと強がらなければ、マドックの屋敷のなかでフクロウの羽根の上掛けの下に隠れたまま、外に出られなくなっていた。そうなったら、ベッドの上で正気を失うまで悲鳴をあげ続けただろう。そうなるのをわたしは拒否する。絶対にそうはならない。

ニカシアはわかっていない。わたしは競技会で彼らと互角に戦いたいわけじゃない。勝ちたいのだ。同等になどなりたくない。

心から求めているのは、彼らを負かすことだ。

5

家に帰る途中、タリンは仮面の湖のほとりでブラックベリーを摘んだ。わたしは月明かりを浴びながら岩に座り、水面に目を向けないようにしていた。湖には自分の顔は映らない。過去に湖をのぞいた、あるいはこれからのぞく別の者の顔が映るのだ。小さい頃は一日じゅう岸に座って、自分の顔の代わりに映しだされる妖精の顔を見て過ごした。母さんの顔が一瞬でも映ることを願いながら。

結局、つらすぎてやめてしまったけれど。

「競技会に参加するのはやめる？」タリンがベリーをひとすくい口に入れながらきいた。わたしたちはおなかをすかせた子どもみたいだった。背丈はもうヴィヴィよりも高いし、腰は張り、胸はふくらんでいるというのに。

バスケットを開けて土のついたスモモを取りだし、シャツでぬぐう。なんとか食べられる状態になったので、考えこみながらゆっくりとかじった。「カーダンと取り巻

きのやつらの言うことを聞くかってこと？」

タリンが、とりわけ頑固なときにわたしがするのと同じしかめっ面を向けてきた。

「あいつらがわたしたちをなんて呼んでるか知ってる？　虫けら団よ」

わたしは種を湖に投げ入れ、水面が波立って映っているものがかき消されるのを見つめながら、唇をきつく結んだ。

「魔法の湖にごみを投げ入れるなんて」タリンが責める。

「腐って分解されるわよ。そのうちわたしたちもね。やつらの言うとおりだわ。わたしたちは虫けら団よ。わたしたちの命には限りがあるの。だからやつらが放っておいてくれるようになるのを待つ時間はない。わたしが競技会に参加するのが気に入らないって言われても、関係ないわ。騎士になれば、やつらだって手を出せなくなる」

「マドックが許すと思う？　自分以外の者に仕えることを」ブラックベリーの茂みの棘で血が出たので、タリンは実を摘むのをやめた。

「騎士にさせるためじゃなければ、なんでマドックは鍛えたの？」わたしたちは無言で、ふたたび歩き始めた。

「わたしはそんな道は選ばない」タリンが首を横に振る。「誰かと恋に落ちるつもりよ」

わたしはびっくりして噴きだした。「へえ、そう決めたってわけ？　でも、そんなに簡単じゃないと思うわよ。恋って、まったく予想していないときに訪れるものらしいから。こん棒でいきなり頭を殴られるみたいに」

「とにかくわたしは決めたの」タリンが言ったので、最近彼女が断言してそのとおりにならなかったときのこと――今夜は絶対に楽しくなると予言した宮廷の宴がそうではなかったこと――を指摘しようとも思ったが、気を悪くさせるだけなのでやめておいた。代わりにタリンが誰と恋に落ちるのか想像してみる。人魚ならどうだろう。人魚の恋人から水中で息ができる力や真珠の冠を贈られ、海の底にあるベッドへといざなわれるタリン。

一瞬うっとりしたわたしは、選択を間違えたかもしれないと考えた。

「ねえ、泳ぐのは好きだっけ？」タリンにきく。

「何よ、急に」

「なんでもない」

タリンはからかわれたのだと思ったらしく、脇腹を肘で突いてきた。

乳の木の森は夜は危険なため、わたしたちは木々の幹が曲がっているねじれの森を抜けた。根人《ルートマン》に踏まれるとまずいので、見かけると立ちどまって歩みを邪魔しないようにした。苔が彼らの肩から樹皮の頬まで覆い、あばらのあいだを風が音を立てて吹き抜けていく。

彼らが並んで進んでいく光景は、美しく荘厳だった。

「騎士に名乗りをあげるのをマドックが許してくれると思っているなら、どうしてまだきいてないの？　競技会まで、あと三日しかないじゃない」タリンがささやく。

夏の競技会には誰でも参加できるが、騎士になりたいなら立候補していることを宣言する緑色のたすきを胸につけなければならない。だからマドックの許しが得られなければ、どれだけ活躍しても無駄なのだ。立候補していない者は選ばれない。

ルートマンのおかげで質問に答えずにすんで、ほっとした。タリンの言うとおり、マドックの答えが不安で、まだきけていないのだ。

家に着いて鉄の輪がついた大きな木製のドアを開けると、怒ったような叫び声が階上から聞こえてきた。あわてて階段を駆けあがると、ヴィヴィが部屋で精霊スプライトの群れを追いかけている。スプライトがかすかな風とともにわたしの横を猛スピードで通り過ぎ、ヴィヴィが廊下へ出る前に止めようと戸枠に本を叩きつけた。

「見てよ！　こいつらが何をしたのか！」ヴィヴィが怒鳴りながらクローゼットを指さす。

クローゼットの扉は開いていて、紙マッチ、新聞、空き瓶、小説、ポラロイド写真など人間の世界から盗んできたものが散らばっているのが見えた。スプライトが紙マッチをベッドやテーブル代わりに使い、紙をびりびりに裂き、なかにもぐりこめるよう本の真ん中をくり抜いている。はっきり言って、クローゼットのなかはめちゃくちゃだった。

でもそれよりも驚いたのは、ヴィヴィがこれだけの量の、しかもほとんど価値がないものばかりを集めていたということだった。クローゼットは人間の世界から持ってきたがらくたで埋め尽くされている。

「いったい何があったの？」タリンが部屋に入ってきて、ほんの少しかじられただけの帯状につながった写真を拾いあげた。連続して何枚か撮られているそれらは、証明写真ボックスのようなところで撮影されたものだ。そこにはヴィヴィが、満面の笑みを浮かべたピンク色の髪の人間の女の子の肩を抱いて写っていた。

もしかしたら、恋に落ちると決めたのはタリンだけじゃないのかもしれない。

わたしたちは夕食をとるために、笛を吹く牧神や踊るインプが側面に彫られている大きなテーブルについていた。テーブルの真ん中では太い円柱形のろうそくが燃え、その横にある石を彫りだした花瓶にはカタバミがいっぱいに生けられている。召使いたちが料理を盛った銀の皿を運んできたので、わたしたちは新鮮なソラマメ、ザクロの粒を散らした鹿肉、こんがり焼いた茶マスにバターをかけたもの、苦味のあるハーブのサラダ、そしてデザートにリンゴのシロップをたっぷり塗ったレーズンのケーキを、マドックとオリアナはカナリア諸島産のワイン、子どもたちはそれを水で薄めたものとともに食べた。

わたしとタリンの皿の横には、塩を入れたボウルが置いてある。

ヴィヴィが皿の上の鹿肉をつつきまわし、ナイフについた血を舌でなめ取った。テーブルの反対側に座っているオークがうれしそうに笑ってヴィヴィの真似をしようとしたが、舌を切る前にオリアナがナイフを取りあげた。オークがくすくす笑い、肉を手で持ちあげて鋭い歯で嚙みちぎる。

「おまえたちに知らせておく。上王はお子さま方のひとりに跡を継がせるため、近々王位を退かれる。おそらくデイン王子を選ばれるだろう」マドックがわたしたちを見まわして言った。

デインが三番目の子でも関係ない。上王が後継者を選ぶのだ——そうやってエルフェイムの安定した統治が守られる。初代のマブ女王はお抱えの鍛冶屋に王冠を作らせた。言い伝えでは、グリムセンと呼ばれていたその鍛冶屋は金属からどんなものでも作りだせたらしい。きれいな声でさえずる鳥、首元でうごめくネックレス、決して狙いを外さないふたふりの剣——心臓追いの剣《ハートシーカー》と胸に誓いし剣《ハートスウォーン》といったものを。マブ女王の王冠には魔法がこめられていて、血がつながっている者同士でしか受け渡せない。血統を絶やさないためにそうなっているのだ。王冠とともに上王への忠誠は引き継がれる。臣下は新王の戴冠式が行われるたびに集まって忠誠を誓うが、真の権威は王冠にあるのだ。

「どうして退位するの？」タリンがきいた。

　ヴィヴィが意地の悪い表情でにやにやした。「父親がいつまでもぴんぴんしているから、子どもたちが待ちきれなくなったのよ」

　マドックの顔に怒りが浮かぶ。タリンとわたしは彼が切れるのが怖くてめったなことを言わないようにしているけれど、ヴィヴィはぎりぎりのところを巧妙に見きわめ、彼を刺激する。マドックの声から、懸命に自分を抑えているのがわかった。「妖精国をこれほど長く賢明に治めている上王はエルドレッドだけだ。しかし、上王は約束の地を探しに行くと決めた」

　わたしが知っている限りでは、約束の地というのは彼らにとって遠まわしに死を表現する言葉だ。彼らは認めないけれど。そこは妖精が生まれた場所であり、いつか戻る場所なのだと彼らは言う。

「年を取ったから王位を譲るってこと？」失礼な質問かもしれないと思いながらも、きかずにはいられなかった。妖精たちのなかには毛が生えていない小さな猫のように生まれつきしわだらけの顔をしているホブみたいな生き物がいる一方、叡智《えいち》に満ちた目にしか年齢がうかがえないすべすべの手足を持つ水の精、ニクシーみたいな生き物もいる。彼らにとって、時が意味のあるものだとは思えなかった。

　オリアナは不快そうな顔をしているが、注意して黙らせようとする様子もないので、許しがたい無礼というほどではないのだろう。わたしが無礼なのはどうしようもないと、あきらめているだけなのかもしれないけれど。

「われわれは年老いて死ぬことはないが、時を経て生に倦《う》むことはある」マドックが重いため息をついた。「これまでわたしはエルドレッドの名のもとで戦い、エルドレッドに忠誠を誓わない王たちを屈服させてきた。海の国の女王との小競りあいを指揮したこともある。だがエルドレッドは、血を見ることをいとわない激しさを失ってしまった。小国の王がわれわれに従うことを拒んでも、彼の旗のもとに集う臣下の勝手気ままなふるまいを許すようになった。いまは戦うべきときだというのに。だから新たな君主が必要なのだ。血に飢えた新たな王が」

　オリアナが困惑したように眉をひそめた。「家族としては、あなたが安全でいてくれるほうがうれしいと思いますけれど」

「戦いがなければ、将軍などなんの意味がある」マドックがいらだったようにワインをあおる。彼はそんなにも頻繁に、頭巾を敵の血に浸したいと思っているのだろうか。

「新たな王の戴冠式は秋分の日に行われる。心配する必要はない。われわれ家族の将来については、ちゃんと計画がある。戴冠式ではたっぷりダンスをすることになるから、おまえたちはその準備をすることだけ考えていなさい」

　マドックはどんな計画を立てているのだろう？　わたしが考えこんでいると、タリンがテーブルの下で脚を蹴ってきた。振り向いてにらむと、眉をあげて声を出さずに口を動かす。〝あれをききなさいよ〟

　マドックがタリンのほうを向いた。「なんだ？」

「ジュードがききたいことがあるんですって」わたしを助けているつもりで言っているのが最悪だ。

　わたしは深呼吸をした。マドックは少なくとも機嫌はよさそうだ。「競技会のことを考えていたんだけど、わたしの剣の腕は悪くないでしょう？」この場面を何度も想像していたのに、いざとなると準備していた言葉など出てこなかった。

「それは控えめな表現というものだ。おまえの剣の腕はすばらしい」

マドックの言葉に勇気づけられてちらりとタリンを見ると、息を詰めていた。グラスを皿の横に打ちつけて音を立てているオーク以外、全員が静まり返っている。「夏の競技会に出るつもりなの。騎士に名乗りをあげたいから」

マドックが眉をあげた。「それがおまえの望みなのか？　危険な仕事だぞ」

わたしはうなずいた。「怖くないわ」

「興味深いな」胸のなかで、心臓がどくんと重く打つ。騎士になるという計画をこれまであらゆる角度から検討してきたが、マドックに却下されるという可能性は考えていなかった。

「自分の力で宮廷の一員になりたいの」

「おまえは殺すという行為になじめないだろう」わたしがびくっとして顔をあげると、マドックが猫みたいな金色の目で見つめていた。

「なじめるわ。十年も稽古を重ねてきたんだもの」

〝ここに連れてこられてからずっと〟声には出さなかったものの、そう思っているのが目に表れているのは間違いなかった。

マドックが悲しげに首を横に振った。「おまえに欠けているのは、経験とは関係のないものだよ」

「そうだとしても――」

「この話は終わりだ。すでに裁定は下した」マドックが語気を強めてさえぎった。ふたりともしばらく黙っていたが、やがて彼は機嫌を取るように小さく笑みを浮かべた。

「そうしたければ競技会に参加するがいい。楽しむためにな。しかし、緑のたすきはつけるな。おまえには騎士になる準備ができていない。このままその気持ちが変わらなければ、新王の戴冠式のあとでもう一度きくがいい。だがちょっとした思いつきなら、これを機会にあきらめるんだ」

「ちょっとした思いつきなんかじゃないわ！」絶望しているのがあからさまに出ているのがいやでたまらなかったが、競技会の日をずっと待ち望んでいたのだ。それがさらに何カ月も待たなければならないどころか、また却下されることもありうると思うと、気持ちを抑えられなかった。

マドックの目を見ても、何を考えているのかわからない。「戴冠式のあとまで待て」

彼に向かって叫びたかった。マドックにわかるはずがない。いつも頭を垂れていなければならないのがどんなにつらいか。侮辱されてもただ言葉をのみこみ、脅されても我慢するしかないというのがどんなものか。わたしはずっとそうやって耐えてきた。それが自分の強さの証明になると思ったから。どんな仕打ちを受けても笑っている姿を見せれば、騎士に挑戦する資格があるとマドックに認めてもらえると思ったから。

〝おまえは殺すという行為になじめないだろう〟

マドックはわたしという人間をまったくわかっていない。

もしかしたら自分でもわかっていないのかもしれないし、一生わからないのかもしれないけれど。

「デイン王子ならいい王になられましょう」オリアナが巧みに会話を無難な方向に変えた。「戴冠式が行われるということは、舞踏会が一カ月続くということ。新しいドレスが必要ね。わたしたち全員にとびきりのドレスが」どうやらタリンとわたしも含めてくれているらしい。

マドックがうなずき、歯を見せてほほえんだ。「ああ、わかっている。好きなだけ作るといい。おまえたちには最高のドレスを着せて、思う存分踊らせてやろう」

わたしは懸命に呼吸を抑え、ひとつのことだけに集中しようとした。皿の上のザクロの粒が、鹿の血に濡れてルビーのように輝いている。

戴冠式のあとにもう一度きけと言ったマドックの言葉を、ひたすら頭のなかで繰り返した。そのときになったら許されるという気はまったくしないけれど。

それに、オリアナが持っているような宮廷用のドレスを作ってもらえるのはうれしい。前に見たそれらのドレスは金や銀のスカートに豪華で繊細な模様が刺繍されていて、どれも夜明けのように美しかった。だから思い浮かべるものにドレスも追加した。ところがあまりにも熱心に思い浮かべすぎて、ドレスを着て腰に剣を帯びている姿を想像してしまった。ハヤブサ団の騎士として正式に宮廷の一員になっているところを。そして上王のかたわらに立ったカーダンが、決して実現することのない空想の姿だとわかっているかのように、わたしを見て笑っているところも。

わたしは脚をつねって、変な想像を頭から追い払った。

「あんたたちもわたしたちと同じように、靴底をすり減らさなくちゃだめよ」ヴィヴィがタリンとわたしに言った。「オリアナは心配でしょうがないでしょうね。マドックがあんたたちも踊らせるって言ったからには、止められないもの。とんでもないことになるだろうけど、きっと楽しいわよ」

オリアナが唇をぐっと結ぶ。「そんな言い方はひどいわ。本当のことでもないし」

ヴィヴィがぐるりと目をまわした。「本当のことでないなら、わたしが言えたはずないじゃない」

「もうやめろ！」マドックがテーブルをバンと叩いたので、わたしたちはびくっとした。「戴冠式では何が起こってもおかしくない。変化が訪れようとしている。こんなときにわたしを怒らせるな」

マドックの言葉がデイン王子についてのものなのか、感謝の念がない娘たちについてのものなのか、あるいはその両方なのか、わたしにはわからなかった。

「誰かが王位を狙うと思ってるの？」タリンがきいた。タリンもわたしと同じように、ひとつの動きをあらゆる面から検討する戦略という概念を叩きこまれて育ったが、わたしと違って会話をより穏便な方向に導けるというオリアナと同じ才能を持っている。

「それはわたしではなく、グリーンブライアの血を引く者が心配すればいいことだ」マドックはそう言ったが、きかれて気をよくしているのがわかった。「臣下のなかに、血の王冠も上王という存在もなければいいと考えている者がいるのは明らかだ。上王の世継ぎたちは軍部の機嫌をもっと取るべきだよ。百戦錬磨の戦略家は虎視《こし》眈々《たんたん》と好機を狙うものだからな」

「失うもののない者だけが、あなたが守っている王座を狙うなんていう無謀な真似をするんですわ」オリアナが取り澄ました口調で言う。

「誰だって、失いたくないものがひとつはあるものよ」ヴィヴィがそう言ってオークに変な顔をしてみせたので、弟はくすくす笑った。

オリアナがオークに手を伸ばしかけて、途中で止めた。ヴィヴィの猫の目が不穏な光を放っているのを見ると、実際に何かが起こったわけではないのにオリアナが不安を覚えるのも当然だという気がしてくる。

ヴィヴィはマドックを罰してやりたいと思っているけれど、彼をいらだたせることくらいしかできない。そのためにしょっちゅうオークにちょっかいを出して、オリアナを悩ませているのだ。ヴィヴィがオークを愛しているのはわかっている。わたしたちにとって、オークは弟なのだから。でもだからといって、ヴィヴィはオークによくないことを教えるのをやめようとはしない。

マドックは満足げな笑みを浮かべて、わたしたちを眺めていた。以前はこういう家族のあいだに走る緊張にまったく気づいていないのだと思っていたけれど、成長するにつれてそうではないとわかってきた。抑えきれずに漂う緊張を、マドックはまったく気にしていない。要するに、彼は根っからの戦争好きなのだ。「もしかしたら、敵のなかにたいした戦略家はいないかもしれない」

「そうであることを祈りましょう」オリアナがオークを見つめ、ワインのグラスを持ちあげながら、どことなくうわの空で言った。

「そうだな。では乾杯しよう。われわれの敵の無能さに」

わたしはグラスを持ってタリンのグラスと触れあわせ、最後の一滴まで飲み干した。

〝誰だって、失いたくないものがひとつはあるものよ〟

わたしは夜が明けてもずっと、ヴィヴィの言葉を繰り返し思い出していた。そして数えきれないほど寝返りを打った末、寝間着の上にローブをはおって部屋を出た。外に出るとすでに高くのぼった太陽がきらきらまぶしくて、厩《うまや》のそばのクローバーが生えているところに座って屋敷を見つめると、目が痛いほどだった。

このすべてが、オリアナのものになる前は母さんのものだったのだ。若かった母さんはマドックと恋に落ちたに違いない。そのとき母さんはどんな気持ちだったのだろう？ ここで幸せになれると思ったのだろうか？

いつ、幸せになれないと悟ったのだろう？

噂《うわさ》は聞いていた。おなかに子どもがいるのにひそかに妖精国を抜けだし、十年近くも隠れ続けていた。そんな上王の将軍の面目を失わせる行為は、みんなが見逃してくれるようなささいなものではない。母さんは焼け跡に、黒焦げの女性の遺体まで置いていったのだ。度胸がないとは誰にも言えない。もう少し運があったら、生きていることに一生気づかれないですんだだろう。

母さんには失いたくないものがたくさんあった。

わたしにも失いたくないものがたくさんある。

でも、だからなんなの？

「今日は授業をさぼって。家にいてちょうだい」その午後、わたしはタリンに言った。支度はすでにすませていた。眠っていないけれど、疲れはまったく感じない。

マドックへの借金を返すために新たに働き始めたピクシーの少年に栗色の髪を王冠状に編んでもらいながら、タリンがわたしに心配そうな目を向けた。服装を茶色と金色でまとめたタリンは、化粧台の前に取り澄まして座っている。「行くなと言うってことは、行ったほうがいいってことだわ。何を考えているのか知らないけど、やめておきなさいよ。競技会のことでがっかりしたのはわかるけど――」

「それはいいの」そう言ったが、もちろんいいわけがない。騎士になるという計画はわたしにとってものすごく重要で、その望みが当面断たれたいま、足元にぱっくり開いた穴に落ちたような気分だった。

「マドックの気が変わるかもしれないわ。それに少なくともカーダンに逆らわずにすむわけだし」タリンがわたしのあとから階段をおりてきて、ランチの入ったバスケットを先につかむ。

タリンが悪いのではないとわかっていても、突っかからずにはいられなかった。

「どうしてマドックが名乗りをあげさせてくれないかわかる？　弱いと思っているからよ」

「ジュード」

「騒ぎを起こさないでルールに従うよう求められているのはわかってた。でも、もうただおとなしくしているのも、弱い自分でいるのもいやなの。そうじゃないわたしになりたい」

「怖いものを怖がらないのはばかだけよ」タリンの言葉が正しいのはわかっていても、わたしの気持ちは変わらなかった。

「今日は授業をさぼって」もう一度言ったがタリンは従わず、結局一緒に学校へ行った。

模擬戦のリーダーと話しているわたしを、タリンが警戒するように見ている。リーダーは花びらみたいな青色の肌をしたピクシーの少女ファンドで、明日は競技会のリハーサルがあると知らせてくれた。

わたしは頰の内側を噛みながらうなずいた。騎士になる望みが断たれたと、人に言う必要はない。そもそもそんな望みを持っていたことも、言う必要はないのだ。

しばらくしてカーダンと取り巻きたちがランチをとるために座ったと思うと、すぐに恐怖で喉を詰まらせそうになりながら食べ物を吐きだした。まわりでは彼らほど性格が悪くない生徒たちが蜂蜜を塗ったパン、平たい焼きパンとローストした鳩《はと》、ニワトコの花のジャムを塗ったビスケットとチーズと大粒のブドウといったランチをそれぞれ食べている。彼らと違ってカーダンたちだけがあわてふためいているのは、わたしの敵である彼らのバスケットの食べ物に塩をかけてあったからだ。

カーダンと目が合い、わたしは我慢できずににんまりと口の端をあげてしまった。彼の目は石炭のごとくらんらんと輝いていて、焼けつくように暑い日の黒い岩の上の空気さながら、彼とのあいだの空気が憎しみで揺らめいている。

「気でも狂ったの？」タリンがわたしの肩を揺すって振り向かせた。「なんで状況を悪化させるようなことをするの？　誰もあの人たちに逆らわないのには理由があるのよ」

タリンが心配するのは当然だ。わたしはいま、戦争を仕掛けたのだ。

6

わたしは正しく話を伝えていなかった。妖精国で育つということについて、もっと語るべきだった。それを語らなかったのは、第一にわたしが臆病者だからだ。そのことについては考えるのもいやなのだが、過去にあったいくつかの出来事を知ってもらえば、どうしてわたしがこんなふうになったのか、もっとよくわかってもらえるかもしれない。骨の髄まで染みこんでいる恐怖を感じていないふりをするすべを、どうやって学んだかを。

過去にあったいくつかの出来事というのは、次の三つだ。

1．九歳のとき、屋敷の警備の男に左手の薬指の先を食いちぎられた。わたしたちは外にいて、悲鳴をあげるとその男に突き飛ばされ、厩の木の柱に頭から激突した。男は食いちぎった指の先をむしゃむしゃ食べながら、わたしを立たせた。そして自分

がどれだけ人間を憎んでいるか、話して聞かせた。ものすごい量の血だった。指の先からあんなに血が出るなんて、きっと想像がつかないと思う。そのあと彼は、いまあったことについては口をつぐんでおいたほうがいいと警告した。さもないとわたしの残りの部分も食べてしまうと脅され、当然わたしは誰にも言わなかった。いま初めてこの話をしている。

2. 十一歳のときに行った王宮の宴で、退屈していた貴族のひとりに晩餐用のテーブルの下に隠れているのを見つかった。彼はめちゃくちゃに暴れて抵抗するわたしを、片足をつかんで引きずりだした。つかまえた子どもが誰か、彼は知らなかったと思う。少なくともわたしは自分にそう言い聞かせている。彼に飲めと言われてお酒を飲むと、草色の妖精のワインが甘露のように喉を滑り落ちた。それから彼はわたしを連れて丘じゅうを踊りまわった。最初は楽しかった。といっても半分の時間は振りまわされ続け、残り半分の時間はめまいがしたり吐きそうになったりしている怖さと背中合わせの楽しさだった。そしてその楽しさもやがて消えたが、いっこうに踊るのはやめられず、あとはひたすら恐ろしいだけだった。しかもわたしが恐怖を感じている様子は彼にとって冗談の種でしかないのが、見ていてわかった。宴の終わりに、泣きながら吐いているわたしをエロウィン王女が見つけた。王女はどうしてわたしがそうなったのか尋ねようともせず、置き忘れられていた上着を届けるようにオリアナに引き渡した。わたしたちはそのことをマドックに言わなかった。言ってどうなるだろう。踊っている最中のわたしを見た者は、すてきで楽しいひとときを過ごしていると思ったに違いない。

3．わたしが十四歳でオークが四歳のとき、オークがわたしに魔法をかけた。わざとではない。というか、そういうことをしてはいけないということをオークは理解していなかったのだ。わたしはお風呂から出たところで、魔よけをまったく身につけていなかった。まだベッドに行きたくないとごねるオークが人形で遊ぼうと言うのでつきあい、追いかけろと言うので廊下で追いかけっこをした。そしてたまたまオークはわたしに自分で自分を叩くようにさせられることを発見して、おもしろがった。何時間もそれをやらされたあと、ようやくタターフェルが来て、わたしの両頬が赤くなり目に涙が浮かんでいるのを見た彼女はオリアナを呼びに走った。それから何週間もオークはくすくす笑いながらわたしに魔法をかけ、お菓子を持ってこさせようとしたり、高い高いをさせようとしたり、夕食のテーブルの上に唾を吐かせようとしたりした。一度もうまくいかなかったし、それ以降は常にナナカマドの実のネックレスをかけているようになったけれど、わたしは何カ月ものあいだオークを床に投げ飛ばさないよう懸命に自制しなければならなかった。オリアナは、そんなふうに自分を抑えるわたしを警戒し続けている。すぐに仕返しをしないということは、いつか仕返しをするつもりなのだと信じているからだ。

これがわたしが語りたくなかった話で、その理由はわかってもらえたと思う。三つのどの出来事も、わたしが弱いということをはっきり示している。どれほど気をつけていても、いつかはまた失敗する。わたしは弱くて簡単につけ入られる、はかない命を持った人間なのだ。

そのことを、わたしは何よりも憎んでいる。

たとえなんらかの奇跡が起きて彼らをしのぐことができたとしても、彼らのひとりになれることは絶対にない。

7

彼らはすぐにやり返してきた。

そのあとは夕暮れまで、歴史の授業だった。猫頭のゴブリンであるヤロウが物語詩《バラッド》を朗読して、質問をする。わたしが正しい答えを返せば返すほど、カーダンは怒りを募らせた。彼は不快に感じていることを隠そうともせず、わざとゆったりとした口調でこの授業がいかにつまらないかをロックにこぼし、教師をせせら笑った。

珍しく、その日の授業は完全に日が沈む前に終わった。王宮をあとにしてタリンと歩きだしたが、彼女は心配そうな視線をちらちら向けてくる。わたしは一日の最後の光が差しこむ森のなかで、大きく息を吸って松葉の匂いを吸いこんだ。ばかなことをしたとわかっていたけれど、奇妙に落ち着いた気分だった。

「ジュードらしくないよ」タリンが口を開いた。「いつもはけんかを売ったりしないのに」

「言うことを聞いてたって、ちっともましにならないもの」爪先で石を蹴る。「何をやってもとがめられないから、どんどんつけあがるんだわ」

「だから、あんたがお行儀を教えてやろうってわけ？」タリンはため息をついた。

「誰かがやらなくてはならないとしても、その誰かがあんたである必要はないでしょ」

タリンは正しい。それはわかっていた。今日の午後に感じていた目がくらむような怒りは、そのうち静まる。そうしたら自分のしたことを後悔するだろう。ぐっすり眠れたら、きっとタリンと同じくらい怖くなる。やり返したつもりでも、問題をさらに厄介にしただけだ。いまはプライドが満たされ、気分がよくても。

〝おまえは殺すという行為になじめないだろう〟

〝おまえに欠けているのは、経験とは関係のないものだよ〟

それでも、いまは後悔する気持ちはなかった。崖から一歩踏みだしたのだから、あとは落ちていきたい。

しゃべろうと口を開いたところで、誰かの手がわたしの口をふさいだ。口のまわりの皮膚に指が食いこむ。必死でこぶしを振りまわしながら振り向くと、ロックがタリンのウエストをつかむのが見えた。でも、両方の手首をつかまれていて動けない。なんとか顔をひねって手を外し、悲鳴をあげた。けれど妖精国では悲鳴は鳥のさえずりくらいありふれていて、人の注意を引く役には立たない。

彼らは笑いながらわたしたちを小突いて、森のなかを進ませた。男の子の誰かが雄《お》叫《たけ》びのような声をあげる。ちょっとした仕返しで、すぐに終わるとかなんとかロックが言うのが聞こえたけれど、その言葉はすぐに笑い声にのみこまれてしまった。

突然ドンと肩を突かれて、ものすごい衝撃とともに冷たい水に包まれるのを感じた。水を吐きだしながら、必死に息を吸う。口のなかが泥と葦《あし》の味だった。もがきつつ立ちあがると、タリンとわたしは腰までの深さの川のなかにいた。下流のもっと深くて流れの速い場所へと押し流されそうになる。わたしは川底の泥に足をめりこませて、流れに抵抗した。タリンは岩につかまっているが、髪はびしょ濡れだ。滑って転んだのだろう。

「この川にはニクシーがいる」ヴァレリアンが言った。「やつらに見つかる前に出なかったら、水のなかに引きずりこまれるぞ。鋭い歯で嚙みつかれて」がぶりと嚙みつく真似をする。

やつらは川岸に並んでいた。一番近くにカーダン、その横にヴァレリアンがいる。ぼんやりした様子で川辺に生えている草の頭を撫でているロックは、いまはちっとも優しそうに見えない。友人たちにもわたしたちにも、退屈しているようだ。

「ニクシーはそういう生き物だから、どうしようもないのよ」ニカシアが水を蹴ってわたしの顔にかけた。「あなたたちが溺れるのが、どうしようもないことなのと同じで」

足が泥のなかに深くめりこんでいた。ブーツのなかに入った水だけでなく川底の泥が、かろうじて立っているわたしの足を完全に固定している。どうすればタリンのところまで転ばずに行きつけるのか、わからなかった。

ヴァレリアンがわたしたちのかばんの中身を岸にぶちまけ、ニカシアとロックと一緒に次々に川へ投げこみ始めた。革表紙のノートが水にのまれ、巻紙が沈みながら分解していく。バラッドと歴史の教科書は大きな水しぶきをあげて石と石のあいだにはまり、そこで止まった。ペンとペン先は川底できらきら光っている。インク壺は岩の上で割れ、川の水が朱色に染まった。

カーダンがわたしに向けた視線から、指一本動かしていない彼がすべてを仕組んだのだとはっきりわかった。妖精はわたしたち人間とはまるで違う存在であることを、彼の目がまざまざと映しだしている。

「楽しいの？　こんなことをして」わたしは声を張りあげた。恐怖を感じないほど腹が立っていた。

「ものすごく楽しいね」カーダンが言い、水の下に潜んでいる影に視線を移した。あれはニクシーだろうか？　はっきり見えない。わたしは何も考えないようにして、タリンのほうへ向かった。

「これはただのゲームよ。だけどときどきやりすぎて、おもちゃを壊してしまうのよね」ニカシアが言う。

「別にぼくたちがおまえらを溺れさせるわけじゃない」ヴァレリアンが言い放った。

　ぬるぬるする石を踏んで足が滑ったわたしはひっくり返って流され、泥水を飲んだ。頭が真っ白になって大きく息を吸い、必死に手を伸ばす。手に触れた木の根をつかんでようやく体を立て直すと、咳《せ》きこみながら息を吸った。

　ニカシアとヴァレリアンが笑っている。ロックの表情は読めない。カーダンは屈辱的なわたしの姿をもっとよく見たいのか、葦が生えているところに片足を踏みこんでいる。怒りにまかせて水を吐きだしながらタリンのほうに向かうと、彼女も近づいてきてわたしの手にすがりついた。

「ジュードが溺れるかと思った」その声はいまにもパニックに陥りそうに震えている。

「大丈夫よ」わたしは足を踏ん張り直してから、川底に手を伸ばして石を探した。大きいのを選んで水から引きあげると、藻がついて緑色になっているものが現れた。

「ニクシーが襲ってきたら、わたしがやっつけるから」

「やめろ」カーダンがわたしを見つめながら言った。タリンにはちらりとも目を向けない。「おまえたちは、ぼくたちと一緒に授業を受けるのを許されるべきではなかった。競技会のことは忘れるんだ。人間より優れた種族であるぼくたちの一員には決してなれないと、マドックに言え。そうすれば助けてやる」

わたしは彼を見つめた。

「ただ負けを認めればいい。簡単だろう?」

タリンを見ると、びしょ濡れで恐怖に震えている。わたしのせいだ。夏のさなかでも川の水は冷たく、流れは速い。「そうしたらタリンも助けてくれるの?」

「ほう。ではおまえは、姉のために言われたとおりにすると? 高潔なことだな」

カーダンの視線が飢えたような熱をはらんでいる。彼が口をつぐむと、タリンの引きつったような浅い息遣いが聞こえた。「そうなのか? おまえは高潔なのか?」

ニクシーがいるほうを見て、近づいてくる気配がないか目を凝らす。「わたしにどんなふうに感じさせたいのか、言ってみなさいよ」

「おもしろい」カーダンはさらに一歩近づいてしゃがみ、目の高さを合わせた。「子どもがほとんどいないこの国で、双子という存在を目にするのは初めてだ。だから知りたい。双子であるというのは自分がふたりいるようなものなのか？　それとも、ひとりが半分に分かれたようなものなのか？」

わたしは答えなかった。

カーダンの背後でニカシアがロックに近づいて腕を絡め、何かささやきかけている。ロックにとがめるような目を向けられ、彼女がふくれた。わたしたちがすぐに食べられてしまわないのが、ふたりとも不満なのかもしれない。

カーダンが顔をしかめた。「双子の姉妹か」彼はタリンのほうを向いて、おもしろいことでも思いついたようなうれしそうな笑みを浮かべた。「おまえも同じように犠牲を払えるか、試してみよう。寛大な提案をしてやる。ここへあがってきて、ぼくの両頬にキスをするんだ。そのあと言葉でも行動でも双子の片割れをかばわなければ、妹の反抗的な行動の責任をおまえには問わない。なかなかいい取引じゃないか？　ただし妹を川のなかに放って、いますぐここに来るのが条件だ。自分はひとりぼっちなんだと、妹に思い知らせてやれ」

タリンが凍りついたように固まった。

「行って。大丈夫だから」わたしはタリンを促した。

それでもゆっくりと岸へ向かっていくタリンを見ると、胸が痛んだ。だけどもちろん、行くべきなのだ。タリンは助かるのだし、その代償はたいしたものではない。

影がひとつ群れから離れてタリンのほうへ向かいかけたが、水に落ちたわたしの影を見てためらった。石を投げつける真似をすると、びくりとして止まる。ニクシーは抵抗しない獲物が好きなのだ。

ヴァレリアンが貴婦人にするようにタリンの手を取って、川から引きあげた。動くたびにポタポタと水が垂れるびしょ濡れの服は、スプライトか海の妖精がまとっている衣装みたいだ。タリンは青ざめた唇をカーダンの両頬につけた。タリンは目を閉じているが、カーダンは目を開けたまま、わたしを見つめている。

「〝わたしは妹のジュードを見捨てます〟と言いなさい」ニカシアが命じた。「〝わたしはジュードのことは助けないし、好きでもない〟と」

タリンが謝るようにちらりとわたしを見た。「言う必要はないでしょう？　それは取引に入ってなかったもの」みんなが笑う。

カーダンが草のあいだからブーツを引き抜いた。ロックが何か言いかけるのを、カーダンはさえぎった。「おまえは双子の姉に見捨てられた。ほんの少しそそのかしただけで、このざまだ。これからもっと苦しい状況に追いこまれるかもしれないぞ。おまえに魔法をかけて四つん這いで走りまわらせ、犬みたいに吠《ほ》えさせることだってできるんだ。呪いをかけ、二度と聞くことのない歌やぼくの優しい言葉を求めて痩せ衰えさせることもできる。ぼくたちは人間じゃない。絶対に屈服させてやる。取るに足りない弱い生き物であるおまえのことなんか、小指一本で好きにできるんだからな。さあ、あきらめろ」

「絶対にいやよ」

カーダンはわたしを見おろして笑った。「絶対に？　〝絶対に《ネバー》〟と〝永遠に《フォーエバー》〟は似ているな――死すべき運命の人間には、永遠というのがどんなものかさえわからないだろうに」

水のなかに潜んでいるニクシーは動こうとしない。おそらくカーダンたちをわたしの友だちだと見なし、わたしを襲ったら攻撃されると思っているのだろう。自分が堂々として見えるように願いながら、カーダンが次に何をするのかうかがった。見つめられている時間が、ひどく長く感じられる。

「ぼくたちのことを考えるがいい。濡れネズミのみじめな姿で家に帰りながら。どうすべきかよく考えろ。これはほんの小手調べだ」カーダンが背を向けると、一拍置いてあとの三人も同じようにした。去っていくカーダンたちの背中を見送る。

彼らの姿が見えなくなると、岸にあがってタリンが立っている場所の横に仰向けに倒れこんだ。大きく胸を上下させて空気をむさぼる。ニクシーが水面に浮かびあがり、草のあいだからオパール色の目でものほしそうにわたしたちを見つめた。なかのひとりが岸にあがってこようとする。

わたしは石を投げた。大きく外れたが、水しぶきに驚いてニクシーたちは近づいてこなかった。

わたしはうめきながら立ちあがると、歩き始めた。タリンはすすり泣いていたけれど、わたしの頭のなかはいかに彼らが嫌いか、いかに自分が嫌いかということでいっぱいだった。でも、やがて濡れたブーツを交互に持ちあげて前に運ぶことしか考えられなくなり、イバラやシダの芽やニレの木を過ぎ、赤い唇みたいな実がついた茂みやメギやセイヨウスモモの灌木《かんぼく》の前を進み、バラの茂みに巣を作っている木の精霊の横を黙々と歩いて家に向かった。わたしのものではなく、この先も絶対にそうならないであろう世界にあるその家で、お風呂に入ってベッドにもぐりこむために。

8

ヴィヴィに揺さぶられて目が覚めると、ずきずきと頭が痛かった。ヴィヴィがベッドに飛びのって、ぎしぎしときしませながら上掛けを蹴り落とす。わたしは顔にクッションを押しつけて横向きに丸まり、姉を無視して夢を見ないまどろみに戻ろうとした。

「起きなさいよ、ねぼすけ。ショッピングモールに行くわよ」ヴィヴィが言って、毛布を引きはがした。

クッションを顔に抱えたままくぐもった声をあげ、手を振って追い払おうとする。

「起きなさい！」ヴィヴィがまたしても飛び跳ねた。

「いやよ。今日は競技会のリハーサルに行かなくちゃ」うめきながら、かろうじて体に引っかかっている毛布にもぐりこもうとする。

ヴィヴィは飛び跳ねるのをやめたが、そこでわたしははっと気づいた。行かなくていいのだ。戦う必要がなくなったのだから。カーダンには絶対にあきらめないと言ってしまったけれど。

カーダンの顔が頭に浮かんだとたん、川に突き落とされたことやニクシーやタリンのことを思い出した。

タリンの言葉がどれほど正しかったか、わたしの行動がどれだけ間違っていたか、記憶がよみがえる。

「コーヒーを買ってあげる。チョコレートとホイップクリームがのってるやつを。さあ、行くわよ。タリンも待ってる」ヴィヴィはしつこかった。

よろよろとベッドから出て、腰をかきながらヴィヴィをにらむ。ヴィヴィが顔をくしゃっとさせて笑ったのを見ると、なぜかいらだちが引いた。ヴィヴィはしょっちゅう自分勝手な行動を取るけれど、あっけらかんとしているし、人にもそうするように勧めるので、いつのまにか楽しくなってしまうのだ。

クローゼットの奥にしまってある人間の世界の服を手早く取りだして着た。ジーンズと、胸に黒い星がついたグレーの着古したセーター。それにきらきら光る銀のコンバースのハイトップを履き、ダボッとしたニットキャップに髪を押しこむと、全身が映る大きさの鏡（枠の両側にひとつずつ彫られたみだらな牧神が視線を向けてくる）

のなかから見つめ返しているわたしは別人だった。

人間の世界で育っていたら、そうなっていたかもしれない女の子。

それが誰なのかはわからないけれど。

小さい頃は、三人で人間の世界に戻る話ばかりしていた。ヴィヴィはもう少し魔法を覚えたら戻れると、しょっちゅう言っていた。戻ったら空き家を見つけ、魔法をかけた鳥たちに世話をさせる。鳥たちに買ってこさせたピザやお菓子を食べ、気が向いたときだけ学校に行けばいい、と。

わたしはヴィヴィとタリンが待っている厩の前に向かった。厩には銀の蹄鉄《ていてつ》をつけた妖精の馬がいて、そのほかにも鞍と手綱をつけて人を乗せられるように訓練された巨大なヒキガエルや、鈴をつけた大きな角のトナカイがいる。ヴィヴィは白いシャツとブラックジーンズという格好で、猫の目を隠すためにミラーサングラスをかけていた。タリンはふわふわしたカーディガンとピンク色のデニムレギンスにアンクルブーツを合わせている。

わたしたちはエアコンのきいた映画館で歯が痛くなるほど甘いお菓子を食べながら見る映画や雑誌を参考に、人間の世界の女の子の格好を真似していた。人間たちがわたしたちを見てどう思うのかはわからない。いま着ている服は、わたしにとってはコスチュームなのだ。何がなんだかわからないまま、人間の女の子になりすましている。ドラゴンのコスチュームを着た子どもがうろこの色が持つ意味を知らないように、わたしもきらきら光るスニーカーがどういう印象を与えるのか見当がつかない。

ヴィヴィが水桶《みずおけ》のすぐそばに生えている野生の黄色いキク《ラグワート》を、茎ごと折り取った。目的に合うものを三本選び、まず一本を持って息を吹きかける。「馬よ、立ちあがって、命じるところまでわたしたちを運べ」

唱え終わると、ヴィヴィは茎を地面に放った。すると茎はエメラルド色の目とレース状の葉を思わせるたてがみを持つ痩せた黄色いポニーになり、奇妙な甲高い声でいないた。ヴィヴィが残り二本の茎も同じようにすると、フンフンと地面を嗅ぐポニーはすぐに三頭になった。海に棲息する馬《シーホース》と少し似ているこのポニーはヴィヴィの命令に従って地上や空を駆け、ふたたび草に戻るまで何時間も姿を保つことができる。

妖精国と人間の世界を行き来するのはちっとも難しいことではないと、すでに判明していた。妖精国は人間が住む街のすぐそば、すぐ下に存在している。人間の街の影のなかに、腐敗し蝕《むしば》まれ見捨てられたその中心に。妖精たちは丘や谷や塚のなかに、裏通りや廃屋に住んでいる。わたしたちが住む島から海を渡ってこっそり人間の世界に入る妖精はヴィヴィだけではないが、彼らのほとんどは人間に身をやつしている。

ほんの何週間か前にも、キャンプをしていた人間を友人と一緒にだまし、魔法でごちそうに見せかけた腐った葉をむさぼり食わせたとヴァレリアンが自慢していた。

わたしは草から作った馬にまたがると、両手で首につかまった。ラグワートの馬が動きだす瞬間は、いつも顔がほころんでしまう。あまりにもありえない状況に、木々が猛スピードで後ろに流れていく爽快さに、空中に駆けあがるときに蹄が小石を蹴りあげるさまに、心が浮き立ちアドレナリンがどっとあふれだすのだ。

こみあげた歓喜の叫びを、わたしはのみこんだ。

絶壁を越えて海の上に出て、きらきら輝く波の上で飛び跳ねている人魚や打ち寄せる波に乗るアザラシの姿の妖精セルキーを見おろす。人間の目から隠すために常に島々を取り巻いている霧を抜けて進み、やがて海岸線に出てトゥー・ライツ州立公園やゴルフ場やジェット機用の空港を越えると、わたしたちは〈マイン・モール〉へと続いている道を渡ったところにある木立のなかの小さな空き地におりた。ヴィヴィはシャツをはためかせながら着地し、タリンとわたしが馬からおりると、短く呪文を唱えて草の馬を三本のしおれた草に戻した。

「駐車した場所はちゃんと覚えていなくちゃね」タリンがにやりとして言い、わたしたちはショッピングモールへと歩きだした。

ヴィヴィはこのショッピングモールが大好きだった。マンゴースムージーを飲んだり、帽子を試着したり、呪文でお金に変えたドングリでわたしたちに好きなものを買ってくれたりすることをヴィヴィは愛していた。タリンもヴィヴィほどではないものの、楽しんでいる。だけどわたしは、ここに来ると自分が幽霊になったみたいな気分になってしまう。

三人で〈J・C・ペニー〉（アメリカの百貨店）を、怖いもの知らずの不良みたいに格好をつけて歩いた。けれど家族連れの人間、特にべたべたの口で楽しそうに笑っている小さな女の子がいる家族を見ると、感じたくない気持ちがわきあがった。

怒りだ。

あんなふうな家族のひとりに戻ったところを想像してしまうからではない。自分が彼らのところに行って、泣きだすまで怖がらせるところを想像してしまうからだ。

だけどもちろん、そんな真似はしない。

少なくとも、そのはずだと思っている。

母親に駄々をこねている子どもをわたしがにらんでいることに、タリンは気づいたようだった。わたしと違って、タリンは順応力が高い。どんなときにどんなことを言えばいいのかいつだってわかっているタリンは、いきなりこの世界に戻されてもうまくやれるはずだ。妖精の世界でも、うまくやっている。そのうち、望みどおりに誰かと恋に落ちるだろう。そして妻とか愛人になって、妖精の子を育てる。母親のことを熱愛し、母親よりもはるかに長く生きる子どもを。タリンの足を引っ張っているのはわたしだ。

こんなふうに考えていることを、タリンには知られたくない。

「実はね、今日ここに来たのはあんたたちを元気づけるためなの。だから元気を出しなさい」ヴィヴィが言った。

わたしはタリンを見て息を吸い、謝ろうとした。それがヴィヴィの望んでいることかはわからないが、今日ベッドを出たときからそうしなくてはならないとわかっていた。「ごめん」

「たぶん怒ってると思うけど——」タリンが同時に言った。

「あんたに？」わたしは驚いてきいた。

タリンが下を向いた。「あんたを助けないって、カーダンに誓ったんだもの。あの日はあんたを助けるために学校へ行ったのに」

わたしはぶんぶん首を横に振った。「違うって、タリン。川に落とされる原因を作ったのはわたしなんだから、あんたこそ怒る資格があるんだよ。あんなふうにやり過ごすなんて、頭がよかったと思う。それで怒るなんて絶対にない」

「そっか。わかった」

「あんたが王子にしたいたずらのことは、タリンから聞いたわ」ヴィヴィが言った。ヴィヴィのサングラスにわたしが映っている。両目でふたり。いや、タリンが横にいるので四人。「なかなかよかったんじゃない？　でも、この次はもっと強烈にやり返してやらなくちゃ。いい考えがあるの」

「だめよ！」タリンが叫んだ。「ジュードは何もしなくていい。競技会のことでマドックの許しが得られなくて動揺してただけなんだから。前みたいに無視するようにすれば、やつらもジュードを無視するだけに戻る。最初は違うかもしれないけど、そのうちきっと」

　そうなるとは思えなかったので、わたしは唇を噛んだ。

「マドックのことは忘れなさい。騎士なんて、どうせ退屈なんだから」何年も努力し求めてきたことをヴィヴィにあっさり否定されて、ため息が出た。むっとせずにはいられないが、つらくてたまらないことをたいしたことではないように言われると、なんとなく元気が出る。

「それで、今日は何をしたいの？」話題を変えたくて、ヴィヴィに尋ねた。「映画を見る？　それとも口紅を探しに行く？　コーヒーをおごってくれるって言ったのも忘れないで」

「彼女に会ってもらいたいの。一緒に暮らそうって言われてるのよ」ヴィヴィの言葉に、連続写真に写っていたピンク色の髪の少女が頭に浮かんだ。

「ここで？」わたしはほかの場所があるとでもいうように、きき返した。

「ここって、ショッピングモール？」ヴィヴィはわたしたちの表情を見て笑った。

「今日はここで彼女と会うけど、住むのは別の場所を見つけると思う。ところで、ヘザーは妖精が存在することを知らないの。だから何も言わないで。わかった？」

　タリンとわたしが十歳のとき、ヴィヴィはラグワートの馬を作れるようになった。それから何日も経たないうちに、わたしたちはマドックの屋敷から逃げだした。ヴィヴィはガソリンスタンドで会った女性に魔法をかけ、彼女の家に連れて帰らせた。

　その女性が車を運転しているときの表情のない顔を、いまでも覚えている。なんとかして笑わせたかったけれど、どんなにおかしな顔をしてみせても女性の表情は変わらなかった。わたしたちは彼女の家でひと晩過ごし、夕食にアイスクリームを食べたせいで気持ちが悪くなった。わたしとタリンは互いにしがみつき、泣きながら眠りについた。

翌日からはヴィヴィが見つけた料理用のコンロがあるモーテルの部屋に移り、わたしたちはインスタントのマカロニ&チーズの作り方を覚えた。それから昔住んでいた家にコーヒーの香りが満ちていたことを思い出して、コーヒーポットでコーヒーを作った。あとはテレビを見たり、モーテルに泊まっているほかの子どもたちとプールで泳いだりした。

そんな生活が、わたしはいやでたまらなかった。

そうやって二週間過ごしたあと、タリンとわたしは妖精国の家へ連れて帰ってほしいとヴィヴィに懇願した。毎日寝ていたベッドが、いつも食べていたものが、妖精国にあふれる魔法が恋しかったのだ。

妖精国に戻るとき、ヴィヴィは相当つらかったと思う。でも、戻ってくれた。そしてとどまってくれた。ヴィヴィについてひとつだけ言えることがあるとすれば、本当に必要なときは必ずそばにいてくれたということだ。

だけどこの先もずっと妖精国にいてくれるつもりではなかったと知って、驚くべきではないのだろう。

「どうしてもっと前に言ってくれなかったの？」タリンがきいた。

「いま言ってるじゃない。ちゃんと」ヴィヴィは言い、わたしたちを連れてテレビゲームが売られている店、派手なビキニや優雅なマキシ丈のワンピースのディスプレイの前、チーズ入りプレッツェルの店、展示ケースのなかで真実の愛を誓うハート形のダイヤモンドがきらめいている店などを次々に通り過ぎて進んだ。まわりにはベビーカーやジャージを着たティーンエイジャーの少年のグループ、手をつないだ年配の夫婦がにぎやかに行き交っている。

「もっと早く言うべきだったって言ってるの」タリンが両手を腰に当てて責めた。

「あんたたちを元気づける計画を説明するわね。三人で人間の世界に引っ越すのよ。そしてヘザーと一緒に暮らすの。そうしたらジュードは騎士になれるかどうか悩まなくてもいいし、タリンはくだらない妖精の男に身を投げださずにすむわ」

「ヘザーはその計画を知ってるの？」タリンが疑わしげにきいた。

ヴィヴィがにこにこしながら首を横に振る。

「へえ、いいね。だけどわたしができるのは剣を振りまわすことと、なぞなぞを作ることだけだから、それでやっていくのは厳しいんじゃないかな」わたしはヴィヴィの計画を冗談にしてしまおうとした。

「わたしたちはもともとこっちで育ったんだから、また慣れるって」ヴィヴィがベンチにあがってステージみたいに端から端まで歩き、サングラスを頭の上に押しあげた。

「こっちで育ったと言えるのはヴィヴィだけだよ」妖精国へ連れ去られたとき九歳だったヴィヴィは、人間の暮らしをわたしたちよりずっとよく覚えている。それって、なんか不公平だ。ヴィヴィは魔法も使えるのに。

「妖精たちは、これからもあんたたちをくずみたいに扱い続けるわ」ヴィヴィがわたしたちの前に飛びおりて、猫の目を光らせた。ベビーカーを押した女性がぐるりとよけて進んでいく。

「どういうこと？」わたしはヴィヴィから目をそらして、床のタイルの模様を見つめた。

「オリアナがどんな態度を取っているか、わかってるでしょう？　人間の娘なんてほしくもないサプライズプレゼントを押しつけられてびっくり仰天だって顔を、毎朝してるじゃない。そもそもマドックは父さんと母さんを殺したやつだし、あんたがちっともわたしには教えてくれない学校のいじめっ子連中もいる」

「あいつらの話はしようと思ってたところだったのよ」父さんと母さんのことを持ちだされてショックを受けているのを知られたくなくて、わたしは言った。タリンとわたしは両親のことを覚えていないと、ヴィヴィは思っているのだろうか？　忘れられるはずなんかないのに。いまの言い方だと、ふたりが殺されたことをヴィヴィだけがつらく思っているみたいに聞こえる。

「だけど、したくなかった」ヴィヴィはすかさず言い返せて、ものすごくうれしそうだ。「騎士になったら何もかもうまくいくって、ほんとに思ってたの？」

「わからない」

ヴィヴィがタリンのほうを向いた。「あんたはどう思ってるの？」

「わたしたちは妖精国しか知らないわ」ヴィヴィが何か言おうとするのを、タリンは手をあげて止めた。「こっちに来ても何があるっていうの？　舞踏会も魔法もないのよ――」

「わたしはこっちが好きだけどね」ヴィヴィが噛みつくように言い、〈アップルストア〉のほうへ怒った足取りで向かった。

この話はもちろん、前にもしていた。毒々しい妖精の世界の魅力にあらがえず、危険でいっぱいの場所に居続けたいと思うなんてばかだ、とヴィヴィは言った。もしかしたら、わたしたちみたいな育ち方をすると、よくないものがいいと思えてしまうのかもしれない。あるいは、ゴブリンの実をもう一度食べたいと焦がれて痩せ細っていく愚かな人間と、まったく同じなのかもしれない。どちらにせよ、結果は同じだけれど。

ショッピングモールの入り口で携帯電話をいじっている女の子を見て、写真の子だとわかった。色あせたピンク色の髪に茶色い肌の小柄なヘザーは手描きの絵がついたTシャツを着ていて、指先にはペンの染みがついている。彼女はヴィヴィが熱心に読んでいた漫画の作者なのだと、はっと気づいた。

わたしは腰をかがめて深くお辞儀をしかけたが、ここがどこかを思い出し、ぎこちなく手を差しだした。「ヴィヴィの妹のジュードよ。こっちはタリン」

女の子はわたしの手を握った。ふわりと握ってきた彼女の手はあたたかい。マドックと同じことをするのを全力で避けてきたヴィヴィが、マドックと同じように人間の女の子と恋に落ちるなんて、おもしろいものだ。

「わたしはヘザー。会えてうれしいわ。ヴィーは家族の話をほとんどしないから」

タリンとわたしは視線を交わした。〝ヴィー？〟

「あそこに座って話さない？」ヘザーが頭を傾けてフードコートを示した。

「そうね。誰かさんにコーヒーをおごってもらえることになってるし」ヴィヴィに思い出させるために言う。

わたしたちは注文した飲み物を持って座った。ヘザーはコミュニティカレッジに通っていてアートを専攻していることや、好きな漫画やバンドのことを話した。わたしたちはまずい質問を巧妙にかわし、嘘をついた。ヴィヴィがごみを捨てに行ってしまうと、ヴィヴィの彼女に会うのは初めてかとヘザーが尋ねた。

タリンはうなずいた。「ヴィヴィはあなたのことがすごく好きなんだと思うわ」

「じゃあ、あなたたちの家に行ってもいいかな？　うちの両親はいつでもヴィーのために歯ブラシを買おうって勢いなの。だからわたしも、ヴィーの両親に会ってもいいんじゃないかと思って」

わたしはカフェモカを噴きだしそうになった。「うちの家族のことをヴィヴィから聞いたことがある？」

ヘザーはため息をついた。「ううん」

「お父さんはすっごく頭が固いのよ」

髪の毛をつんつんに立たせてベルトに財布用のチェーンをつけた少年が、通りすがりにわたしに笑いかけた。彼がなぜそうしたのか、さっぱりわからなかった。ヘザーの知りあいという可能性もあるけれど、彼女はその少年にまったく目を向けない。よくわからないので、彼には笑い返さなかった。

「お父さんはヴィーがバイだって知ってるの？」ヘザーが驚いて質問したところでヴィヴィが戻ってきたので、わたしとタリンは話を作らずにすんだ。この人間の世界に引っ越すとかいう話がマドックに知られたとき、彼がただひとつ驚かないと思われることが、ヴィヴィが男女両方いけるということだろう。

そのあとは四人でショッピングモールをまわり、紫色の口紅を試したり、砂糖をまぶしてある酸っぱいリンゴのスライスの飴《あめ》がけを食べたりした。リンゴ飴を食べたあと、舌が緑色になった。妖精王の宮廷の貴族たちなら絶対に気分が悪くなる化学物質が、わたしは大好きだった。

ヘザーはいい人だけれど、自分が何に巻きこまれようとしているのかわかっていない。

わたしたちは〈ニューベリーコミックス〉の近くできちんと挨拶をして別れた。

ヴィヴィは首振り人形を選んでいる三人の子どもたちを熱心に見つめている。こうやって人間たちのあいだにいるとき、ヴィヴィは何を考えているのだろう？　なんとなく羊の行動パターンを学ぼうとしている狼《おおかみ》みたいだが、ヘザーにキスするときは誠実そのものだ。

「あんたたちがわたしのために嘘をついてくれて、ほっとした」ショッピングモールのなかの通路を引き返しながら、ヴィヴィが言った。

「いつかは打ち明けなくちゃならないのよ。本気でつきあうつもりなら」わたしは返した。「ヘザーと一緒にいるために人間の世界へ本気で引っ越すつもりならね」

「話しても、やっぱりヘザーはマドックに会いたがるだろうな」タリンはそう言ったが、ヴィヴィが打ち明けるのをなるべく遅らせたがる理由がわたしにはわかった。

ヴィヴィは首を横に振った。「愛のためならすべてが許されるのよ。愛のためにしたことが間違っているなんてことがある？」

タリンが唇を噛んだ。

帰る前にわたしたちはドラッグストアの〈CVS〉に寄って、わたしはタンポンを買った。これを買うたびに、妖精はわたしたちと見かけは似ていてもまったく違う種族なのだと思い知らされる。ヴィヴィだって充分わたしたちとは違う。わたしは中身をふたつに分けて、半分をタリンに渡した。

みんなが何をききたいかはわかる。答えはノーだ。妖精は一カ月に一度、血を流したりしない。だけどイエスでもある。彼らも血を流すから。一年に一度だけ。それより少ないこともある。そしてイエス。彼らも生理用品を使う――主にナプキンを。イエス。彼らの生理用品はひどい。イエス。生理にまつわるすべてが恥ずかしくてたまらない。

ショッピングモールを出て近道をしてラグワートの茎を置いてきた空き地に向かっ

ていると、同じ年頃の少年がわたしの腕に触れ、あたたかい指で手首のすぐ上をつかんだ。

「やあ、スイートハート」オーバーサイズの黒いシャツ、ジーンズ、チェーンをつけた財布、つんつんに立たせた髪に見覚えがある。ブーツに仕込まれている安っぽいナイフがきらりと光った。「さっききみを見かけたんだけど、よかったら――」

考える前に体が動き、振り返るのと同時にこぶしを顎に叩きこんでいた。ブーツを履いた足を腹にめりこませ、倒れた相手を歩道の上に転がす。まばたきをしたあとには、少年を見おろしていた。彼は必死に息を吸おうとあえぎ、悲鳴をあげた。今度は喉を踏んで気道をつぶそうと、足を持ちあげる。彼のまわりにいる人間たちが、恐怖に引きつった顔でわたしを見つめていた。わたしは神経が張りつめ、わなないているのを感じるけれど、それはこれからしようとしている行為への興奮のためだ。あとはこの足を勢いよくおろせばいい。

彼は誘いをかけてきただけなのだと思う。

その彼を襲おうと、いつ決めたのだろう？

「行くわよ！」タリンに腕を引かれて、わたしたちは走った。誰かが叫んでいる。

振り返ると、蹴り倒した少年の仲間がひとり追ってきていた。「くそ女！　頭がどうかしてんのか！　ミロは血が出てるんだぞ！」

ヴィヴィが小声で呪文を唱え、後ろに向かって手を動かした。すると突然、アスファルトの隙間からむくむくとメヒシバが生えてきた。何かがすぐ横をかすめるのを感じて、少年が止まった。途方に暮れたような表情になっている。〝ピクシーに連れていかれる〟と人間は言うらしい。彼は並んでいる車のあいだを、どこに向かっているのかわからないままさまよい続けるだろう。着ているものを裏返しにしなければ、わたしたちを決して見つけられない。そして着ているものを裏返しにすればいいなんて、彼が思いつくはずがなかった。

　駐車場の端まで来て立ちどまると、ヴィヴィはくすくす笑いだした。「マドックはあんたのことを誇りに思うでしょうね。彼に教えられた技をすべて使って、ロマンスが始まるという恐ろしい可能性を叩きつぶしたんだから」

　わたしは驚きのあまり、言葉が出なかった。本当に久しぶりに心のままに行動し、あの少年を殴ってしまった。いまは気分がいいというより、何も感じない。輝かしいまでの〝無〟だ。

「わかったでしょう？」わたしはヴィヴィに言った。「人間の世界には戻れないわ。こんなことをしてしまうんだもの」

ヴィヴィは返事をしなかった。

わたしは帰る途中ずっと、自分のしたことを考えていた。そのあと学校に行ってからも。海岸近くの小国から来た教師は、ものがどんなふうに衰えやがて死ぬのかを説明した。教師が腐敗について話しているあいだ、カーダンがずっと意味ありげな視線を向けてきていたが、わたしはあの少年を殴ったときに感じた心の静けさのことばかり考えていた。それと明日行われる夏の競技会のことを。

そこで活躍し、認められることを、ずっと夢見ていた。カーダンがいくら脅そうと、わたしが三つ編みをひるがえして力の限り戦うのを止めることはできない。それどころか、いまは彼の脅しだけが戦いに参加する理由になっていた。そんなものには負けないという頑固なまでの誇りが、わたしを突き動かしている。

食事をするために生徒たちが散らばると、タリンとわたしはチョークチェリーのジャムをたっぷり塗ったオートケーキとチーズのランチを食べるために木にのぼった。ファンドが呼びかけてきて、どうして模擬戦のリハーサルに出なかったのかと尋ねる。

「忘れてた」信じてもらえないのはわかっていたけれど、かまわなかった。

「でも、明日は出るんでしょう？」ファンドは重ねてきいた。わたしが抜けるなら、ファンドはチームを組み直さなくてはならない。

正気に返ってくれることを期待するような目で、タリンがわたしを見た。

「行くわ」プライドにかけて、そう言うしかなかった。

授業が終わる直前、タリンがカーダンと一緒に立っているのが見えた。固まって生えている棘のある木のすぐそばで、タリンは泣いている。わたしは本や持ち物をかばんにしまうのに没頭していて、カーダンがタリンを連れていったことにまったく気づいていなかった。でもそうじゃなかったとしても、タリンは行っただろう。彼らの言うことを聞いていれば、そのうち飽きて放っておいてくれるようになるとまだ信じているのだ。もしかしたらそれは正しいのかもしれないけれど、それでもわたしは意志を曲げるつもりはない。

タリンの頬に涙がこぼれている。

胸のなかで怒りがふくれあがった。

〝おまえは殺すという行為になじめないだろう〟

わたしは片づけるのをやめて、ふたりのほうに向かった。振り向きかけたカーダンを突き飛ばすと、背中から木にぶつかった彼が目を見開く。

「タリンに何を言ったのか知らないけど、二度と近寄らないで。そう約束したはずよ」彼の上衣《ダブレット》をつかんで、言葉をぶつけた。

みんながわたしを見ているのを感じた。誰もが息をひそめている。

カーダンは間抜けなカラスの濡れ羽色の目でわたしをじっと見ていたが、やがて唇の片端をあげてにやりとした。「へえ。こんなことをしたのをいまに後悔するぞ」

わたしがどれだけ怒っているか、彼は理解していない。つかのまの勝利だとわかっていても、あとのことを考えず心のままに行動するのがどんなにいい気分かも。

9

カーダン王子に何を言われたのか、タリンは話そうとしなかった。わたしには関係ないと言い張り、王子はわたしのしたことでタリンの責任を問うことはしないという約束を破っていないから、タリンの心配ではなく自分自身の心配をするべきだと主張した。

「ジュード、あきらめなさいよ」タリンは自室の暖炉の前に座って、蛇の尻尾の形の持ち手がついている陶器のカップからイラクサのお茶を飲んでいる。着ている部屋着は、暖炉のなかの火と同じ真紅だ。タリンを見ていると、自分と同じ顔だということがときどき信じられなくなる。彼女の顔はわたしよりも柔らかく、かわいらしくて、絵に描かれた少女を見ているようだ。同じ皮膚の内側にぴったりおさまる、別の少女。

「いいから、何を言われたのか教えて」わたしは食いさがった。

「教えるようなことは何もないわ。大丈夫。自分がしていることはちゃんとわかってるから」

「自分がしていることって何？」眉をあげてきいたが、タリンはため息をついただけだった。

もうこの会話を三回は繰り返していた。カーダンが石炭みたいな目の上でゆっくりまつげを上下させた様子が、何度も頭に浮かぶ。まるでダブレットの前をつかまれることこそ望んでいたとでもいうように、上機嫌で満足そうな表情だった。あのままわたしが殴ったとしても、それは彼がやらせたことなのだとでもいうように。

「丘でも谷でも追いかけていくからね。三つの島の岩山から岩山まで、教えてくれるまでどこまでも」タリンの腕をつつく。

「あんたもわたしも、誰にも見られていなければもっと耐えやすいと思うんだけど」タリンが言って、ゆっくりとお茶を飲んだ。

「なんですって？　どういう意味？」びっくりして、どう返せばいいかわからなかった。

「つまりね、いろいろ言われたり泣かされたりしても、あんたに気がつかれなければ耐えられるってこと」タリンはわたしがどれだけの真実に耐えられるか推し量るように、冷静な視線を向けた。「あんたに全部見られたら、大丈夫だってふりができなくなる。本当のことを知られてるというだけで、ときどきあんたを好きじゃいられなくなるのよ」

「でも、わたしのせいじゃないのに！」

タリンは肩をすくめた。「わかってる。だからいま、こうして話してるんじゃない。だけどカーダンが言ったことは教えたくないし、何か言われたということ自体、なかったふりをしたいの。あんたもそれに合わせてほしい。その日にあったことをいちいち思い出させないで。質問や警告はしないでちょうだい」

ショックで胸が痛くて、暖炉の前に行って石を彫りだした炉棚に頭をもたせかけた。

カーダンたちとやりあうなんてばかだと、タリンに何度言われたかわからない。だけど今日学校で泣いていた理由は、わたしとは関係がないという。それならタリンはまったく別のトラブルに巻きこまれているということだ。

タリンはしょっちゅうわたしにアドバイスするけれど、自分がそれをすべて実行しているのかはわからない。

「じゃあ、わたしにどうしてほしいの？」

「カーダンと仲直りして。彼には力がある。やりあって勝てる可能性はないのよ。あんたがどれほど勇敢で賢くて、おまけに無慈悲になれたとしても。本当に傷つくようなことになる前に、いさかいを終わらせてちょうだい」

　わたしはタリンの言っていることが理解できなかった。いまとなっては、カーダンの怒りから逃れようとしても不可能だという気がする。船はすでに出航し、港のなかで炎上したのだ。「できないわ」

「川岸でカーダン王子が言ったことを聞いたはずよ。王子はあんたがあきらめるのを望んでいるだけ。あんたは怖がっていないと行動で示すことで、彼のプライドや立場を傷つけているの」タリンがわたしの手首を握って引き寄せた。彼女の息からすっきりしたハーブの香りがする。「負けたって言うのよ。彼の勝ちだって。口先だけでいいの。本気で言う必要はないんだから」

　わたしは首を横に振った。

「明日、彼とは戦わないで」タリンは続けた。

「競技会に出るのをやめるつもりはないわ」

「勝ったとしても、もっと厄介なことになるだけなのに？」

「それでもよ」

「何か別のことをして。なんとか方法を見つけるの。手遅れになる前に彼との関係を修復するのよ」

タリンは何を隠しているのだろう？　何もかも話してほしい。でもタリンの望みは、すべてがうまくいっているというふりをわたしがすること。だから質問をのみこみ、暖炉の前に彼女を残して出ていくしかなかった。

部屋に戻るとベッドの上に競技会用の衣装が広げてあって、バーベナとラベンダーの香りがほのかに漂っていた。

薄く中綿を詰めてあるチュニックには、メタリックな糸でステッチが入っていた。その模様は杯のように弧を下にした三日月とその下に置かれた短剣で、三日月の片方の端から赤い滴が垂れている。マドックの紋章だ。

明日これを着て敗北し、この家に不名誉をもたらすことはできない。騎士に名乗りをあげることを許さなかったマドックに恥をかかせれば、ささやかな腹いせになり、ひねくれた喜びを感じられるかもしれない。でも、わたし自身も恥ずかしい思いをすることになる。

前みたいにいつも顔を伏せていればいいのはわかっていた。控えめにして、目立たないようにする。目立つのはカーダンとその取り巻きにまかせておけばいい。騎士に挑戦することをマドックが許してくれるまで爪を隠し、そのときが来たらみんなを驚かせてやるのだ。そんな日が本当に来るかはわからないけれど。

それが、わたしのなすべきことだ。

わたしはチュニックを床に落とすと、上掛けの下に滑りこんで頭の上まで引きあげた。少し息苦しいが、そうしていれば自分の吐いたあたたかい息を吸える。わたしはそのまま眠りに落ちた。

午後に目が覚めるとチュニックがしわになっていて、わたしは自分を責める以外になかった。

「なんてことを。スズメくらいの記憶力しかないんですね」髪をきっちりした戦士の三つ編みにまとめてくれながら、タターフェルが小言を言った。

台所に向かう途中の廊下で、マドックとすれ違った。緑色の衣装に身を包んだ彼は、唇を引き結んでいる。

「待ちなさい」

わたしは足を止めた。

マドックが眉間にしわを寄せる。「栄誉を早く手に入れたいと気がはやる若者の気持ちは、わたしにもわかる」

質問をされたわけではないので、唇を嚙んで黙っていた。猫のような目に厳しい表情をたたえているマドックと、しばらくそのまま見つめあう。わたしたちのあいだには、口には出せないことがたくさんある――わたしたちが本物の父と娘にはなれず、もどきの関係にしかなれない理由が。「こうするのが一番いいんだと、そのうちわかる。戦いを楽しみなさい」マドックが言った。

わたしは深く頭をさげ、台所に行くのをやめて玄関へ向かった。いまはただ、この屋敷から離れたかった。宮廷にも妖精国にもわたしの居場所はないのだということを思い出させるこの家から。

〝おまえに欠けているのは、経験とは関係のないものだよ〟

夏の競技会は悲しみの島インスウィールの崖の際で行われるので、厩のヒキガエルの横に入れられている淡い灰色の馬に乗っていかなければならない。牝馬《ひんば》に鞍をつけてまたがり少々遅れて着いたときには、不安からいらいらしておなかがすいていた。

エルドレッド上王をはじめ王族たちが座るテント席のまわりには、すでに人だかりができていた。エルドレッド上王の紋章――根をあらわにして王冠をかぶっている、半分が白い花、半分が棘に覆われた木――がついたクリーム色の長い旗がはためいている。白妖精《シーリー・コート》と黒妖精《アンシーリー・コート》とはぐれ妖精が、ひとつの王冠のもとに同盟する。グリーンブライア一族の夢だ。

　退廃的で優雅な第一王子バレキンが彫刻がほどこされた椅子にだらりと座っていて、そのまわりに従者が三人控えていた。その隣にいる妹のライア王女は狩猟を好むので、競技場で体をあたためている参加者たちを熱心に眺めている。

　王女の熱意のこもった表情を見て、わたしはやりきれない気持ちがこみあげた。王女に仕える騎士に選ばれることをこんなに望んでいるのに、たすきをつけられないのがつらかった。そしてそんな気持ちとともに、立候補したとしても王女に選んでもらえるほどの技量を示せないのではないかという恐れもわきあがった。もしかしたらマドックが言ったとおり、わたしには死に対処する本能が欠けているのかもしれない。

　今日、手を抜いて戦えば、自分に充分な力があったかどうか知らずにすむ。

　わたしが入っているのは一番年下のグループなので、試合も一番初めだった。このあとに続く年上のグループと違って、まだ稽古を受けている途中のわたしたちは真剣ではなく木剣を使う。試合は一日じゅう続き、途中で吟遊詩人の歌、技巧を凝らした魔法、アーチェリーなどの武術の試技が披露される。空気中にはスパイスを入れたワインの香りが漂っているが、競技会につきもののもうひとつの匂い——流れた血の匂いはまだしない。

ファンドがチームのみんなを並ばせて、銀と金の腕章を配った。晴れ渡った空の下で、彼女の青い肌がいつもよりさらに鮮やかに輝いている。彼女の鎧は海の青からブルーベリーの青までさまざまな色合いの青色を重ねたもので、胸当てを横切るようにグリーンのサッシュをつけていた。そんな姿が戦いぶりと関係なく目立つのは確実だが、ファンドは計算のうえだろう。目立つ姿ですばらしい戦いを見せれば、いやがおうでも観客の目は彼女に集まる。見かけ倒しで終わらないように、がんばらなければならないけれど。

練習用の剣を持っている生徒たちのほうに向かったところ、わたしの名がささやかれるのが聞こえてどきっとした。あたりを見まわすと、向けられているみんなの視線がいつもと違う。タリンとわたしは人間であるがゆえに注目されてきたけれど、人間であるということは彼らにとってたいして警戒する必要がない存在ということでもあった。でも、今日はそういう視線ではない。妖精の子たちは息を詰めて、昨日カーダンを突き飛ばしたわたしがどんな罰を受けるかを見守っている。わたしが次に何をするのか期待の目で見ている。

わたしは銀の腕章をつけているカーダンと彼の取り巻きに目を向けた。カーダンは銀の胸当てをつけているが、肩でとめてあるだけのぴかぴかの鋼の板は、防具としての実用性より見た目に重きが置かれているようだ。ヴァレリアンがこっちを見てにやりとした。

わたしはへつらうような笑みを返して、彼を満足させるつもりはなかった。

ファンドが金の腕章をくれて、どこに行けばいいのか指示した。模擬戦は二チームで争い、三回行う。両チームはそれぞれ、黄色い鹿革の防護服と銀ギツネの毛皮の防護服を着る。

わたしは参加者のために用意されている白目の水差しに入った水を飲み、準備運動を始めた。何も食べていないので胃がむかむかするが、もう空腹感はなく、ただただ緊張で気分が悪い。筋肉をあたためて柔軟にする動きだけに集中して、ほかのことは必死に頭から追いだす。

開始時間になり、わたしたちは競技場に集まって、まだ空いている上王の席に挨拶を捧げた。日没が近づくにつれて観客は増えていくものの、いまはまだそうでもない。けれどもデイン王子はすでに来ていて、かたわらにはマドックがいた。エロウィン王女は何か考えこみながらリュートをつま弾いている。ヴィヴィとタリンは観客席にいるが、オリアナとオークの姿は見えない。ヴィヴィがつややかに輝く果物の串刺しを掲げて合図すると、ライア王女が笑った。

タリンは警告するような鋭い視線を送ってきている。

〝仲直りして〟

第一試合のあいだ、わたしはカーダンを避けて消極的に戦った。ニカシアやヴァレリアンやロックにも近寄らなかった。ヴァレリアンがファンドを倒して地面に転がしたときも、ヴァレリアンがわたしたちの鹿革の防護服を切り裂いたときも、何もしなかった。

やがて第二試合のために参加者が呼び集められた。

カーダンがわたしの後ろに来た。「言うことを聞いて、今日はおとなしくしているようだな。タリンに言われたのか？　タリンはぼくたちに認められようと必死だからな」ブーツの爪先をクローバーで覆われた競技場に打ちつけて、土を蹴りあげる。「もしいま彼女に白いドレスが緑色に染まるまでここで転げまわろうと言ったら、ぼくの寵《ちょう》を賜った栄誉に彼女は感謝するだろう」彼は笑みを浮かべてとどめを刺しにかかり、顔を寄せて秘密を打ち明けるみたいにささやいた。「そうなっても、彼女の服を緑に染めるのはぼくが最初ではないけどな」

おとなしくしていようという殊勝な決心が吹き飛んだ。血が一気に熱くなり、煮えたぎりながら体じゅうを駆けめぐった。わたしにはたいした力はないけれど、ひとつだけできることがある——カーダンを駆りたてることだ。彼はわたしを傷つけたがっているのかもしれないが、もっとひどく傷つけたいと思わせることができる。わたしたちはこれから戦うのだ。それぞれの陣地につくように合図が出て試合が始まると、今度はなりふりかまわず全力で戦った。わたしの練習用の剣がカーダンのばかげた胸当てを打ち砕く。ヴァレリアンの肩に肩をぶつけると、彼はよろめいてあとずさりした。ひたすら攻撃を繰り返し、銀の腕章をつけた者を次々に倒していく。模擬戦が終わったとき、目のまわりは黒くなり膝は両方ともすりむけていたが、金の腕章をつけたチームが二試合目も三試合目も勝利をおさめていた。

〝おまえは殺すという行為になじめないだろう〟とマドックは言った。

けれどもいまは、わたしにもできる気がした。

観客の拍手が響いて、夢から覚めたようにわれに返った。観客がいることを忘れていた。ピクシーが花びらをわたしたちに投げる。ヴィヴィは何が入っているのかわからないゴブレットを掲げ、ライア王女は上品に手を叩いていた。マドックは王族のボックス席から消えていて、バレキン王子もいない。でもエルドレッド上王は来ていて、ほかよりもやや高いところに座ってよそよそしい表情を浮かべたデイン王子と話していた。

アドレナリンがなくなり、体が震えだした。もっとレベルの高い戦いを待っている廷臣たちがわたしの体にできた痣を見て技量を推し量っているが、感心している顔はひとつもない。全力で戦ったけれど、充分ではなかったのだ。マドックは席を立ってしまった。

肩が落ちるのがわかった。

さらに悪いことに、競技場を出るとカーダンが待っていた。すると急に、彼の背の高さと王冠のようにまとっている傲慢なせせら笑いに圧倒されてしまった。彼はぼろを着ていても王子に見えるだろう。カーダンに顔と首をつかまれ、彼の息が頬にかかる。彼はもう片方の手でわたしの髪をつかむと、ロープのようにねじりあげた。「おまえたち人間とぼくたちの違いがわかるか？　おまえたちは必ず死ぬという運命を背負っていることだ。そしてそれは、おまえたちが劣っているからだ。そんな存在であるおまえがぼくの前に頭をあげて立ち、対抗してくる。堕落し、腐りきったどうしようもない生き物のくせに。何を考えているのか言ってみろ。妖精国の王子であるぼくに勝てると、本気で思っているのか？」

わたしはごくりと唾をのみこんだ。「いいえ」

カーダンの黒い目に怒りが渦巻いている。「ではおまえにも、動物に備わっている生存本能がまったくないわけではないのだな。ならいい。許してくださいと懇願するんだ」

あとずさりして顔を引こうとしたが、カーダンはわたしの髪をつかんだまま黒い目に飢えたような光をたたえ、邪悪な笑みを浮かべて見おろしている。彼が突然、握っていた手を開いたのでよろよろと離れると、抜けた髪の毛が風に乗って飛んでいった。

視界の端に、ロックのそばに立っているタリンが見えた。騎士たちが鎧をつけている場所のすぐそばだ。タリンは懇願するような目を向けている。助けてもらわなくてはならないのは彼女のほうだとでもいうように。

「膝をつけ」カーダンのすっかり悦に入っている様子にむかむかした。怒りにゆがんでいた表情が、いやらしい笑みに代わっている。「さあ、懇願しろ。すがりつけ。ぼくにはかなわないとみんなに示せ」

中綿入りのチュニックを着て練習用の剣を持った貴族の子たちが見つめている。わたしが屈服する様子は楽しいだろうと、期待しているのだ。わたしが抵抗するようになってから、彼らはずっとこうなるのを待っていた。これは模擬戦ではない。本気の戦争だ。

「懇願ですって？」

カーダンは一瞬、虚をつかれたような顔をしたが、すぐにいっそう悪意に満ちた表情になった。「おまえはぼくに逆らった。一度ならず何度も。みんなの前で地に伏して慈悲を請えば、許すことを考えよう。やらないというなら、おまえが破滅するまで虐げてやる」

川のなかに見えたニクシーの黒っぽい影と、宮廷の宴で羽を破かれて悲鳴をあげていた少年の姿が頭に浮かんだ。涙に濡れたタリンの顔も浮かぶ。ライア王女に選ばれることはないのだと、マドックは試合の結果を見るまでもなく去ってしまったのだと考えた。

屈服するのは恥ではない。タリンが言ったように、口先だけのことだ。本気でなくていい。人間は嘘をつけるのだから。

わたしは膝を折った。すぐに終わるのだからどうということはない。口にするひと言ひと言が苦く感じられるだろうけれど、言ってしまえば終わる。

でも、口を開いても何も出てこなかった。

わたしにはできない。

自分の無謀さにぞくぞくと興奮がわきあがって、首を横に振った。下に地面があるかわからないまま飛びだすような気持ちだ。自分が落ちるということにも気づかないまま飛びだすような。「こうやってさげすめば、支配できると思っているのね」わたしはカーダンの黒い目をまっすぐに見た。「ばかじゃないの？　一緒に授業を受けるようになってから、わたしは劣った存在だということをわからせようと、あなたは必死だった。そしてわたしはそれに従って自分を抑えつけ、頭を垂れ続けてあなたのうぬぼれを増長させてしまった。だけどあなたはそれだけじゃ満足せず、わたしとタリンを放っておいてくれなかった。だからもう、そんな真似はしない。とことん抵抗するわ。抵抗することで屈辱を与えてやる。わたしはただの人間で、あなたは妖精国の王子だって、さっき言ったわね。わたしは別の事実を教えてあげる。あなたには失うものがたくさんあるけれど、わたしにはひとつもない。結局はあなたが勝つのかもしれないわ。わたしに魔法をかけ、傷つけ、辱める力があるんだから。でもそうなるまで、あなたから奪えるだけのものを奪ってやる。約束するわ。これはほんの小手調べよ」わたしはかつて彼が口にした言葉を投げ返した。

　カーダンは初めてわたしを見るような目でわたしを見ていた。こんなことを言われるのは初めてだとでもいうように。実際にそうなのかもしれない。

　彼に背を向けて歩きだしたが、カーダンに肩をつかまれて地面に叩きつけられるのではないかとひやひやしていた。ナナカマドの実のネックレスを見つけられてちぎられ、大きいことを言った舌の根も乾かぬうちに、這いつくばって彼に懇願させられてしまうのかもしれない。彼の視線を感じてうなじの毛が逆立ち、走りださないようにするのが精一杯だった。

タリンとロックがいるほうに目を向ける勇気はなかったけれど、ニカシアが口を開けて見つめているのはちらりと見えた。ヴァレリアンは怒り狂った表情で、ぎりぎりと歯を食いしばり、両手をきつく握っている。

わたしはよろめきながら大会本部のテントを通り過ぎ、石の噴水に行って顔を洗った。砂がついた膝も洗ったが、両脚はこわばって体じゅうがぶるぶる震えていた。

「大丈夫かい？」振り向くと、ロックが黄褐色のキツネみたいな目で見おろしていた。彼がすぐ後ろまで近づいていたことに、まったく気づかなかった。

いいえ、大丈夫じゃない。

大丈夫じゃないけれど、ロックにそれを知らせるつもりはない。彼はそんなことを尋ねるべきではないのだ。

「あなたには関係ないでしょう」吐き捨てるように言った。哀れむように見られると、自分が本当に哀れに思えてくる。

ロックは噴水に寄りかかり、のんびりした笑みを浮かべた。「おもしろいなと思って。それだけさ」

「おもしろい？　あれがおもしろかったっていうの？」わたしは腹が立って言い返した。

ロックは笑みを浮かべたまま首を横に振った。「そうじゃない。カーダンがどうしようもなくいらいらさせられているのがおもしろいんだ」

最初は聞き間違えたのかと思った。誰に話しかけているのかわかっているのかと、きこうと思ったくらいだ。お偉いカーダン王子さまがやりこめられたとロックが認めるなんて、信じられない。「まるで棘が刺さったみたいに？」

「鉄の棘だね。きみみたいに彼をいらだたせる人間はいない」ロックはタオルを取って水で濡らすと、膝をついて丁寧にわたしの顔を拭いた。ひんやりした布が目のまわりの痛む場所に触れて鋭く息を吸ってしまったが、自分でやったらごしごし拭いていただろうから、彼の手つきのほうがずっと優しい。ロックは真面目な顔で、自分のしていることに集中している。見つめられているのに気づいていないみたいなので、彼の細長い顔、尖った顎、赤茶色のくせ毛、太陽の光を受けてきらめくまつげをじっくり観察した。

やがてロックが気づいた。彼がわたしを見つめ、わたしが彼を見つめ返す。それはとんでもなく奇妙な一瞬だった。なぜならロックがわたしみたいな人間に目をとめることなんて、絶対にないと思っていたからだ。それなのに彼はわたしに目をとめている。宮廷の宴のときと同じ笑みを浮かべて。まるで共犯者になったような笑み、ふたりで共有する秘密がまたひとつ増えたとでもいうような笑みを。

「これからもがんばって」

ロックは本気で言っているのだろうか？

ヴィヴィとタリンのいる競技場へ戻りながら、カーダンのショックを受けたような顔とロックが浮かべた笑みを何度も思い返す。どちらにより興奮しているのかも、どちらのほうがより危険なのかも、わたしにはわからなかった。

10

競技会の残りはぼうっとしているうちに過ぎた。剣を使う者たちがいっせいに一対一で向きあい、上王と彼の臣下に自分を印象づけるという栄誉のために戦った。オグル、キツネ人、ゴブリン、精霊グウィリオン。さまざまな者たちが激しい戦いのダンスに興じた。

何試合か終わったところで、ヴィヴィは串に刺した果物がもっとほしいと言って、わたしたちを連れて人込みのなかを買いに行った。わたしはタリンと目を合わせようとしたが、ちっともこっちを見ない。タリンが怒っているのかどうか知りたかった。ロックと一緒に立っているとき、彼に何を言われたのか知りたかった。そういうことをきくのを、タリンから禁じられたのかもしれないけれど。

でも、なかったふりをしなければならないようなひどいことを、ロックが言ったとは思えない。カーダンがやりこめられるのを見てうれしかったと、彼は言ったも同然なのだから。そう考えて、タリンにきけない別の質問が頭に浮かんだ。

〝そうなっても、彼女の服を緑に染めるのはぼくが最初ではないけどな〟妖精は嘘をつけない。事実だと思っていなければ、カーダンはあんなことを言えなかったはずだ。とはいえ、どうして彼はそう思ったのだろう？

ヴィヴィが自分の串をわたしの串に打ちつけてきて、われに返った。「人間の獰猛《どうもう》さを示し、妖精族に塚や丘のなかにとどまらなければならない理由を思い出させた、われらが賢いジュードに！」

ウサギのような垂れた耳とクルミ色のたてがみを持つ背の高い男が振り向いてにらむと、ヴィヴィはにっこり笑い返した。いまの言葉は大げさだし、ヴィヴィのほかは誰も感心していないとわかっていたけれど、そんなふうに言われるとやっぱりうれしい。

「ジュードがもう少しだけ賢くなかったらよかったのに――」タリンが小声で言う。

わたしが振り向いたときには、タリンは離れていってしまっていた。

競技場に戻ると、ライア王女が試合に出る準備をしていた。長いピンのように見える薄い剣を持って空《くう》を突き、敵と戦う準備をしている。ふたりいる恋人が声援を送った。

カーダンが王族のボックス席に現れるのが見えた。ゆったりとした白いリネンをまとい、バラの冠をかぶっている。彼が上王とデイン王子を無視してバレキン王子の隣に座り、何やら短く鋭い言葉を交わしたので、そばに行って何を言っているのか聞きたくてしかたがなかった。姉の試合に合わせて到着したカエリア王女が、クローバーの繁る競技場に姿を現したライア王女に熱心に拍手をしている。

マドックは戻ってこなかった。

わたしはひとりで家に戻った。ヴィヴィは試合に勝ったライア王女と行ってしまった。ふたりは近くの森で狩りをするのだ。タリンはついていくことにしたが、わたしは疲れすぎて体じゅうが痛く、気持ちが張りつめていた。

家に着くと、台所でチーズを火にかざして焼き、パンにのせた。それとお茶を入れたマグカップを持ってポーチに座り、食べながら日が沈むのを見つめる。それとお茶を入れたマグカップを持ってポーチに座り、食べながら日が沈むのを見つめる。

ワトルという名前の妖精トロウのコックがわたしを無視してパースニップに魔法をかけ、勝手に細かく刻まれていくようにしている。

食べ終わったので口のまわりについたパンくずを払い、自分の部屋に向かった。

長い耳と地面に引きずるくらい長い尻尾を持ったナーボーンという名の召使いが、

わたしを見て廊下で足を止めた。胸の上でぴんと張ったお仕着せの隙間から体を覆うふさふさの毛をはみださせている彼は、かぎ爪のある大きな手に指ぬきサイズのドングリのカップとブラックベリーワインの匂いがする銀のデカンターをのせたトレイを持っている。

「ああ、お戻りだったんですね」ナーボーンの声にはうなるような響きがあり、普通のことを言われているだけなのに脅されているような気がして、指の先を食いちぎった護衛のことを思い出した。ナーボーンの歯なら、わたしの頭だって食いちぎれるだろう。

わたしはうなずいた。

「王子があなたに会いにいらしています」

カーダンが来ているのだろうか？　心臓が激しく打ち始め、頭のなかが真っ白になる。「どこにいるの？」

ナーボーンはわたしの反応に驚いたようだった。「マドックさまの書斎です。いま王子にこれをお持ちするところで――」

わたしはトレイを奪い取り、階段へ向かった。なんとしてもカーダンを追い払わなければならない。それもなるべく早く。王子に失礼なことを言っているのをマドックに聞かれ、宮廷の一員になる資格がないと思われるのだけは絶対に避けたい。マドックはグリーンブライア一族に仕え、忠誠を誓っている。力のない王子とでも、わたしがいさかいを起こすのは望まないはずだ。

階段を駆けおりて、マドックの書斎のドアを蹴り開ける。ドアノブが本棚にぶつかるのを無視して部屋に入り、勢いよくトレイを置くと、カップがガチャンと音を立てた。

そこにはデイン王子がいて、テーブルの上に本を何冊も広げていた。金色の巻き毛が目の前にかかり、淡いブルーのダブレットの開いた襟元からずっしりと重い銀のトルク（金属の棒を曲げて作ったネックレス）がのぞいている。わたしはとんでもない思い違いをしていたことに気づいて、動きを止めた。

王子が眉をあげた。「ジュード、そんなにあわてて来るとは驚いたな」

わたしは腰をかがめて深くお辞儀をしながら、いまのは不器用であるがゆえの行動だと思ってもらえることを必死に祈った。急に鋭い恐怖に胸をつかまれる。もしかして、カーダンがデイン王子をよこしたのだろうか。デイン王子がわたしの無礼な態度を罰するために来たのだとしたら？　もうすぐ妖精国の王になる、みんなから尊敬されている高潔な王子がわたしに会いに来る理由なんて、ほかに考えられない。

「その……」パニックで舌が固まってしまったわたしはトレイを持ってきたことを思い出し、ほっとしてデカンターを勧めた。「これをどうぞ」

デイン王子はドングリのカップを取って、どろりとした黒い液体を注いだ。「きみも飲むかい？」

わたしは途方に暮れて、首を横に振った。「飲んだら何も考えられなくなってしまいます」

王子は笑った。「そうか。それなら、そのままでしばらくつきあってほしい」

「わかりました」断れるはずがない。わたしは心臓が重く打っているのを感じながら、緑色の革張りの椅子の肘掛けに腰をおろした。「ほかにも何か持ってきましょうか？」何を言えばいいのかわからなかったので、とりあえずきいてみる。

王子は乾杯するようにドングリのカップを掲げた。「これで充分だよ。わたしは話をしに来たんだ。まず、どうしてそんなに急いでこの部屋に来たのか、教えてくれないか？　誰が来たと思ったんだい？」

「誰でもありません」欠けた薬指の先のなめらかな皮膚を親指で撫でながら、すばやく返す。

急に興味がわいたかのように、デイン王子が背筋を伸ばした。「わたしのきょうだいのひとりがきみを困らせているんじゃないのかな?」

わたしは首を横に振った。「そんな、まさか」

「信じられない。なんということだ」彼が感嘆したように言った。「人間が嘘をつけるのは知っていたが、面と向かってそうされるとまさに信じがたい。もう一度やってみせてくれ」

わたしは顔が熱くなるのを感じた。「でも……わたしは……」

「さあ、もう一度。怖がらなくていい」王子が優しく促す。

彼はそう言うけれど、怖がらないのはばかだけだ。デイン王子はマドックがいないときにここへ来て、わたしを呼び寄せた。さっきの質問から考えると、カーダンとのことを知っているらしい。おそらく模擬戦のあとにもめていたのを見られたのだ。カーダンがわたしの髪を引っ張っているところを。それにしてもデイン王子は、何が望みでやってきたのだろう?

息が苦しくなって、懸命に浅い呼吸を繰り返す。

これから上王の座につくデイン王子は、わたしを宮廷に迎え入れる力を持っている。マドックの反対を押しきって騎士にする力を持っているのだ。彼に認めてもらえれば、望んでいるものがすべて与えられる。手に入れるチャンスを失ったと思ったすべてのものが。

背筋を伸ばし、ディン王子のシルバーグレーの目をまっすぐに見る。「わたしは・ジュード・デュアルテ。生まれたのは二〇〇一年十一月十三日。気に入っている色は緑。霧と悲しいバラッドとチョコがけのレーズンが好き。わたしは泳げません。さあ、いま言ったどの部分が嘘だと思いますか？　そもそもまったく嘘をついていない可能性もあります。なぜなら嘘のすばらしさは、ついているかどうか相手にはわからないってことですから」

　そのときはっと気づいた。こんなことを言ってしまったあとでは、どんな誓いを立ててても本気で受け取ってもらえないかもしれない。でも王子は喜んでいるようで、土のなかにルビーの原石が埋まっているのを見つけたような顔で笑っている。「では次に、きみの父上がそのささやかな能力をどう利用しているのか聞かせてもらおうか」

　何を言われたのかわからなくて、わたしは目をしばたたいた。

「ほう、利用などしていないというのか。なんという宝の持ち腐れだ」王子は頭を傾けて、わたしを見つめた。「きみの夢を聞かせてくれ、ジュード・デュアルテ。これがきみの本当の名だというなら、こう呼ぼう。きみは何を望んでいる？」

　心臓が胸を突き破りそうなほど激しく打っていた。頭がくらくらして、めまいもする。まさか、こんなに簡単なはずがない。もうすぐ妖精国の上王となるデイン王子に、何を望んでいるのかきかれるなんて。口にするのは怖いけれど、いまこそ言うしかない。

「あ——あなたの騎士になりたいです」口ごもってしまった。

王子が眉をあげる。「それは予想していなかったな。だがうれしい。ほかには？」

「どういうことでしょう？」手がぶるぶる震えているのを見られないように、きつく握りあわせる。

「望みというのは奇妙なものだ。かなえられたとたん、別のものに形を変える。金の糸を与えられれば、金の針がほしくなるように。だからジュード・デュアルテ、きみをわたしの臣下に加えたら、次は何を望むのかが知りたい」

「あなたに仕えることです」王子の言葉が理解できなかった。「王冠に剣で忠誠を誓うことです」

王子は手を振ってわたしの答えを退けた。「そうじゃない。きみ自身のためにほしいものだ。何か言ってごらん。これまで誰にも求めたことがないものを」

〝人間ではなくしてほしい〟即座にその言葉が頭に浮かんだが、すぐにそんなことを考えた自分にぞっとした。かなうはずのない望みは抱きたくない。妖精の一員になれることは、決してないのだ。

深く息を吸って考える。どんな願いならいいだろう？　もちろん、危険があることはわかっている。いったん口にしたら、王子は取引をしようとするに違いない。そして妖精との取引が人間にとって得になることはほとんどない。それでも、力を得られるという誘惑はあまりにも大きかった。

首にかけているネックレスに意識が向かった。自分の手で自分の頬を叩き続けたときのてのひらの痛みと、オークの笑い声がよみがえる。

〝ほんの少しそそのかしただけで、このざまだ。これからもっと苦しい状況に追いこまれるかもしれないぞ。おまえに魔法をかけて四つん這いで走りまわらせ、犬みたいに吠えさせることだってできるんだ。呪いをかけ、二度と聞くことのない歌やぼくの優しい言葉を求めて痩せ衰えさせることもできる〟というカーダンの言葉を思い出した。

「魔法で操られないようになりたいです」わたしは懸命に自分を抑えた。もじもじしてはならない。しっかりした大人として取引をするのだ。

王子はわたしを見つめた。「きみは子どもの頃、すでにトゥルーサイトを与えられている。それにどうすれば魔法に対抗できるか、方法はわかっているはずだ。われわれの食べ物に塩をかければ、そこにこめられている魔法を消去できる。靴下を裏返しにはけば道に迷わされることはないし、ポケットに乾燥させたナナカマドの実を詰めておけば心を惑わされない」

　ここ数日の出来事で、そういう対抗策がいかに頼りないものであるか思い知らされていた。「ポケットをひっくり返されたらどうなるんですか？　靴下を破かれたら？　塩を取りあげられ、ばらまかれてしまったら？」

　王子は考えこむようにわたしを見た。「こっちにおいで」

　わたしはためらった。これまで見てきた限りでは、デイン王子は常に高潔だった。だけどわたしが見てきたのは、彼のほんの一部でしかない。

「さあ、おいで。わたしに仕えるのなら、信頼してくれなくては」王子は座ったまま身を乗りだしていた。威厳のある顔の額の上には小さな角が二本生えていて、そこで髪が左右に分かれている。力強い腕の先の手は指が長く、そのうちの一本にグリーンブライア家の紋章が彫られた印章指輪が輝いていた。

　わたしは椅子の肘掛けから立って王子の前に行き、緊張にこわばっている口を開いた。「失礼な態度を取るつもりはありませんでした」

　王子が手を伸ばして、自分では気づいていなかったわたしの頬の痣に触れた。ぴくりとしてしまったが、身を引かずに踏みとどまる。「カーダンは甘やかされた子どもだ。彼が高貴な血を酒とくだらないけんかに浪費していることは、宮廷ではよく知られている。いや、否定しなくていい」

わたしは口をつぐんだ。ナーボーンはなぜ王子が来ていると言っただけで、どの王子か伝えなかったのだろう？　デイン王子がそうするように指示したのだろうか？

〝百戦錬磨の戦略家は虎視眈々と好機を狙うものだからな〟

「われわれは兄弟だが、性格はまるで違う。わたしはただ楽しいからというだけで、きみに残酷な仕打ちをすることはない。わたしに仕えると誓えば、相応な見返りを与えよう。だがきみには、騎士として仕えてもらうことを求めているわけではない」

わたしはふくらんでいた胸がしぼむのを感じた。妖精国の王子がわたしの夢をかなえるためにわざわざ訪ねてきてくれるなんて、話がうますぎたのだ。でも、そう思っていられたあいだはうれしかった。「では、何を求めているのですか？」

「きみがすでに申しでてくれたもの以外は何も。きみはわたしに剣を捧げ、忠誠を誓いたいと言った。それを受け入れよう。わたしには嘘をつける者が、強い気持ちを持った者が必要だ。わたしのためにスパイになってほしい。〈影の臣下〉に加わってくれないか。わたしはきみに、思いも及ばなかったほどの力を与えてやれる。人間にとって、ここでわれわれと暮らすのは簡単なことではない。だが、わたしはもっと生きやすくしてやれる」

わたしは立っていられなくなり、椅子にへたりこんだ。プロポーズされることを期待していたのに、愛人にならないかという誘いを受けたような気分だった。

ひそかに活動するスパイは、つまりは嘘つきであり盗人だ。当然、王子はわたしをそういうものだと見なしている。人間とはそういうものだと考えているのだ。

いままでに見たことのあるスパイを思い浮かべてみた。ときどきマドックと話しているのを見かける、パースニップみたいな鼻をした背中にこぶがある者。一度も顔は見たことがないけれど、影のような灰色の服に身を包んだ者。王族はみなそういう者を抱えているのかもしれないが、彼らに必要な能力のひとつが、どれだけ目立たずに動けるかということであるのは明らかだ。

そしてわたしにはそれができる。平凡な外見を生かして、怪しまれずに動ける。

「きみが思い描いていた将来ではないかもしれない。輝く鎧をまとうことも、戦いにはせ参じることもない。だが、約束しよう。わたしが上王になり、きみがよく仕えてくれたら、きみは思いどおりにふるまえるようになる。上王に反対できる者はいないからね。それからさっきの望みについてだが、魔法の呪文の影響を受けないという禁忌《ゲシュ》の約束を与えよう」

わたしは口をつぐんだ。人間が何かをするのと引き換えにゲシュによって与えられる力には、たいていそれを破ったときにひどいしっぺ返しを食らうという例外規定が存在している。たとえば不死身であることをゲシュで約束されたとしよう。ただしこの〝不死身〟は〝サンザシの木の芯材で作られた矢以外のもので傷つけられることはない〟というもので、つまり〝サンザシの芯材で作られた矢〟という例外規定がある。そこでゲシュを与えられた者の最大の敵が、たまたまこの矢を好んで使っているというようなことが起こりうるのだ。あるいはどんな戦いにも勝利することが約束される一方、あらゆる晩餐の招待を断ってはならないという条件がついているゲシュ。この場合はゲシュを与えられた者が戦いの直前に晩餐に招待されるという事態が発生し、戦いに駆けつけられなくなるというようなことが起こる。要するに妖精に関わるすべてがそうなのだが、ゲシュはすばらしい約束であると同時に呪いであり、いままさにそれがわたしに差しだされていた。

「ゲシュですか」

デイン王子が笑みを深めた理由を、ひと呼吸置いて理解した。わたしは王子の申し出を拒否しなかった。つまりこれはもう、なかば受け入れているということだ。

「ゲシュでは、きみをわたしたちの果物や毒から守ることはできない。よく考えるんだ。代わりにきみを見下していた者たちの心をとりこにする力を与えることもできる」王子はわたしの額に触れた。「ここに小さな印をつければ、それを見た者はみなきみを愛するようになるだろう。あるいは星の光を切れる魔法の剣をあげてもいい」

「誰にも操られたくないんです。魔法で」わたしはささやいた。声に出して言ってしまったなんて信じられなかった。王子の申し出を受けようとしていることが信じられない。「わたしにそのゲシュを与えてください。あとのことは自分でなんとかします」

王子はうなずいた。「では、受けてくれるのだな」

未来を変えてしまう選択をしなければならないのが怖かった。

でも、どうしても力がほしい。そしてこれは、それを手に入れられるチャンスなのだ。恐ろしくもあるし、ほんの少し屈辱的でもある。それでも魅力的なチャンスだった。わたしがいい騎士になれたかどうか、もはや知るすべはない。

騎士になってみたら、がっかりしていた可能性もある。鎧を着てぼんやり突っ立っているか、つまらない任務に行かされるだけだとわかって。あるいは好意を持っている人々と戦わなければならない羽目に陥っていたかもしれない。

わたしはいいスパイになれるように願いながら、うなずいた。

デイン王子が立ちあがって、わたしの肩に触れる。その瞬間、静電気が走ったような衝撃を感じた。「土より作られし人間の娘ジュード・デュアルテは、いまこのときよりいかなる妖精の魔法にも心を惑わされることはない。またいかなる呪文も、なんじの意志に逆らってなんじの体を動かすことはない。ただし、このゲシュを与える者によるものをのぞいて」王子がゲシュの言葉を紡いだ。「さあ、これでもう誰もきみを思うままにすることはできなくなった」そう言ったあと、一瞬間を置いて続ける。

「わたしをのぞいて」

わたしは息を吸った。当然、取引がいいことだけで終わるはずがなかった。王子に怒ることもできない。予想しているべきだったのだから。

それに例外があるとはいえ、守護が与えられたと思うと心が浮き立った。デイン王子は唯一無二の妖精で、その彼がわたしには価値があると認めてくれたのだ。マドックはわたしのなかにそういうものを見いだしてくれなかった。認められたいと、ずっと願ってきたのに。

わたしは片膝をついた。マドックの書斎の古い敷物の上に。そしてデイン王子に仕えることを誓った。

11

そのあと夕食のあいだ、思いがけず抱えることになった秘密がずっと頭にちらついていた。その秘密のおかげで、初めて自分には力があるのだと感じられた。マドックが奪うことのできない力が。いまやわたしはスパイなのだと、デイン王子のスパイなのだと考えるだけで、興奮がわきあがってぞくぞくした。

夕食のメニューは大麦と野生のヒラタマネギを詰めた小鳥で、油と蜂蜜で皮がジュウジュウいっていた。オリアナは丁寧に肉を骨から外しており、オークは皮をクチャクチャ嚙んでいる。マドックは肉だけ外す手間をかけずに骨ごと食べ、わたしはパースニップの煮込みをつついていた。タリンはテーブルについているが、ヴィヴィは戻ってきていない。ライア王女と狩りに行くというのは言い訳で、森を抜けて人間の世界に行ったのではないだろうか。もしかしたら、ヘザーの家族と夕食をともにしているのかもしれない。

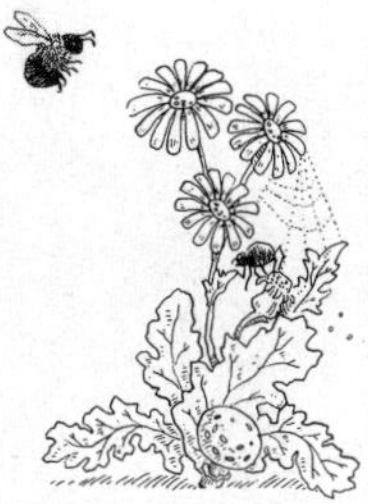

「競技会ではよくやったな」マドックが食べる合間に褒めた。

途中でいなくなったくせに、と言う気にもなれなかった。マドックはたいしていいとは思わなかったのだ。わたしが戦っているところをどれだけ見たのかもわからない。

「それって、気が変わったってこと？」

わたしの口調が気になったのか、マドックは口を動かすのをやめ、目を細めてじっと見た。「騎士になりたいという話か？　それならノーだ。新しい上王が即位したら、おまえの将来について話しあおう」

わたしはひそかに笑みを浮かべた。「わかったわ」

タリンを見ると、オリアナの鳥のばらし方を真似しようとしてそっちを見ている。水差しを取ってほしいと頼んできたときも、わたしのほうを見もしない。

けれども部屋に戻るとき、わたしがついていくのを止めることはできなかった。

「ねえ、わたしだって、あんたが言ったとおりにしようとしたのよ。でも無理だった。そのことであんたに憎まれたくないの。わたしの人生なんだから」

タリンが振り返った。「その人生を無駄に費やすつもり？」

「そうよ」わたしたちは踊り場に立っていた。デイン王子のことは話せないが、話したとしてもタリンは納得しないだろう。スパイになることに賛成するとは思えない。

「わたしたちが本当に自分のものだって言えるのは、それぞれの人生だけ。そしてそれはお金と同じなの。みんな、それと引き換えにほしいものを手に入れる」

　タリンが目をぐるりとまわして、冷たい声で言った。「へえ、うまいこと言うわね。自分で考えたの？」

「いったいどうしちゃったのよ」

　タリンは首を横に振った。「どうもしてないわ。あんたみたいに考えたほうがいいのかもしれないわね。気にしないで、ジュード。あんたは競技会で本当にうまくやったと思う」

「ありがとう」わたしはとまどって眉をひそめた。カーダンがタリンについて言ったことを思い出したが、それを問いただしていやな思いをさせたくはなかった。「それで、あんたはもう誰かと恋に落ちたの？」代わりに尋ねる。

　タリンが奇妙な表情を浮かべた。「明日は授業に行かないで家にいるわ。あんたが自分の人生を無駄に費やすのは勝手だけど、わたしがそれを見ている必要はないから」

　王宮に行く途中、風で落ちたリンゴが散らばっていてうっとりするような香りが漂っている場所に差しかかって、わたしは急に足が重くなった。今日は袖口が金色で、緑色の組みひもの縁取りがついた黒いロングドレスという、着心地のいいお気に入りの格好をしている。

午後の鳥たちのさえずりを聞いていると顔がほころんで、一瞬、楽しい空想にふけった。デイン王子の戴冠式でわたしがうれしそうに笑っているロックと踊っているかたわら、カーダンは引きずられていって地下牢《ろう》に放りこまれる――。

急に白いものが視界に飛びこんできて、わたしはわれに返った。三メートルも離れていないところに、白い牡鹿《おじか》が立っている。角に繊細なクモの巣を絡ませた鹿は、午後の日の光のなかでは白というより銀色だ。しばらく見つめあったあと牡鹿が王宮のほうへ駆け去ったので、わたしは息を吐いた。

いまのはいいことがある予兆だと受け取ることにする。

最初、それは正しいように思えた。授業は結構おもしろかった。教師のノグルは北方出身の、親切だけれど変わり者の年老いた妖精フィル・ジャルグで、眉はふさふさ、顎ひげはペンや紙をときどき引っかけてしまうほど長く、流星群やそれが持つ意味について話しだすと止まらないという癖がある。日が暮れて夜になると彼は流れ星を数えさせ、わたしは毛布の上に仰向けに寝そべって夜空を見あげ、退屈だけれど心が休まる作業に精を出した。

　ただしひとつだけ困ったのが、暗くて星の数を書きとめるのが難しいことだった。いつもなら木々に丸い明かりがつりさげられているし、ホタルがたくさん飛び交って明るく照らしているのだが、今日はそれがない。しかも人間は妖精ほど目がよくないので、普段は念のためろうそくを持ってきているのだけれど、星の授業のときはつけることが許されていなかった。そこでわたしはインクを指につけてしまわないように注意しながら、なんとか読める数字を書こうと四苦八苦していた。

「覚えておきなさい。空にいつもとは違う動きがあったら、大きな政治上の変化が起こる予兆であることが多い。だから王の代替わりが迫っているいま、そのような予兆がないか注意深く観察することが重要なのだ」

　暗闇のなかで、誰かがくすくす笑うのが聞こえた。

「ニカシア、何かわからないところでもあったかね？」

　つんと澄ました彼女の声からは、反省している様子は感じられない。「いいえ、まったく」

「では、流れ星について話してもらおう。今日ここまでの一時間に見られた流星群にはどんな意味があるのかな？」

「一ダースの誕生です」ニカシアの答えに、わたしは顔をしかめた。

「一ダースの死よ」小声で言う。

まずいことに、ノグルがそれを聞きつけた。「そのとおりだ、ジュード。きちんと注意を払っている者もいるとわかってうれしいよ。では、その死がいつ起こる可能性が高いか、答えられる者は？」

カーダンに対抗することをおおっぴらに宣言してしまったいま、その意志を隠していても意味はない。みんなの前で気概を示すべきだろう。「それは星がどの星座を通るか、そしてどの方角へ落ちていくかによります」途中から、喉が締めつけられるように苦しくなってきた。カーダンやニカシアの顔が見えないので、暗いことが急にうれしく思える。

「すばらしい。みんなもノートはきちんと取るべきだと、よくわかっただろう。続けなさい」

「つまらないな」ヴァレリアンが間延びした口調で言うのが聞こえた。「予言なんて年寄りや子どものためのものですよ。ぼくたちはもっと貴族らしいふるまいについて学ぶべきだ。こうやって夜に寝そべって過ごすなら、愛のレッスンを受けるほうがいい」

何人かの笑い声があがった。

「結構だ。では答えたまえ。愛の成就の予兆となる事象は？」

「女の子がドレスを脱ぐことかな」さらに笑い声があがる。

「エルガ？」ガラスが粉々に割れるときのような声を立てて笑う銀色の髪の女の子を、ノグルが指名する。「代わりに答えてほしい。ヴァレリアンは愛を成就させたことがないので、答えがわからないようだ」

エルガは口ごもった。答えはわかっているけれど、ヴァレリアンの怒りを招くのが怖いのだろう。

「では、もう一度ジュードに答えてもらおうか」ノグルが厳しい声を出した。「それともカーダンはどうだね？　きみが答えてくれるかな」

「いいえ」カーダンが断る。

「どういうことかね？」ノグルが詰問した。

カーダンは口を開くと、冷え冷えとした権威をたたえた声で言った。「ヴァレリアンが言ったとおり、この授業はつまらない。ランプをつけて、もっと意味のある別の授業をしてもらいたい」

ノグルはしばらく固まったように動かなかった。「仰せのままに、殿下」ようやくそう言うと木々につりさげられた明かりが次々に灯ったので、わたしはすぐには目が慣れなくて何度かまばたきをした。はたしてカーダンは、自分が望まないことをしなければならなかったことがあるのだろうか？　授業中に居眠りをしているのも、草地で授業を受けている生徒たちのなかに酔っ払って馬を乗り入れ、毛布や本を踏みつけられたみんなが逃げまどったことがあるのも、ちっとも不思議じゃない。彼は思いつきでわたしたちのカリキュラムを変えてしまえる。そんな彼が心から大切に思えるものはあるのだろうか？

「彼女の視力は本当にお粗末なのよね」その声で、ニカシアがわたしのすぐ前に立っていることに気づいた。ニカシアがわたしのノートを取り、ひらひら振ってみんなに書かれている字を見せている。ニカシアはわたしのノートを取り、ひらひら振ってみんなに書かれている字を見せている。「かわいそうなジュード。わたしたちより劣っているところがこれほどたくさんあって、一緒にやっていこうとするのは大変でしょうね」

わたしの指先も金色の袖口もインクだらけだった。

木立の向こうでカーダンがヴァレリアンと話している。ロックだけが表情を曇らせて、わたしたちの様子を見守っていた。ノグルはほこりまみれの分厚い本の山から次々に本を取っては眺めている。カーダンの気に入る授業ができないか考えているのだろう。

「わたしの書いた字が読めないのなら、ごめんなさい」そう言ってノートをつかむと紙が破けて、その晩のわたしの成果は大部分が無に帰した。「でも、それでわたしが困ることはないから」

ニカシアに顔をひっぱたかれ、わたしは驚きで固まった。地面の上にぶざまに倒れこみそうになるのをなんとか踏みとどまって、片膝をつく。頬が熱くなってジンジン痛み、頭のなかにキーンという音が響いた。

「こんなことをしてはだめよ」ばかげた言葉を返す。

これまでわたしは彼らとのあいだでしているゲームがどんなものかわかっている気でいたけれど、それは間違いだった。

「わたしはなんでも好きなことをしていいのよ」ニカシアが高飛車に言う。

クラスメイトがわたしたちを見つめていた。エルガはほっそりした手を口に当てている。カーダンもこっちを見ているが、表情からニカシアのしたことを喜んでいないのがわかった。ニカシアの顔に動揺が広がっていく。

これまでは、彼らにも越えない一線があった。わたしを川に突き落としたときは、ほかに誰も見ている者がいなかった。わたしは曲がりなりにも貴族の家庭の一員で、マドックの庇護を受けている。だからカーダンはマドックを怒らせることも辞さないかもしれないが、取り巻きたちは何かするにしてもこっそりやると思っていた。どうやらそんなルールを忘れさせるほど、ニカシアを怒らせてしまったらしい。

わたしは体をはたいた。「決闘を申しこんでいるの？　それなら時と武器を選ぶ権利はわたしにあるわ」ニカシアを打ち負かせたら、どんなにすっとするだろう。

本気で返事を求められていることに、ニカシアは気づいた。わたしがどれだけ取るに足りない卑しい存在であろうと、彼女は名誉をかけて戦う義務から逃れることはできない。

視界の端に近づいてくるカーダンの姿が見えて、じりじりした期待と恐れがこみあげた。ところが突然、反対の肩をヴァレリアンに強く押された。すぐに後ろへさがったが、熟れすぎた果物の香りの襲撃を避けることはできなかった。

頭上に広がる黒い夜空に七つの星が流れ、明るく輝きながら線を描いたあと消えていく。わたしは無意識のうちに顔を動かして行方を追ったが、正確な軌道はとらえきれなかった。

「いまの軌道を書きとめた者は？」ノグルが怒鳴りながら、ペンを求めてひげのあいだを探っている。「これこそ、われわれが待っていた天体の事象だ！　正確な出発点がどこか、誰かが見ていたに違いない。急げ！　思い出せることをすべて書きとめるのだ」

　ところがわたしが星を見つめているその瞬間を狙って、ヴァレリアンが柔らかいものを口に押しつけた。甘ったるく腐敗したリンゴから、蜜の味の果汁が舌の上にしたたる。太陽の光のようなその味はくらくらするほどすばらしく、ばかばかしいほどの喜びが広がった。妖精の実は人間の心を惑わし、それを口にした人間はもう一度味わいたいという思いに絡め取られて痩せ衰える。それを手に入れるためなら、どんなに愚かなことでもするようになるのだ。

　デイン王子のゲシュは妖精がかける魔法からわたしを守り、彼らに操られないようにしてくれるが、妖精の実は自らの心の制御をも失わせるものだ。

　そんなのはいや。いや、いや、絶対にいやだ。

　口に入ったものを急いで吐きだす。リンゴは転げ落ちて土にまみれたが、舌についた果汁がすでにその効果を発揮し始めているのを感じた。

　塩だと思いついて、必死でバスケットのなかを探った。塩が必要だ。塩は解毒剤になって、頭のなかの霧を晴らしてくれる。

　ニカシアがわたしのしようとしていることを察してバスケットを取りあげ、からかうように後ろにさがった。すかさずヴァレリアンがわたしを突き倒し、逃げようとするのを押さえこんで、土まみれのリンゴをふたたび顔に押しつける。

「そのよくまわるおまえの舌を、とろけさせてやろう」彼がリンゴをぐいぐい押しつけて、果肉が口と鼻に入る。

息ができなかった。空気が入ってこない。

目をぎりぎりと開いて、ヴァレリアンの顔を見あげた。窒息しそうだ。彼はかすかな興味をにじませてわたしを見つめている。次に起こることを楽しみに待ち構えているのだ。

視界の端が暗くなってきた。このままでは窒息して死んでしまう。

最悪なのは果実が恐怖を消し、わたしのなかに喜びが広がっていることだ。何もかもが美しく感じられる。視界がゆがみ始めた。ヴァレリアンの顔をつかもうと手を伸ばしたが、頭のなかがぐるぐるまわっていて、うまくいかない。やがてそれでもかまわなくなった。こんなに幸せな気分なのに、彼を傷つけたくない。

「抵抗しろ！」声が聞こえたものの、果実に冒されたわたしには誰が言ったのかわからなかった。

突然、ヴァレリアンが蹴り飛ばされた。横に転がって咳きこんでいるわたしを、カーダンが見おろしている。涙と鼻水で顔はぐしゃぐしゃになっているが、土にまみれて横たわったまま、甘くみずみずしい果実を吐きだすことしかできない。自分がどうして泣いているのかさえわからなかった。

「もういい」カーダンの顔はよくわからない激しい感情でゆがんでいた。顎の筋肉がぴくぴく動いている。

わたしはげらげら笑いだした。

ヴァレリアンがむっとした表情を浮かべる。「楽しみを邪魔しないでほしいな」

一瞬、ふたりが殴りあいでも始めそうな気配を感じたが、なぜかはさっぱりわからなかった。そのとき、カーダンが手に持っているものが目に入った。わたしのバスケットに入っていた塩。解毒剤だ。（それにしても、さっきはなんでそんなものがほしかったんだろう？）彼が笑いながら投げあげ、風で散っていくそれを目で追う。

カーダンが口をゆがめてヴァレリアンを見た。「どういうつもりだ、ヴァレリアン。こいつが死んだら、せっかくのお楽しみが始まる前に終わってしまうんだぞ」

「わたしは死なないわよ」心配させたくなくて、わたしは口を挟んだ。生まれて初めてと言っていいくらいにいい気分で、解毒剤が消えてしまったことがうれしくてならない。

「カーダン王子」ノグルが言った。「彼女は家に帰すべきです」

「今日は誰も彼も退屈だな」カーダンは言ったが、その声は退屈しているのではなく、激しい感情をかろうじて抑えているように聞こえる。

「あら、ノグル先生、彼女は帰りたがっていませんわよ」ニカシアが近寄ってきて、わたしの頬を撫でた。「そうよね、かわいい子」

口のなかに甘ったるい蜜の味が広がっていて、体が軽く、ゆるゆるとほどけていくようだ。旗が広がるように、わたしも広がってきている。「ここにいたいわ」なぜならここはすばらしい場所で、ニカシアが魅力的だから。

いまの気分がいいと言えるかはわからないけれど、すばらしくいいことはわかっている。

すべてがすばらしい。もちろんカーダンも。前は彼が好きではなかったけれど、いまは自分がばかだったとしか思えない。彼ににっこり笑いかけたが、笑い返してもらえなかった。

でも、悪気がないのはわかっている。

ノグルがわたしたちに背を向けて、将軍がどうとかばかな真似がどうとか授業中にこんな真似を許したと王子たちに知られたら、彼をはじめ何人もの教師が首をはねられるに違いないとかぶつぶつ言いながら、遠ざかっていく。カーダンが両手を握りしめてノグルを見送っているのが見えた。

女の子たちが何人も来て、わたしの横の苔の上に座った。みんな笑っているので、つられてわたしも笑ってしまう。「人間がエルフェイムの果物を食べるのを初めて見たわ。彼女、あとでこのことを覚えてると思う？」フロスフラワーという、そのなかのひとりが隣の子にきいた。

「そうならないように、誰かが彼女に魔法をかけてやればいいのさ」わたしの後ろからロックの声が聞こえた。でもロックの声はカーダンと違って怒っているようには聞こえず、感じがいい。わたしはそちらに向き直ると肩に触れられ、彼のあたたかい肌にすり寄った。

ニカシアが笑った。「彼女はそんなことを望んでないわ。リンゴをもうひと口食べたいとしか思っていないはずよ」

さっき食べた味を思い出して、口のなかに唾がわいた。学校へ来る途中に金色に輝くリンゴがたくさん散らばっていたことを思い出し、どうしてあのとき食べなかったのかと愚かな自分を呪う。

「じゃあ、いろいろきいてもいいかしら。ちょっと恥ずかしいことを。それでも彼女は答えると思う？」今度はモラーニャが知りたがった。

「友だちといるのに、どうして恥ずかしいなんて思うの？」ニカシアがにやりと目を細めると、クリームをなめ終わったあとに日向で昼寝をしようとしている猫みたいに見えた。

「誰に一番キスしたい？」フロスフラワーが寄ってきて尋ねた。彼女とはこれまでほとんど話をしたことがないので、仲よくしたいと思ってくれてうれしい。

「みんなにキスしたい」それを聞いて、みんながキャーキャー笑う。わたしもうれしくなって星を見あげた。

「ねえ、あなた、たくさん服を着すぎているわ」ニカシアがわたしのスカートを見て顔をしかめた。「それに汚れてる。脱いだほうがいいわね」

そう言われて、急にドレスが重苦しく感じられた。裸になって月の光を浴び、頭上に見える木々の葉のように肌が銀色に輝くところが思い浮かぶ。

立ちあがるとまわりのものが斜めにかしいでいるような気がしたが、そのまま服を脱ぎ始めた。

「あなたの言うとおりだわ」楽しい気分で言う。ドレスが足元に落ちたので、またぎ越した。あとは人間の下着――ミント色に黒の水玉のブラジャーとショーツだけだ。

みんなが奇妙な表情でわたしを見つめていた。こんな下着をいったいどこで買ったのかと考えているようだ。みんなきらきら輝いていて、ずっと見ていると頭が痛くなってくる。

わたしは自分の体の柔らかさと両手にできているタコとゆったり揺れる胸を、足の下から伝わってくる草の感触と地面のあたたかさを意識した。

「わたしもあなたみたいにきれいかしら」ただ純粋に知りたくて、ニカシアにきく。

「いいえ」ニカシアがヴァレリアンに目を向け、地面の上から何かを拾いあげた。

「あなたはわたしたちとはまったく違う」そう聞いて残念だったが、驚きはなかった。

彼らと並べば、誰だって影みたいなものだ。ぼんやりとかすんだ似姿でしかない。

ヴァレリアンがわたしの首のまわりにかかっているナナカマドの実のネックレスを指さした。乾燥させた赤い実を、長い銀のチェーンに通したものだ。「それも取ったほうがいい」

わたしは秘密を打ち明けるようにうなずいた。「そのとおりね。もう必要ないもの」

ニカシアがほほえんで手をあげ、指を開いて金色のものを見せた。つぶれて土にまみれたリンゴの残骸だ。「こっちに来て、わたしの手をなめてきれいにしてちょうだい。かまわないでしょう？　だけど、ひざまずいてやらなくちゃだめよ」

クラスメイトたちが息をのみ、忍び笑いがかすかな風のように広がった。みんな、わたしにやってほしいのだ。わたしはみんなを幸せにしたい。みんなにはわたしと同じくらい幸せになってほしかった。それにもう一度、あの果実を味わいたい。わたしは四つん這いになってニカシアに近づいていった。

「だめだ」カーダンがわたしの前に立ちふさがった。彼の声はうわずり、ちょっと震えている。ほかのみんながさがって、彼のために場所を空けた。彼が柔らかい革靴を片方脱いで、白い足をわたしの目の前に差しだす。「ジュードはぼくの足にキスをしろ。みんなにキスをしたいと言ったんだから、まず王子であるぼくにするべきだ」

わたしは笑った。前はなぜあまり笑わなかったのか、わからない。すべてがすばらしく、そしてばかばかしい。

けれどもカーダンを見あげると、何かがおかしいという気がした。彼の目は怒りと切望、そしてなぜか恥じ入っているような表情でぎらついている。その表情はカーダンがまばたきをすると消え、いつもの冷たい尊大な彼に戻っていた。

「どうした、さっさとやらないか」カーダンがいらだったように言う。「足にキスをして、ぼくの偉大さを称えるんだ。どれほどぼくをあがめているか示せ」

「もうやめろ」ロックが鋭い口調でカーダンをさえぎり、わたしの肩をつかんで乱暴に立ちあがらせた。「彼女を家に送っていく」

「いますぐにか？」カーダンが眉をあげて問いかけた。「興味深いタイミングだな。ちょっとした屈辱を見て味わうのは好きだが、やりすぎは嫌いだと？」

「こんなふうにふるまうときのきみは嫌いだ」ロックが小声で吐き捨てるように言う。

カーダンは上着からきらきら輝くピンを外した。金線細工で、オークの木の葉を背景にしたドングリをかたどったものだ。カーダンはわたしを放っておくのと引き換えにこのピンをロックにあげるのではないかという考えが、熱に浮かされたような頭をかすめる。でも普通でない状態のわたしにも、そんなことはありそうにないとわかった。

カーダンに手を取られるという、さらにありえないことが起こって、わたしは驚いた。肌に触れる彼の手が熱く感じられる。彼はわたしの親指の先にピンを刺した。

「痛い！」わたしは彼から離れ、血が出ている指先を口に入れた。舌の上に金《かな》くさい味が広がる。

「せいぜい帰り道を楽しめ」

ロックがわたしを連れてカーダンから離れた。途中で誰かの毛布を取り、体に巻きつけてくれる。林から出ていくわたしたちを、妖精たちが見つめていた。よろよろしているわたしをロックが支えてくれている。教師たちはわたしの視線を避けた。

親指をしゃぶっていると、奇妙な感じがした。頭のなかはまだくらくらしているが、前ほどではなくなってきた。どういうことだろう？　しばらくして、その理由がわかった。わたしの血に塩分が含まれているのだ。

吐き気がこみあげた。

振り返ってカーダンを見ると、ヴァレリアンとニカシアと笑っていた。モラーニャは彼に腕を絡めている。東の島の出身の、筋肉質な妖精の女性教師が授業を始めようとしていた。

みんな大嫌いだった。あそこにいるみんなが憎かった。一瞬怒りで頭がいっぱいになって、ほかに何も考えられなくなる。わたしはぶるぶる震える手で毛布をきつく引き寄せ、ロックについて木々のあいだを抜けていった。

「あそこから連れだしてもらって、借りができたわ」しばらく歩いたあと、歯を食いしばりながら言った。

ロックが称えるような目を向ける。柔らかい巻き毛に顔を縁取られた彼がどれだけハンサムか、改めて気づいて衝撃を受けた。わたしが下着姿になって地面を這うのを見られたのだと思うといたたまれないけれど、いまは恥ずかしさより怒りのほうが大きい。

彼は首を横に振った。「ジュード、きみは誰にも借りを作っていない。特に今日のあの出来事では」

「どうしてあんな人たちに耐えられるの？」怒りのあまり、ロックに食ってかからずにはいられなかった。わたしが怒りを感じていない唯一の妖精が彼だというのに。

「本当にひどい。あの人たちは怪物よ」

ロックは答えなかった。黙って歩いているとリンゴが散らばっている場所に出て、思わず腹が立ってリンゴを蹴ると、ニレの木の幹に当たって跳ね返った。

「彼らといると、楽しいこともあるのさ。ほしいものは取り、あらゆる堕落した考えにふける。ひどいことをする側でいるのは安全でもあるんだ」

「少なくとも、あなたはひどいことをされないから？」

ふたたび彼は答えなかった。

マドックの屋敷の近くまで来ると、わたしは足を止めた。「ここからはひとりで帰ったほうがいいわ」ロックに笑みを向けたが、ちょっとゆがんでしまったと思う。いまは笑みを浮かべるのが難しかった。

「ちょっと待って」彼が一歩近づいた。「またきみに会いたいんだ」

驚くというより、なんでという気持ちが強く、うなるような声がもれてしまった。

わたしはいまショッピングモールで買った下着とブーツしか身につけておらず、それを誰かから借りた毛布で隠している状態だ。しかもあちこちに土がついているし、さっきはさんざんばかみたいな真似をしてしまった。「どうして?」

ロックの目には、みじめないまのわたしとは別の姿が映っているようだ。彼の視線にこもった熱に、土で汚れていても背筋を伸ばしたくなる。「なぜならきみは、これから始まる物語みたいだから。きみが何をするのか見ていたい。ぼくも話の一部になりたいんだ」

これが褒め言葉なのかどうかよくわからなかったけれど、とりあえずそのまま受け取ることにする。

ロックはカーダンがピンで刺したほうの手を取って、指先にキスをした。「じゃあ、明日」彼はそう言ってお辞儀をした。

そのあとわたしはショッピングモールで買った下着とブーツと借り物の毛布を身につけ、ひとりで歩いて帰った。

「誰がやったのか教えるんだ」マドックは何度もそう言ったが、わたしは口を割らなかった。彼はドスドス歩きまわり、これをやった妖精を見つけたらどうするつもりかこと細かに告げた。そいつらの心臓をえぐりだしてやる。それから頭を落とし、この家の屋根の上に置いて見せしめにする。

マドックが脅しているのはわたしではないとわかっていたが、怒鳴られているのがわたしであることに変わりはない。

わたしは怖くなると、マドックはどんなに上手に父親の役を演じていても、父さんを殺した男なのだという事実が頭から離れなくなる。

　結局、ひと言ももらさなかった。オリアナは、タリンとわたしが宮廷で場違いなことをしてマドックに恥をかかせることをいつも恐れていた。でもいまは、こうして何かが起こってしまったときにマドックがどうするかということのほうが心配になったのではないだろうか。ヴァレリアンとニカシアの頭を落とせば、政治的にまずいことになる。カーダンを傷つければ謀反になるだろう。

「自分でやったのよ。果物を見つけて、おいしそうだったから食べたの」騒ぎを終わらせるために、そう言った。

「どうしてそんなばかな真似をしたの？　どうなるかわかっていたはずでしょう？」

オリアナが振り向いてなじったが、驚いている様子はない。いままで抱いてきた疑いが裏づけられたと思っているのかもしれない。

「楽しめると思ったから。楽しいはずだったのよ」わたしは反抗的な娘を大げさに演じてみせた。「実際、楽しかったわ。きれいな夢みたいで――」

「黙りなさい！　ふたりともやめるんだ」マドックが怒鳴ったので、わたしたちはショックを受けて口をつぐんだ。

怖くて体がすくんでしまう。

「ジュード、オリアナにくだらないことを言うのはよしなさい」マドックの目には、これまでしょっちゅうヴィヴィに向けていたのと同じいらだちが見える。

わたしが嘘をついているとわかっているのだ。

「それからオリアナ、そんなにだまされやすくてどうする」マドックの言葉の意味を理解すると、オリアナは優美な手で口を覆った。

「おまえが誰をかばっているのかわかったら、そいつらには生まれてきたことを後悔させてやるぞ」

「そんなことされても、ちっとも助けにならないのに」椅子にぐったりともたれて言う。

マドックはわたしの前に膝をつき、硬い緑色の手でわたしの手を握った。すると震えているのを感じたのだろう、長々とため息をついて、まだまだ続く予定だったであろう激しい脅しをのみこんだ。「ではジュード、どうすれば助けになるのか教えてくれないか？　言ってくれたらそうする」

正直に言ったらどうなるだろう？　〝ニカシアに辱められ、ヴァレリアンに殺されそうになった。わたしを憎んでいるカーダン王子の機嫌を取ろうとそういうことをしてくる彼らが怖くてしょうがない。あなたのことも怖いけど、彼らはもっと怖い。だから彼らを止めて、わたしに手を出さないようにしてほしい〟と。

だけど言うつもりはない。マドックの怒りは底が知れない。台所の床に流れた母さんの血を見たときに、それがわかった。いったん呼び起こせば、簡単には静められない。

マドックがカーダンや取り巻きたちを殺したらどうなる？　彼はあまりにもたくさんの問題を血で解決しようとする。彼らが死ねば、親たちが償いを求める。上王もマドックに怒りを向けるはずだ。そうなればわたしを取り巻く状況はますます悪くなって、マドックは死ぬことになるかもしれない。

だからわたしは言った。「もっともっと教えて。戦略も剣の使い方も。知っていることを全部教えてほしい」デイン王子はわたしにスパイになることを求めたが、だからといって剣をあきらめる必要はない。

マドックは感心したみたいだけれど、オリアナは腹を立てているようだ。オリアナはわたしが彼の優しさにつけこんで利用している、しかもそれにかなり成功していると思っているのだ。

「いいだろう」マドックはため息をついた、「一緒に夕食をとれそうならいいが、そうでないならタターフェルに言って部屋に運ばせよう。明日から特訓だ」

「じゃあ、部屋で食べるわ」わたしは借り物の毛布にくるまったまま二階にあがり、タリンの部屋の前を通り過ぎた。タリンのベッドに倒れこんで、思いきり泣きたいという気持ちもある。どうしようもなかったのだと、抱きしめて慰めてもらいたい。わたしは勇敢だった、愛していると言ってほしい。

けれどもタリンがそうしてくれることはないとわかっていたので、ドアは開けなかった。

出かけているあいだに、わたしの部屋は片づけられていた。ベッドは整えられ、夜気を入れるために窓が開け放たれている。そしてベッドの足元には、王家の紋章がついた質素なドレスがたたんで置いてあった。王子や王女の使用人が着るお仕着せだ。バルコニーを見ると、フクロウの顔をしたホブが座っていた。

羽根をふくらませて、身づくろいをしている。

「ねえ、あなたはあの方の――」

「明日〈虚《うつ》ろの館〉へ行け」ホブはわたしをさえぎった。「われわれのために、王の不興を買うような秘密を見つけるのだ。反逆の証拠を」

〈虚ろの館〉には第一王子であるバレキンが住んでいる。

わたしは〈影の臣下〉から最初の任務を与えられたのだ。

12

早々にベッドに入って、目が覚めるとすっかり暗くなっていた。寝すぎたせいか頭痛がして、体が痛い。よっぽど緊張でがちがちになって寝ていたのだろう。

今日の授業はもう始まっている。それはかまわなかった。行くつもりはない。

タターフェルがコーヒーののったトレイを置いていってくれていた。シナモンとクローブとちょっぴり胡椒《こしょう》を加えてあるコーヒーで、カップに注ぐとぬるくなっていたので、しばらくそこに置かれていたのだろう。トーストもあり、コーヒーに何度か浸すと柔らかくなった。

腹ごしらえがすむと、リンゴの汁でべたべたしたままの顔を洗い、そのあと体も洗った。髪をざっととかし、小枝を使って丸くまとめる。

昨日あったことは考えないようにした。今日これからデイン王子のために果たさなければならない任務以外のすべてを、頭から追いだす。

〝明日〈虚ろの館〉へ行け。われわれのために、王の不興を買うような秘密を見つけるのだ。反逆の証拠を〟

つまり、バレキンが次の上王に選ばれないように確実な手を打ちたいデイン王子は、その手伝いをわたしにさせようとしているのだ。エルドレッド上王が子どもたちの誰に王位を継がせるかは定かでないけれど、上の三人――バレキン、デイン、エロウィン――を気に入っているのはたしかだ。特にデインを。スパイはその状態を保つために活動するのだろうか。

役に立てれば、デインは王座についたときにわたしに力を与えてくれるはずだ。昨日の出来事のあとでは、喉から手が出るほどその力がほしかった。妖精の実をもう一度味わいたいと焦がれたときと同じ激しさで、わたしは力を求めている。

万が一のときもできるだけ本物に見えるよう、ショッピングモールで買った下着はつけずに召使い用のドレスを着た。履くものはクローゼットの奥をあさって、古ぼけた踵の低い革靴を見つけた。爪先に開いている穴を一年近く前に直そうとしたのだが、不器用すぎてかえってひどいことになってしまったものだ。でも足になじんでいるし、ほかの靴はどれも上等できれいすぎる。

マドックの屋敷に人間の召使いはいないものの、ほかの場所では見たことがあった。

人間の妻が子を産むときに助ける産婆、呪いや祝福によって魅惑的な技を与えられた職人、病気の妖精の子に乳を与える乳母。妖精国で育てられる取り替えっ子もいるが、わたしたちみたいに貴族の子として教育を受けることはない。それから魔法を求めてやってくる人間。彼らは望みをかなえてもらうのと引き換えにちょっとした単調な仕事をするのをいとわない、陽気な者たちばかりだ。そういう人間に会うと話しかけてみるが、喜んで応じてもらえることもあれば、いやがられることもあった。職人以外の人間のほとんどは記憶に矛盾が生じないように魔法をかけられていて、自分は病院や裕福な人間の屋敷にいると思っている。人間の世界に戻るときは――みな、ちゃんと戻らせてもらえるとマドックは請けあった――充分な給金と贈り物を与えられるらしい。幸運やつややかな髪、宝くじの当選番号を当てる勘といった贈り物を。

でも、なかにはひどい取引をしてしまった人間、意地の悪い妖精の気分を損ねてしまった人間、それにあまりよくない扱いを受けている人間もいる。タリンとわたしの耳はいろいろな噂を拾っていた。話している者たちは聞かれているなんて思っていないけれど。石の床で寝かされ、残り物を食べさせられているのに、羽根のベッドで眠り、ごちそうを食べていると思っている人間や、妖精の実で正気を失わされている人間がいるという。バレキンの召使いのなかには後者のような人間がいて、ひどい扱いを受けているらしい。

そんなことを思い出すと体が震えた。それでも、どうして人間がスパイとして使いやすいのかわかった。嘘がつけるからというだけではない。人間は下々の者がいるところにも高貴な者がいるところにも、注意を引かずに出入りできる。ハープを持てば吟遊詩人になれるし、手織りの服を着れば召使いになれる。ドレスを着ればギャン泣きわめくゴブリンの子どもたちを連れた妻にもなれるのだ。

目立たずに溶けこめるというのは大きな長所だ。

わたしは革のかばんにシフトドレスとナイフを入れ、分厚いベルベットの上着を着て階段をおりた。だが胃のなかでコーヒーがチャポチャポいっているのを聞きながらもう少しで玄関に着くというところで、窓辺にあるゴブラン織りの布張りの椅子にヴィヴィが座っているのが見えた。

「起きたのね」ヴィヴィが立ちあがる。「よかった。ねえ、弓を引きに行かない？矢を持ってるの」

「うーん、たぶんあとで」わたしは上着をしっかりかき寄せて、さりげなくほほえみながらヴィヴィの横を通り抜けようとした。

でも、そう簡単にはいかなかった。ヴィヴィが腕を突きだして邪魔をする。「あんたが競技会のとき王子に何を言ったのか、タリンに聞いたわ。オリアナからは、昨日どんな様子で帰ってきたのかも。だから何があったのか、だいたいは想像がつく」

「お説教ならいらないわ」デイン王子に与えられた任務があるから、昨日あったことをくよくよ考えずにすんでいるのだ。いまは集中を途切れさせたくない。いったん途切れたら、冷静ではいられなくなってしまう。

「タリンはものすごく落ちこんでる」ヴィヴィが言った。

「そうだね。自分が正しかったせいで、ひどい気分になることってあるから」

「やめなさいってば」ヴィヴィがわたしの腕をつかみ、瞳孔がふたつに分かれた目でわたしを見つめた。「わたしには話してくれていいの。信じてくれていいのよ。いったい何が起こってるの？」

「何も。わたしは間違いを犯したの。腹が立ったのよ。何かを証明したかったんだと思う。ばかな真似をしたわ」

「わたしが言ったことのせい？」ヴィヴィが腕に指を食いこませる。

〝妖精たちは、これからもあんたたちをくずみたいに扱い続けるわ〟

「自分で招いたことよ。姉さんのせいだなんてありえない。だけど、あんなことをしたやつらには絶対に後悔させてやる」

「ちょっと待って。それ、どういう意味？」

「さあね」手を引き抜いて玄関へ行く。今度はヴィヴィも止めなかった。外に出ると、急いで芝生の上を横切って厩に向かった。

何もしていないヴィヴィに冷たく当たってしまったのはわかっていた。ヴィヴィは力になろうとしてくれているだけなのに。

どうしたらよい妹でいられるか、わからなくなってしまったのかもしれない。

厩に着くと、いったん止まって壁にもたれ、深呼吸をしなくてはならなかった。わたしは人生の半分以上の年月を、パニックと闘いながら過ごしてきた。常に神経を揺さぶられ続けているときに、なんでもないふりをして平静を装うのは本当はよくないのかもしれないし、必要なことでもないのかもしれない。でもいまは、そうしなければどうやって生きていけるのかわからなかった。

一番重要なのは、デイン王子に自分の技量を示すこと。カーダンと取り巻きたちに、それを邪魔させるつもりはない。

〈虚ろの館〉まではヒキガエルに乗っていくことにした。銀の蹄鉄をつけた馬に乗るのは貴族だけだからだ。召使いはおそらくどんな乗り物も持っていないだろうが、ヒキガエルのほうが人目を引きにくい。

巨大なヒキガエルが目立たないと言えるのは、妖精国ならではだけれど。

ぶち模様のヒキガエルに鞍と手綱をつけ、草地に引きだす。ヒキガエルが長い舌で自分の金色の目をすばやくなめたので、わたしは思わずあとずさりした。あぶみに足をかけ、勢いをつけてまたがる。片手で手綱を持ち、反対の手でひんやりとした柔らかい背中を優しく叩くと、ヒキガエルが跳びあがったので懸命にしがみついた。

ねじれた高い塔のある石造りの〈虚ろの館〉は、蔦やそのほかの蔓《つる》植物で半分ほど覆われていた。二階にバルコニーがあり、手すりは鉄ではなく太い根で作られている。そこからカーテンみたいにさがっている細い巻きひげは、泥で固まったもじゃもじゃのひげみたいだ。この館にはどこかいびつな印象があり、魅力的に見えてもいいはずなのに不吉な雰囲気が漂っている。わたしはヒキガエルをつなぎ、上着をサドルバッグにしまうと、召使い用の入り口があると思われる館の横側に向かった。森へ行っていたと言い訳ができるように、途中で足を止めてマッシュルームを採る。

館に近づくにつれて鼓動が激しくなり、バレキンに傷つけられるはずはないと自分に言い聞かせた。もし見つかっても、マドックのところに送り返されるだけだ。悪いことが起きるはずがない。

本当にそうだと確信があるわけではなかったが、大丈夫だと自分に言い聞かせながら召使い用の入り口にたどりつき、目立たないようになかへ入った。

廊下をたどると台所に着いたので、テーブルの上にマッシュルームを置く。テーブルには血だらけのウサギが二羽、鳩のパイ、ニンニクの芽とローズマリーを束ねたもの、白く粉を吹いているプラムがいくつか、それにワインが何十本も置かれていた。妖精トロルと羽の生えたピクシーが並んで大きな鍋をかき混ぜている。野菜を切っているのは頬のこけた人間の少年と少女で、ふたりとも目はどんよりと曇り、間抜けな笑みを浮かべていた。野菜を切るときに手元を見ないので、誤って自分の指を切り落とさないのが不思議なくらいだ。しかも、もし切り落としたとしても気づきそうにない。

昨日の感覚を思い出し、口のなかに妖精の実の味がいやおうなしによみがえった。胃のなかのものがせりあがってきて、あわててそこを通り過ぎて廊下を進む。

ところが突然、淡い色の目をした妖精の守衛に腕をつかまれた。さっき台所で見た、楽しい夢を見ているような虚ろな表情を真似て、うまくごまかせるように祈りながら顔をあげる。

「初めて見る顔だな」守衛がとがめるように言った。

「すごくすてき。鏡みたいできれいな目」畏怖の念に打たれ、ちょっぴりとまどっているような声を作る。

守衛がうんざりしたような音を立てたところを見ると、魔法にとらわれた人間の召使いのふりがうまくいったのだろう。大げさに演技をしすぎたのではないかと心配だったけれど、そうではなかったらしい。即興で何かをするのは、自分が望んでいるほど得意ではないのだ。

「新顔か？」守衛はゆっくりとしゃべった。

「新顔？」わたしは繰り返した。ここに連れてこられた人間なら、どんなふうに考えるだろう？ それらしく演技をしなければならないのに、舌の上に残っている甘ったるい妖精の実の味を思い出すのをやめられず、吐き気がこみあげる。「前は別の場所にいたの。でもいまは、大広間を隅から隅までぴかぴかにしなくちゃならないのよ」

「じゃあ、がんばるんだな」守衛はわたしを放した。

体のなかからわきあがる震えを、わたしはなんとか抑えようとした。演技がうまかったとは思わない。守衛が納得したのは、人間はみな召使いだと思っているからだ。デイン王子がわたしをスパイに向いていると考えたのが、ますます納得できてしまう。守衛を突破すると、館のなかを動きまわるのがぐっと楽になった。人間の召使いは何十人もいて、夢うつつの状態でさまざまな仕事をこなしていた。小声で歌ったり、何やらぶつぶつとつぶやいたりしているが、それが夢のなかで交わされている会話の一部であるのは明らかだ。彼らの目の下には隈《くま》ができ、唇はひび割れている。守衛がわたしを新入りだと思ったのも無理はない。

でもまわりには、召使いだけでなく妖精たちもいた。祝宴か何かの客で、宴は終わったというより停滞状態に陥ってしまっている。多かれ少なかれ服を脱ぎ、長椅子に倒れこんでいたり、わたしが通った客間の床の上で体を絡めあったりしている客たちの口のまわりは、〝ネヴァーモア〟で汚れていた。このきらきら輝く金色の粉には強烈な効果があり、妖精の場合は動けなくなってしまうし、人間は互いを魅了する力を得る。彼らのかたわらにはゴブレットが転がっていて、こぼれた蜂蜜酒が傾いた床の上を細く流れているさまは大きな湖に向かう支流のようだ。妖精のなかには身動きひとつしない者もいて、放蕩《ほうとう》のあげく死んだのではないかと心配になってしまう。

「ちょっといいかしら」ブリキのバケツを運んでいる同じくらいの年の少女に声をかけたが、彼女は気づいた様子をまったく見せずにそのまま行ってしまった。

そこでほかにどうすればいいのかわからず、その少女のあとを追う。手すりのない石造りの広い階段をのぼっていくと、さらに三人の妖精が指ぬきサイズの酒瓶の横でもうろうとして伸びていた。上にあがると、廊下の奥から痛みに耐えかねたような奇妙な叫び声が聞こえた。続いて地面を打つ重い音が響く。あわてて夢を見ているようなぼうっとした表情を作ろうとしたが、なかなかうまくいかず、心臓が閉じこめられた小鳥のように激しく暴れた。

少女がドアを開けて続き部屋に入ったので、わたしも置いていかれないように続いた。

壁は石造りで、絵もタペストリーも飾られていない。最初の部屋のほとんどを占めている大きな半天蓋式のベッドのヘッドボードには、首から上と裸の胸だけが女性のさまざまな動物――フクロウや蛇やキツネ――が奇妙なダンスをしている光景が彫られていた。

バレキンは放蕩で名高いクロムクドリモドキ団を率いているのだから、別に驚くことではないのだろう。

木製の机には、タリンとわたしが授業で使っている見慣れた本が積みあげられていた。本の山はいくつもあり、そのあいだに紙が散らばり、そばに蓋の開いたインク壺が置かれている。本のなかにはページの片側に丁寧にメモが書き入れられているものもあれば、染みだらけになっているものもある。そしてインクの染みがついた本の真ん中に、半分にへし折られたペン――へし折ったのでなければどうしてこんな状態になったのか想像がつかない――がのせられていた。

反逆に関係がありそうなものは見当たらない。

デイン王子はわたしが召使いになりすませるとわかっていたので、お仕着せを用意してくれた。あとは嘘をつける能力を使えばなんとかなると考えたのだろう。実際、王子の期待どおりにここまで侵入できた。あとはなんとしても持ち帰れるものを見つけたい。

つまりそれは、どんなに恐ろしくてもその何かを注意深く探さなければならないということだ。

壁際に並んでいる本のなかには、マドックの屋敷の図書室で見たことがあるものもあった。本棚の前に行ったわたしはふと目を引かれ、眉をひそめて床に膝をついた。まさかここで目にするとは思わなかった本が、隅に押しこまれている。『不思議の国のアリス』と『鏡の国のアリス』が一冊になっている本。これと同じようなものを、人間の世界で暮らしているときに母さんが読んでくれた。

本を引き抜いて開くと、見慣れた挿し絵と言葉が飛びこんできた。

「でも、イカれた人たちのところになんか行きたくないわ」アリスは言った。

「そんなこと言ったって、ここではみんなイカれてるんだ。ぼくも。あんただって」

猫が返した。

「どうしてわたしがイカれてるってわかるの？」

「そうに決まってる。そうでなきゃ、ここに来てるはずがない」


　ぞっとすることに笑いがこみあげ、噴きだしそうになった。あわてて頬の内側を噛んで、笑いを押し殺す。

　召使いの少女は大きな暖炉の前にひざまずいて、炉のなかの灰を掃き集めていた。暖炉の両側にとぐろを巻いた蛇の形の薪《まき》のせ台がある。暖炉に火が入ると、そのガラスの目が赤々と輝くのだろう。

　ばかげた衝動だけれど、その本を戻したくなかった。ヴィヴィが荷造りしてくれた本のなかにこれは入っていなかったので、母さんが寝るときに読んでくれたとき以来見ていない。わたしはそれをドレスの内側に入れた。

　次に衣装戸棚の前に行って、何か手がかりや情報をつかめないかとなかをのぞいた。すると衝撃が走った。誰の部屋にいるのかわかったのだ。ここにあるきわめてぜいたくな上着やズボンはカーダンのものだ。毛皮の縁取りがついた派手派手しい小ぶりなケープも、クモの糸で作られたシャツも、いつもカーダンが着ている。

暖炉のなかの灰を集め終えた召使いの少女は、香りのいい松の木をピラミッド状に積みあげ、その上に焚《た》きつけをのせた。

少女を押しのけ、この館から逃げだしたい。当然、カーダンは父親である上王と王宮で暮らしていると思っていて、兄と暮らしているなんて考えもしなかった。そういえば、この前の王宮の宴ではデインとバレキンが一緒にお酒を飲んでいた。今日ここへ来させられたのは、まさかわたしをさらに辱めるためなのだろうか？　カーダンにわたしを罰する言い訳を与えるための計略だったなんてことがありうるの？　いいえ、それはないはずだ。もうすぐ上王になろうというデイン王子に、大人になりきれていない弟の望みをかなえるためだけにひと芝居打ってわたしを配下に加える時間があるはずがない。そのためにゲシュを与えたり、わたしと取引をしたりするなんてありえない。そのことをわたしは信じなければならない。そうでなかったらなんて、考えるだけでもつらすぎるから。

とにかく館のなかを探るあいだ、バレキンだけでなくカーダンにも見つからないようにする必要がある。ふたりのうちのどちらに見られても、わたしだと見抜かれる可能性があるからだ。絶対に顔を見られないようにしなければ。

おそらくふたりと会ってしまったとしても、わたしのほうなんかたいして見もしないだろう。人間の召使いをまじまじと見る者はいない。

自分もそうだったと気づいて、わたしは改めて少女に目を向けた。肌にあるほくろの散らばり具合や、金髪の毛先に見える枝毛、がさがさになっている両膝に目をとめ、立ちあがるときに不安定にやや体が揺れる様子や、いまの彼女には理解できていなくても明らかに疲れきっている様子を頭に刻む。

また会うことがあったら、彼女を見分けられるように。

とはいえ見つめるだけでは何も効果はなく、彼女にかけられた魔法を解くことはできない。少女は楽しげに虚ろな笑みを浮かべたまま、仕事を続けている。彼女が部屋を出ると、わたしは反対のほうに向かった。バレキンの部屋を見つけて秘密を探りだし、館を脱出しなければならない。

まわりを警戒しながらドアを開けると寝室がふたつあり、どちらにもほこりが厚く積もっていた。片方の部屋にはベッドにかかっている薄い布の下に人の体のようなものが見え、目を凝らして彫像なのか死体なのか、はたまた生きている者なのか見きわめようとしたが、今回の任務には関係ないと割りきってすぐに体を引いた。別のドアを開けると、数人の妖精が絡みあうようにしてベッドで眠っていた。ひとりが眠そうに目をしばたたいてこちらを見たので思わず息が止まったが、彼はそのまま眠りに戻った。

七番目の部屋から続いている廊下の先に、上に延びているらせん階段があった。これはおそらく外から見えた塔だろう。わたしはすぐにそこをのぼり始めた。心臓の音はうるさいけれど、石の階段を革靴で踏んでもほとんど音がしない。

行きついた円形の部屋は本棚に囲まれていた。本棚には写本、巻物、金の短剣、宝石みたいな色の液体が入った薄いガラスの小瓶といったものが並んでいて、大きな角が生えた鹿のような生き物の頭蓋骨もあった。鹿の角には細いろうそくが立てられ、燭台《しょくだい》のように使われている。ひとつだけある窓のそばには大きな椅子が二脚、部屋の真ん中には巨大なテーブルが置かれていた。テーブルの上には四隅をガラスや金属のペーパーウェイトで押さえた地図が何枚か広げられていて、その下に手紙が散らばっている。それをかき分けて探ってみると、一通の手紙に注意を引かれた。

〝あなたがお探しのブラッシャー・マッシュルームの出所を知っています。ただそのことをあなたがどうするにせよ、決してこちらとのつながりをたどられてはなりません。これで負債は清算されたと見なし、わが名が二度と口にされないことを望みます〟

手紙に署名はなかったが、女性らしい優雅な筆跡で書かれた内容は重要そうだった。これがデイン王子の探している証拠で、持って帰れば喜んでもらえるだろうか？　でも、そのまま持ちだすわけにはいかない。机の上にあったものが消えたら、何者かが侵入したと知られてしまう。そこで何も書かれていない紙を見つけ、手紙の上に重ねてできるだけ急いで写し始めた。筆跡も正確に写し取るようにする。

ところがもうすぐ終わるというときに、物音が聞こえた。誰かが階段をのぼってくる。

わたしはパニックに陥った。ここには隠れるところがない。部屋にほとんど家具がないのだ。テーブルと椅子以外は本棚があるだけで、がらんとしている。まだ写し終えていないし、インクが移ってしまうとわかっていたが、急いで紙を丸めた。

そして大きな革張りの椅子の下にすばやくもぐりこんで、体を縮めた。本の角が脇の下に食いこんで、こんなものを取ってきたことを後悔する。いったい何を考えていたのだろう。妖精国のスパイになれるほど自分が賢いとでも思っていたのか。

部屋に誰が入ってくるか見なければ自分も相手から見られないという気がして、きつく目をつぶる。

「おまえがちゃんと練習していたのだといいんだが」バレキンの声が響いた。

薄く目を開けてみると、本棚のそばに立っているカーダンが見えた。穏やかな顔の人間の召使いが護衛として控え、金の彫刻の柄と金属製の羽根がついた軽い剣を持っている。わたしは声をあげてしまいそうになるのを、舌を噛んでこらえなくてはならなかった。

「そういうものですか？」カーダンが退屈したような声できく。

「成果を見せてみろ」バレキンが机の横にあるさまざまなこん棒や杖《つえ》が入っている器から、一本取った。「たった一度、攻撃を命中させられればいい。たった一度でいいんだぞ、弟よ」

カーダンは動こうとせず、ただ立っている。

「剣を取れ」バレキンがしびれを切らして命じた。

カーダンは何かに耐えるようにため息をつくと、剣を取りあげた。彼の構えはひどいもので、バレキンが腹を立てる理由がわかった。カーダンはこん棒を握れるようになったらすぐに、剣術の教師をつけられたはずだ。わたしは妖精国へ来たときに習い始めたから、彼のほうが何年も多く教えを受けていることになる。そしてわたしが最初に学んだのは、構えの大切さだった。

バレキンがこん棒を振りあげる。「よし、かかってこい」

ふたりはにらみあったまま、長いあいだ動かなかった。やがてカーダンが行き当たりばったりに剣を振り、バレキンは弟の頭の横にこん棒を叩きつけた。骨に木がぶつかる鈍い音がして、わたしはひるんだ。カーダンがよろよろと前に出て、歯をむきだす。彼の頬と片耳が先端まで赤くなっていた。

「ばかげてる」カーダンが床に唾を吐いた。「どうしてこんな意味のないゲームをやらなくてはならないんですか？　まさかぼくを叩くのが好きで、楽しんでいるんじゃないでしょうね」

「剣術《ソードプレイ》はゲームではない」バレキンがふたたびこん棒を振るい、カーダンは後ろに飛びのこうとしたが腿の端に当てられてしまった。

カーダンがびくりとして、身を守るように剣をあげる。「では、どうして〝プレイ〟というんですか？　プレイは遊びのことです」

バレキンが表情を険しくして、こん棒を握る手に力をこめた。今回はカーダンの腹部に何度も突きを入れたあと突然打ちかかったので、カーダンは石の床に仰向けに倒れこんだ。「わたしがこれほど心を砕いてやっているのに、おまえときたら持って生まれた才能を宴に浪費し、月光の下で酔っ払い、分別のない意地の張りあいに興じ、くだらないロマンスにうつつを抜かしている――」

　カーダンは立ちあがり、めちゃくちゃに剣を振りまわしながら兄に向かっていった。剣をこん棒と勘違いしているのだろうか？　そのでたらめぶりに気おされて、バレキンが一歩後ろにさがる。

　そこでようやくカーダンが身につけた剣術の片鱗《へんりん》を見せた。頭を使った動きを始め、さっきまでとは違う角度から攻撃を繰りだす。彼が学校で剣術に興味を示したことはなく、基本は知っているのだろうけれど、練習したことがあるかは疑わしい。しかしバレキンは情け容赦なく的確に、カーダンの剣を弾《はじ》き飛ばした。剣が放物線を描いたあと、わたしが隠れている場所のすぐそばに音を立てて転がる。

　わたしは椅子の下で、さらに奥のほうへ身を縮めた。一瞬見つかるかと思ったが、剣を拾いに来たのは召使いで、剣以外のものにはまったく目を向けなかった。

　バレキンがカーダンの脚の裏側をこん棒で打ち、床に倒す。

一瞬、うれしさがこみあげた。あのこん棒を振るっているのが自分だったらいいと、心のどこかで思ってしまう。

「立ちあがらなくていい」バレキンがベルトを外して召使いに渡すと、男はそれを手に二回巻きつけた。「今日も落第だ」

カーダンは黙っていた。彼の目はいつもみたいに怒りでぎらついているものの、いまそれを向けられているのはわたしではない。カーダンは膝をついているが、怯《おび》えている様子はなかった。

「いったいおまえは、失望を与えるだけの存在でいるのをいつになったらやめるつもりだ」バレキンが絹みたいになめらかな声で言いながら、弟のまわりを歩きまわった。

「こんなことをするのは楽しいからじゃないというふりを兄上がやめたら、ですかね」カーダンが答える。「ぼくを傷つけたいのなら、まわりくどい真似をやめてくればふたりとも時間が節約できる――」

「おまえを作ったとき、年老いた父上は弱い子種しか与えられなかった。だからおまえは弱いんだ」バレキンは弟の首に手を置いた。一見、愛情からの仕草に見えるが、カーダンがびくりとしてバランスを崩したのを見て、そうではないとわかった。バレキンは弟の首を押しさげ、低い姿勢を取らせようとしているのだ。「さあ、シャツを脱いで罰を受けろ」

カーダンがシャツを脱いで月のように白い肌をあらわにすると、背中に網目模様のようにかすかな傷跡が走っているのが見えた。

とたんに気分が悪くなる。彼らはカーダンを打ち据えるつもりなのだ。

カーダンのこんな姿を見られて、わたしは喜ぶべきなのだろう。妖精国の性格の悪い王子で、永遠に生きるかもしれない彼の人生がこんなにひどい——わたしのよりひどいかもしれない——とわかって、うれしく思うべきだ。彼のこんなところを見る機会があると前もって誰かに知らされていたら、拍手をしたい気持ちになっていたに違いない。

けれど実際に目のあたりにすると、カーダンの反抗的な態度の下に恐れがにじんでいるのがわかってしまった。怖がっていると知られたくないからあれこれ小生意気なことを言ってしまうものなのだと、わたしは知っている。だからといって急に好きになれるわけではないけれど、初めて彼を自分と同じさまざまな感情を持つ存在なのだと感じた。これまでよりずっと近い存在に。

バレキンがうなずいて合図をした。召使いがベルトを二度振るい、静かな部屋に革が肉を打つ音が響く。

「おまえに腹を立てているのではない」バレキンの声を聞いて、背筋に震えが走った。

「おまえを愛しているからこうするのだ。わが家族を愛しているからこそ、罰を命じている」

召使いがベルトを三度目に振りあげると、カーダンは召使いがバレキンの机の上に置いていた剣に飛びついた。一瞬、カーダンが人間の召使いに切りかかるのだと思った。

召使いは悲鳴もあげなければ、手をあげて防ごうともしない。あまりにも深く魔法にとらわれているのだろう。カーダンは何もしようとしない召使いの心臓を簡単に貫けると思うと、恐ろしさに身がすくんだ。

「やればいい」バレキンが退屈した声で言い、興味がなさそうに召使いのほうに手を振った。「そいつを殺せ。手を汚すのをいとわないと示してみろ。そういうみじめな獲物が相手なら、おまえでも致命的な一撃を食らわせるやり方がわかっていると見せるがいい」

「ぼくは人殺しじゃない」カーダンの言葉にわたしは驚いた。それが誇るべきことだと思っていなかったせいだ。

バレキンが二歩で弟とのあいだを詰めた。一緒に立っているのを見ると、ふたりは本当によく似ている。黒髪も、せせら笑いも、獰猛な表情を浮かべた目も。けれどもバレキンは何十年分もの経験の差を見せつけてカーダンから剣を奪うと、柄の部分で弟を床に突き倒した。

「ならばみじめな姿をさらして、罰を受けるがいい」バレキンがふたたびうなずくと、召使いは眠そうな状態から覚めて動きだした。

カーダンが打たれるところを、びくっと身を縮めるさまを、わたしは目を開いて見ていた。しかたがなかった。目をつぶっても恐ろしい音が聞こえてくる。最悪だったのは、表情がなくなったカーダンの顔だった。彼の目は鉛のように重くどんよりしている。

カーダンの冷酷さは、バレキンにこういう仕打ちを受けるうちにはぐくまれたものだったのだ。冷酷な仕打ちを受けながら育った彼はそのひとつひとつから学び、自らの冷酷さに磨きをかけてきた。いまのカーダンだって充分いやなやつなのに、このままバレキンのもとにいたら、どんなふうになってしまうのだろう？　それを想像すると、わたしは怖くてたまらなくなった。

13

召使いの格好をしてエルフェイムの王宮に入るのはバレキン王子の館に入ったときよりも簡単で、逆に不安を覚えるほどだった。ゴブリンも、妖精の貴族も、上王お抱えの人間の宮廷詩人も、執事長も、迷宮のように延びている廊下を慣れない様子で歩いているわたしにちらりと目を向けても、すぐにそらしてしまう。わたしは誰でもない、どうでもいい存在で、ただの使い走り。息を吹きこまれた小枝の人形やフクロウと同じ程度の注意しか払われない。穏やかで楽しそうな表情を浮かべ、静かに進んでいくわたしは、二度迷って来た道を引き返さなければならなかったにもかかわらず、誰に顧みられることもなくデイン王子の部屋に行きついた。

ドアを叩くと、王子が自ら開けてくれたのでほっとした。

手織りのドレスを着ているわたしを見て眉をあげる王子に、召使いがするように丁寧にお辞儀をする。部屋に誰かがいるかもしれないので、意識して表情を変えなかった。「なんの用かな？」

「メッセージを届けに参りました、殿下。お時間をいただいてもよろしいでしょうか」口調が間違っていないことを祈りながら言う。

「まさにはまり役だな。さあ、入って」王子がにやりとした。

ようやく顔を作る必要がなくなったのでほっとして、わたしは間抜けな笑みを消して王子のあとから居間に入った。

精緻なベルベットやシルクやブロケードで飾られた室内には紫や濃い青や緑が氾濫していて、すべてが熟れすぎた果物みたいに甘美で芳醇《ほうじゅん》だ。生地の上の模様は精巧なイバラの三つ編み、角度を変えるとクモに見える木の葉、どの生き物がどの生き物を狩っているのかはっきりしない狩猟の光景など、この国に来てなじむようになったものだ。

わたしはほっとして息を吐くと、王子が指さした椅子に座ってポケットのなかを探った。

「これです」たたんだ紙を取りだして、脚が鳥の足みたいになっているかわいらしい小さなテーブルの上に広げる。「写している途中にバレキン王子が戻ってきたので、ちょっとぐちゃぐちゃになっちゃってるんですけど」任務とは関係のないものを持ちだしたことを知られたくなくて、本はヒキガエルのところに置いてきた。

インクの染みの下の字を見ようと、デイン王子が目を細める。「バレキンに見られなかったか？」

「王子は別のことに気を取られていたので、大丈夫でした。それに隠れましたから」正直に答えた。

デイン王子はうなずき、小さなベルを鳴らした。おそらく召使いを呼んだのだろう。わたしとしては、魔法にとらわれていない者なら誰でも歓迎だ。「よくやった。どうだ、楽しめたか？」

どう答えればいいのかわからなかった。館に忍びこんでから、ほとんどずっと怖くてたまらなかった。それでも楽しんだと言えるだろうか？ でもじっくり考えてみると、やっぱり楽しかったのだという気がどんどんしてきた。これまでは家でも学校でも宮廷でも、何かが起こるのを息をひそめて待つ生活だった。けれどスパイとして活動しているあいだに感じていた恐れは、初めて経験するスリルに満ちたものだった。何を恐れなければならないか、勝つためには何が必要なのか、はっきりわかっていたというのもある。それに王宮の宴では、バレキン王子の館に潜入するより恐ろしい思いをしたことが何度もあった。

少なくとも、カーダンが打ち据えられるのを見るまではそうだった。そのあとは、あまり掘りさげたくない感情がわいてしまったけれど。

「お役に立てるのがうれしかったです」ようやく正直な答えを思いついた。

デイン王子はうなずき、続けて何か言おうとしたところで誰かが部屋に入ってきた。傷跡のある男のゴブリンで、肌は沼のような緑色。鼻は長く、大鎌のように湾曲して鼻先が顔につく前に、ぐるりと一周ねじれている。髪は頭のてっぺんにだけ黒い房のように生えていた。目を見ても、何を考えているのか読み取れない。彼は目の焦点を合わせるように、わたしを見ながら数回まばたきをした。

「おれはローチと呼ばれている」彼の声は、顔から想像できないほど耳に心地よかった。彼は会釈をしたあと、頭を傾けてデイン王子を示した。「あのお方に仕える者だ。おまえも同じらしいな。新しく加わった子だろう？」

わたしはうなずいた。「名前を教えたほうがいいのかしら。それとも何か呼び名を考えるべき？」

ローチがにやりとすると、顔がさらにひどくねじれた。「おまえを仲間たちのところに連れていくように言われている。それから呼び名については心配しなくていい。仲間たちが決めてくれる。だいたい、自分からゴキブリ《ローチ》と呼ばれたがる者がいると思うか？」

「それならよかったわ」わたしはため息をついた。

ローチがじっと見つめる。「たしかにおまえには本物の才能があるようだ。本当は何を考えているか、口にしないでいられるとは」

彼が着ている上着は宮廷でみんなが着ているダブレットと同じ形だが、革の端切れでできている。わたしがいま誰とどこにいるか知ったら、マドックはなんて言うだろう？　喜ぶとは思えない。

それどころか、今日わたしがしたことは何ひとつ気に入らないはずだ。軍人は名誉に対して独自の基準を持っている。敵が流した血に自らの頭巾を浸すような者でもそうだ。他人の家にこっそり入って手紙を盗むなんて真似を、彼らが名誉ある行動と見なすはずがない。マドックもスパイを使っているが、わたしがスパイになるのを気に入るとは思えなかった。

「つまり彼はオーラー女王を脅していたというわけだ」デイン王子が言い、ローチとわたしは振り向いた。

眉間にしわを寄せて手紙を眺めているデイン王子を見て、わかった。王子はわたしが写した筆跡を見分けたのだ。バレキンのために毒を手に入れた女性は、ニカシアの母親であるオーラー女王だったに違いない。これで負債を清算したと女王は書いているが、ニカシアの性格から考えて、彼女の母親である女王がたいしてためらいを覚えたとは思えない。とはいえ、海の国の女王の力は強大だ。その女王に言うことを聞かせられるどんな材料をバレキンが持っていたのか、想像がつかなかった。

デイン王子がわたしの手紙をローチに渡した。「毒キノコを彼が戴冠式の前に使うと、まだ思っているのか？」

ローチが鼻をうごめかせた。「それが一番、理にかないますから。あなたの頭に王冠がのってしまったら、それを覆す手段はありません」

この瞬間まで、わたしは手紙に書かれた毒が誰に使うためのものなのかわかっていなかった。思わず口を開きかけ、ばかなことを言ってしまう前に頬の内側を噛む。もちろん、毒はデイン王子に使うためのものだ。バレキンが特別な毒を使って殺したいと思う相手が、ほかにいるだろうか。王子ほど注目を集めない者を殺そうとするなら、もっと安くて簡単に手に入る毒を使うだろう。

デイン王子はわたしが驚いていることに気づいたようだった。「兄とわたしは仲がよかったためしがなくてね。兄はあまりにも野心的なんだ。それでもわたしは……」言いかけて、思い直したように手を振る。「毒は臆病者が使う武器かもしれないが、効果は抜群だ」

「エロウィン王女は大丈夫なんですか？」言ったとたんに、その質問を取り消したくなった。毒は王女にも使うのだろう。オーラー女王はたっぷり毒を持っているに違いない。

今度は、デイン王子は答えなかった。

「バレキンは王女と結婚するつもりなのかもしれませんね」ローチが言ったので、わたしも王子も驚いた。わたしたちの表情を見て、ローチが肩をすくめる。「そんなに驚くことですか？ あまりにもあからさまなやり方をすれば、今度は彼が背中をナイフで刺されることになる。それに貴族のあいだでは、姉や妹との結婚がないわけじゃない」

「エロウィンと結婚したら、バレキンは背中じゃなく前から刺されることになるだろうな」会話が始まってから初めて、デイン王子が笑った。

エロウィン王女はきょうだいのなかでも優しい性格だと思っていたわたしは、自分がこれから渡っていこうとする世界をいかに知らなかったかを思い知らされた。

「さあ、行くぞ。仲間たちに会わせよう」ローチが言い、わたしに立つように促した。

わたしは助けを求めて、哀れっぽい目をデイン王子に向けた。ローチと一緒に行きたくなかった。会ったばかりの彼を信用していいのかわからない。赤頭巾の異名を持つ将軍の家で育ったわたしでも、ゴブリンは怖かった。

「その前に言っておくことがある」デイン王子が近づいてきて、わたしと向かいあった。「以前、わたし以外の者がきみを従わせることはできないと約束した。そのわたしだけが持つ力を、残念ながらいま使わなければならない。ジュード・デュアルテ、わたしに仕えていることを口外するのを禁じる。文字にしたり、歌にしたりすることも同様に禁じる。ローチの話は誰にもするな。わたしが使っているほかのスパイについても同じだ。彼らの秘密を、秘密の会合場所を、隠れ家を絶対に明かしてはならない。わたしが生きている限り、きみにはこれに従ってもらう」

　わたしがつけているナナカマドの実のネックレスは、ゲシュが持つ魔力に対してまったく効果がない。ゲシュは普通の魔法でも単純な魔術でもないのだ。

　ゲシュの持つ力がずっしりと重くのしかかるのを感じ、今後は禁じられた言葉を話そうとしても決してできないのだとわかった。自分のなかに意のままにならない部分があるというのは、ものすごくいやな感じだった。王子の命令をかわせる方法を必死に探したが、いくら探しても見つからない。

　妖精国に連れてこられたときの記憶がよみがえった。タリンとヴィヴィはわんわん泣いていて、マドックは歯を嚙みしめ、むっつりした表情を浮かべていた。彼は明らかに子どもに慣れておらず、人間の子どもが相手だとなおさらそうだっただろう。きっとわたしたちの泣き声で鼓膜がびりびり震えるのに耐え、黙れと怒鳴りたいのを我慢していたはずだ。あのときのマドックが立派だったなどと言うつもりはない。彼の手はわたしたちの両親の血で汚れていたのだから。だけど、これだけは言える。彼は魔法でわたしたちの悲しみを消そうとはしなかったし、黙らせるために声を奪ったりもしなかった。そうすれば妖精国までの道のりが楽になるとわかっていても、そんな真似はしなかった。

わたしをゲシュで縛るのは必要なことで、デイン王子は賢明な方法をとっただけだと自分を納得させようとする。でも、縛られていると思うとぞっとした。

一瞬、彼に仕えるという自分の決断に自信が持てなくなった。

「それから、もうひとつ言っておくことがある」部屋を出ていこうとするわたしを、王子が引きとめた。「ミトリダート法について聞いたことは？」

わたしは首を横に振った。いまは彼に何を言われても、興味を持てるとは思えなかった。

「調べてみるといい」王子はほほえんだ。「命令ではないよ。ただの提案だ」

わたしはローチと一緒に歩いていると思われないように、何歩かあいだを空けて王宮のなかを進んでいった。途中でマドックとすれ違ったので、気づかれないように顔を伏せた。気づかれるほど見られることはないと思ったが、万が一ということもある。

「どこに行くの？」数分歩いたところで、小声で尋ねた。

「もうちょっと先だ」ローチはぶっきらぼうに返すと、収納室を開けてなかに入った。彼の目が熊のようにオレンジ色に光る。「さあ、来い。入って扉を閉めろ」

「暗いところでは目が見えないわ」妖精たちは人間の特性をすぐに忘れてしまうので、念のために知らせた。

ローチがうなる。

なかに入ると、彼に触れないようになるべく小さく身を縮めて扉を閉めた。木が滑る音がしたかと思うと冷たく湿った空気が流れこんできて、濡れた石の匂いがあたりに漂う。

ローチがわたしの腕に慎重に手をかけてくれたが、それでもかぎ爪の感触がした。彼に引かれて進み、天井が低くなっているところでは頭を押さえられてかがんだ。ようやく体を伸ばせるようになると、王宮のワイン貯蔵庫を見おろす狭い場所に立っていた。

まだ目が完全に慣れていないものの、どうやら王宮の地下に通路網が張りめぐらされているようだ。どれだけの者がこの通路のことを知っているのだろう？　王宮の秘密を知ったのだと思うと、思わず顔がほころんだ。よりによって、わたしが知ることになるなんて。

　マドックは知っているのだろうか？

　カーダンはきっと知らない。

　そう思うと、ますます笑みが広がった。

「満足するまで見たか？　ゆっくりでいいぞ」

「そろそろ教えてもらえないかしら。どこに向かっているの？　そこに着いたら何をするの？」

「おまえはどう思う？　言ってみろ」

「さっき、仲間たちに会わせるって言ったわよね」変なことを口にして怒らせてしまわないよう、慎重に話を始めた。「デイン王子が会合場所や隠れ家を明かさないように約束させたことからして、これからそういう場所に行くんだと思う。だけど、そこで何をするのかはわからないわ」

「〝シークレット・ハンドシェイク〟(内輪で決めた特別な握手の仕方)でも教えるのかもしれないぞ」よ

く見えなかったが、ローチがもぞもぞ何かしていたかと思うと、カチッと音がした。鍵が開いたときやトラップが解除されたときのような音だ。背中の下のほうを軽く押されて、いままでよりさらに薄暗い新たな通路に入っていく。

ドアがあることに気づかず、そのまま突っこんでしまったのを見て、ローチがおもしろがるように言った。「本当に見えないんだな」

わたしはおでこを撫でた。「そう言ったじゃない！」

「ああ。だがおまえは嘘がつけるから、言うことは疑ってかからなくちゃならない」

「どうしてこんなことで嘘をつくのよ」むっとして言い返す。

彼は黙っていたが、答えは明らかだ——ひとつ、わたしが引き返したいから。ひとつ、普通だったら見せないものを彼がうっかり見せてしまうように。ひとつ、彼を油断させるため。

本当に、ばかな質問をするのはやめなければならない。

だけど、ローチはこんなふうに慎重になる必要はないのだ。わたしが絶対に誰にもしゃべれないように、デイン王子がゲシュで縛っているのだから。

ローチがドアを開けると光が廊下にあふれだしたので、あわてて腕をあげて顔を覆った。目をしばたたきながら、デイン王子のスパイの隠れ家をのぞきこむ。そこは土を掘ったままの空間で、壁は上に行くにしたがって内側にせばまり、円い天井になっていた。空間のほとんどを占める大きなテーブルがあり、そこに初めて見る妖精がふたり座っていた。どちらもむっつりした顔を向けている。

「〈影の臣下〉へようこそ」ローチが言った。

14

デインに仕える残りふたりのスパイにも、コードネームがあった。外見に人間を思わせる部分がある痩せたハンサムな妖精は、ウインクをしてゴーストと呼んでくれと言った。砂色の髪は人間にはよくいるけれど、妖精では珍しい。それに耳がほんの少ししか尖っていなかった。

もうひとりは小柄で華奢な少女で、肌は牝鹿《めじか》みたいな斑点のある茶色。髪は頭のまわりに雲のように渦巻いていて、背中には灰色がかった青色の小さな蝶の羽がついている。インプでないとしても、ピクシーの血が流れているのではないだろうか。

わたしは彼女を上王の満月の宴で見たのを思い出した。オグルから武器やポーチのついたベルトを盗んだ少女だ。

「わたしはボム。ものを爆弾《ボム》で吹き飛ばすのが好きなの」

わたしはうなずいた。妖精にしてはずいぶん率直にものを言うと思ったが、普段見

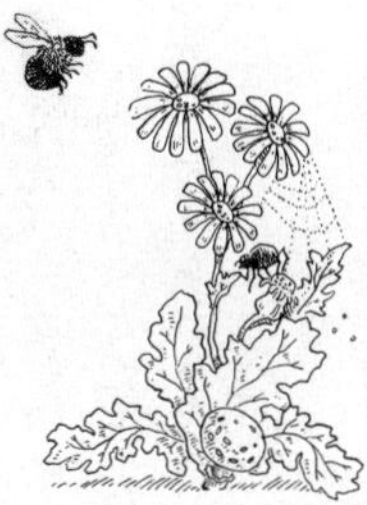

ているのは宮廷に集う洗練されすぎている妖精たちだ。こういうはぐれ妖精には慣れていないので、どんなふうに話をすればいいのかわからない。「あなたたち三人だけなの？」

「おまえが加わって四人だ」ローチが言った。「おれたちはデイン王子の命を守り、まわりのやつらの動きを探りだすために働いている。デイン王子が無事に戴冠できるよう、あらゆる場所に忍びこみ、盗みをし、みんなをだますんだ。そして彼が王になったらそのまま王座にとどまれるよう、あらゆる場所に忍びこみ、盗みをし、みんなをだます」

わたしはうなずいた。バレキンの本当の姿を知ったいま、デインに王になってほしいとこれまで以上に望んでいた。マドックもデイン王子を支持するだろうし、わたしが王の役に立つというところを示せれば、彼らの力でほかの貴族たちがもうわたしにかまわないよう制してくれるかもしれない。

「おまえはおれたちにはできないことがふたつできる」ローチが続けた。「ひとつは人間の召使いにまぎれること、もうひとつは貴族のあいだに入って動けることだ。おまえにはこれからいくつかの技を覚えてもらう。王子からまた任務を与えられるときまでは、おれがやれということをするんだ」

わたしはうなずいた。こういうことを言われるのは予想していた。「いつでも抜けだせるというわけじゃないの。今日は授業をさぼったけど、しょっちゅうそんなことをしていたら怪しまれて、どこにいたのかきかれてしまう。それから真夜中には、家族と夕食の席についてなくちゃならないわ。そうしないとマドックに怒られるから」ローチがゴーストのほうを向いて、肩をすくめた。「貴族のあいだに入りこもうとすると、いつもそれが問題になる。守らなければならない礼儀作法が山ほどあって、時間を食うんだ。で、いつなら抜けだせる？」

「ベッドに入ってると思われている時間なら」

「いいだろう。おれたちの誰かがおまえの家の近くまで行って、訓練につきあうか任務を与えるかする。いつもこの部屋まで来る必要はない」妥当な判断だというようにゴーストが淡々とうなずいたが、自分だけが子どものような気がして恥ずかしかった。

わたしは親にばれないように行動しなければならない子どもなのだ。

「じゃあ、彼女に〝洗礼〟を受けてもらいましょうか」ボムが言って、近づいてきた。息を止めて待ち受ける。これから何が起こるとしても、我慢できないはずがない。

これまでだって、彼らには思いもつかないようなことに耐えてきたのだ。

けれどボムは楽しそうに笑いだしただけで、ローチが彼女を小突いた。

ゴーストが同情するような目をわたしに向けて、首を横に振った。彼の目はハシバミ色で、色合いが常に変化している。「おまえが〈影の臣下〉の一員だってデイン王子が言うなら、そうなんだよ。それを反古《ほご》にするほどひどいことをやらかさないでくれれば、これからおれたちは背中を預けあう仲間だ」

わたしは息を吐いた。〝洗礼〟を受けずにすんでほっとしているのかどうか、よくわからない。自分の力を示せる機会があったほうがいいという気もした。

ボムが顔をしかめた。「コードネームがついたら、ほんとに仲間になったってことよ。だけどそんなに簡単にいくとは思わないでね」

ゴーストが戸棚の前に行って、薄い緑色の液体が半分ほど入った瓶とつややかに光るドングリのカップを取りだした。瓶の中身を四つのカップに注いで勧める。「飲めよ。心配しなくていい。こいつはごく普通の酒で、ぐでんぐでんになっちまうようなことはない」

金のリンゴを顔にすりつけられたあとどんなふうになったか思い出して、わたしは首を横に振った。あんなふうに自分をコントロールできなくなるのは二度とごめんだ。

「わたしはパス」

ローチが自分の分を一気にあおり、喉を焼かれたかのように顔をしかめた。「好きにするさ」絞りだすように言って、咳きこむ。

ゴーストは自分の分を飲んでも、ほとんど表情を変えなかった。ボムはほんの少し口をつけたが、その顔を見てパスしてよかったとほっとする。

「バレキンは問題になりそうだな」ローチがわたしの発見した手紙の内容をみんなに説明した。

ボムがドングリのカップをおろす。「なんかすごくいやな感じ。エルドレッドを狙うつもりなら、とっくにやってるはずだもの」

バレキンが父親に毒を盛る可能性は考えていなかった。

ゴーストがひょろりとした体を伸ばして立ちあがる。「もう遅い。その子を家まで送っていこう」

「ジュードよ」

彼はにやりとした。「近道を知ってるんだ」

わたしたちは地下通路に戻ったが、ゴーストのあとをついていくのは大変だった。名前のとおり、彼はほとんど音を立てずに動く。置いていかれたと思って立ちどまろうとした瞬間に息を吐く小さな音や足が土にこすれるかすかな音がして、思い直して足を進めるということが何度もあった。

そんなふうにとてつもなく長く感じられる時間が続いたあと、突然、扉が開いた。ゴーストの向こうに上王のワイン貯蔵庫が見える。彼が小さくお辞儀をした。

「これが近道？」

ゴーストはウインクをした。「通り抜ける途中で酒瓶が何本かかばんのなかに落ちても、おれのせいじゃないよな」

なんとかあげた笑い声は、自分の耳にもわざとらしく響いた。家族以外の妖精から冗談を言われるという状況に慣れていないのだ。自分がこの国でうまくやっていけていると思いたい。昨日あんなふうに無理やり妖精の実を食べさせられたうえに殺されかけたけれど、そんなことは気にせずにしゃんとしていられると信じたい。わたしは大丈夫だと。

とはいえ、こんなときにちゃんと笑えないのなら、本当は大丈夫じゃないのかもしれない。

マドックの領地に入る前の森のなかで、疲れすぎて体の節々が痛むのを我慢しながら、かばんに詰めてあった青いシフトドレスに着替えた。妖精もこんなふうに疲れを感じることがあるのだろうか。長い夜を過ごしたあと、こんなふうに体じゅうが痛むことが。ヒキガエルも疲れているように見えるが、おなかがいっぱいなだけかもしれない。わたしが知る限り、このヒキガエルが今日したことといえば、長い舌をすばやく伸ばして飛んできた蝶やネズミを一、二匹捕まえただけだ。

ようやく屋敷の近くまで戻ると、あたりは暗闇に包まれていた。木々には小さなスプライトの光が明かりのように灯っていて、オークが笑いながらそのあいだを駆け抜けているのが見える。オークを追いかけているのはヴィヴィとタリンと――あれはまさか――ロックだ。いるはずのない彼がいることが、ひどく非現実的だった。わたしに会いに来たのだろうか？

オークが悲鳴をあげながら駆けてきて、大騒ぎしつつサドルバッグにのぼり、膝の上にあがってきた。

「追いかけっこして！」息を切らして叫び、笑いながら体をくねらせる。その様子は無邪気な子どもそのものだ。

妖精にも子ども時代はあるのだ。

わたしは衝動的に、あたたかくて草と深い森の匂いがするオークを抱きしめた。

オークが一瞬そのまま体を預け、腕を首にまわして小さな角の生えた頭をわたしの胸に押しつける。それから笑いながら滑りおりると、いたずらっぽい顔で振り返って、わたしが追いかけてくるか確かめた。

このまま妖精国で大きくなったら、オークは人間をさげすむようになるのだろうか？　わたしが年老いてオークが若いままだったら、わたしのことも見下すの？　オークもカーダンのように冷酷になり、マドックのように残虐になるの？

いまはそれを知るすべはない。

わたしはあぶみに片足をかけたまま、勢いをつけてヒキガエルからおりた。鼻のすぐ上を叩いてねぎらってやると、金色の目がゆっくりと閉じる。そのまま寝てしまったように見えたが、手綱を引いて厩に向かうとちゃんとついてきた。

「やあ」ロックが走ってわたしの前に来た。「いったいどこに行ってたんだい？」

「あなたには関係ないでしょ」素っ気ない言葉をやわらげるためにほほえむ。そうせずにはいられなかった。

「ふうん。謎めいた貴婦人ってわけか。いいね」彼は緑色のダブレットを着ていて、スリットからシルクのシャツがのぞいている。キツネみたいな目を明るく輝かせている彼は、バラッドに出てくる妖精の恋人がそのまま抜けでてきたかのようだ。駆け落ちして一緒になっても、女の子が絶対に幸せになれないたぐいの。「明日は授業に来てほしいな」ロックが言う。

ヴィヴィはそのままオークを追いかけているが、タリンは大きなニレの木のそばで立ちどまっていた。その顔には競技会のときと同じ表情が浮かんでいる。強く念じれば、わたしにロックを怒らせないようにさせられると思っているような。

「あなたのお仲間に、わたしを追い払えなかったとわからせるため？　それって重要なの？」

彼が奇妙な表情でわたしを見た。「きみは彼らと駆け引きのゲームをしているんだね。違うかい？　もちろん重要さ。すべてに意味がある」

その言葉にどう反論すればいいのかわからなかった。わたしは別に、駆け引きのゲームなどしているつもりはなかった。すでにわたしを嫌っている人間を怒らせ、その結果を受けとめるというゲームをしているにすぎない。

「戻ってきてほしい。きみもタリンも、ふたりとも戻るべきだ。彼女にもそう言った」わたしはタリンがいるほうを振り返ったが、もうニレの木のそばにはいなかった。ヴィヴィとオークは丘を越えてどんどん遠ざかっている。タリンもふたりのあとを追ったのだろう。

ロックと厩に行って、ヒキガエルを仕切りに入れた。真ん中にある給水所に樽《たる》から水を入れ、細かい霧が発生してヒキガエルの柔らかな肌に降り注ぐのを確認したあと、馬たちがいななき足を踏み鳴らすのを聞きながら仕切りを出る。ロックは一連の作業を無言のまま見守っていた。

「別の質問をしてもいいかな？」ロックが屋敷のほうに目を向けながら尋ねた。

　わたしはうなずいた。

「どうしてお父さんに学校であったことを話さなかったんだい？」マドックの厩はすばらしい。そのなかに入って、将軍であるマドックがどれだけの力と影響力を持っているかロックは思い出したのだろう。でも、わたしがその力を受け継ぐわけではない。わたしはマドックの人間の妻が産んだ血のつながらない子どもでしかないということも、ロックは思い出すべきだ。マドックが名誉を重んじて与えてくれている庇護がなかったら、わたしを気にかける者は誰もいないのだということを。

「マドックが広刃の剣を持って授業に乗りこんできて、みんなを手当たり次第に切り殺してもいいってこと？」ここでのわたしの立場を説明する代わりに、ロックに質問する。

　ロックが目を見開いた。そういうつもりではなかったのだろう。「お父さんが学校をやめさせるんじゃないかと思ったんだ。お父さんに話さなかったってことは、授業に来たいのかと」

わたしは短く笑った。「マドックはそんなことしないわ。屈服するなんて耐えられない性格だもの」

ひんやりと暗い厩のなかで妖精の馬が息を吐く音を聞きながら、ロックはわたしの両手を取った。「きみがいないとすべてが違ってしまう」

もともと学校をやめる気はなかったのに、こんなふうに熱心に説得されるのはいい気分だった。それに熱のこもった彼の視線がとても心地よく感じられて、わたしは動揺した。こんな目を向けてくる男性はこれまでいなかった。

頬が熱くなり、暗くてもロックにはわかってしまうだろうかと考える。なぜか、彼には何もかも見えているという気がした。わたしが心に抱いている望みも、毎日夜明けに疲れきって眠りに落ちるときに頭をよぎる考えも。

彼がわたしの手を取って、てのひらにキスをしたので、全身がこわばった。急に体が熱くなって敏感になり、彼の息がささやきのように肌をかすめるのを感じる。

ロックがその手をそっと引いて、わたしを引き寄せた。体に腕がまわされてキスでもするように顔が近づいてくると、頭のなかが真っ白になった。

こんなことが起きているはずがない。

「ジュード？」タリンの不安そうな声が近くからして、わたしはよろめくようにロックから離れた。「ジュード？　まだ厩にいるの？」

「ここよ」顔が熱かった。ロックと外に出ると玄関前の階段にオリアナがいて、オークを家のなかに引っ張りこんでいるところだった。母親の手から逃げようともがいているオークに、ヴィヴィが手を振っている。タリンは両手を腰に当てていた。

「夕食だって、オリアナがみんなを呼んでるわ」タリンがわたしたちに大げさな口調で知らせた。「ロックにも一緒に食べていくようにって」

　彼がお辞儀をした。「お母さんに、夕食に誘ってくださるのは光栄だが、そんな迷惑はかけられないと伝えてほしい。きみたちと話をしに来ただけだから。でも、また寄らせてもらうよ。必ず」

「ジュードに学校のことを話したの？」タリンの声には不安そうな響きがあった。わたしが戻る前に、ふたりは話をしたのだろうか？　タリンが学校に戻ることを承知したのだとしたら、ロックはいったいどうやって説得したのだろう？

「じゃあ、明日」ロックがウインクをして、わたしたちに言った。

　帰っていく彼の後ろ姿を見送った。まだ気持ちが落ち着かず、タリンのほうを見られなかった。顔を見たら、タリンはすべてを察してしまうかもしれない。今日一日の出来事を。もう少しでするところだったキスを。けれどもいまはまだ何も話す気になれず、タリンを避けてさりげなく階段を駆けあがり、夕食のための着替えをしに部屋へ向かった。

マドックに剣術と戦略をもっと教えてほしいと頼んだのをすっかり忘れていたら、夕食のあと、秘蔵の軍事史の本をひと抱え渡された。

「これを全部読んだら話そう。演習問題を出すから、読んで得た知識を使って解いてもらう」

マドックはわたしがいやがって剣術の稽古をもっとしたいと言うと予想していたのだろうが、あまりにも疲れていて、そんなことはまったく思わなかった。

一時間後、ベッドに倒れこんだわたしは、ブルーのシルクのドレスを脱がずにこのまま寝ることにした。ぐしゃぐしゃになっていた髪に何本かかわいいピンをとめてとりあえず整えてあったので、そのピンだけ外そうと思いながらも、そうするだけの気力すらわいてこない。

そのとき突然タリンが部屋に入ってきて、ベッドに跳びのった。

「ねえ、ロックはなんだって？　あんたと話さなくちゃって言ってたけど」タリンが脇腹をつついてきいた。

「親切だったわ。ほかのやつらみたいに、カーダンの言いなりってわけじゃないみたい」ごろりと仰向けになって後頭部で両手を組み、片側に寄せられている天蓋を見あげる。

わたしの言ったことに反論したいのにできないとでもいうような奇妙な表情を、タリンは浮かべた。「ふうん。詳しく話して」

「ロックとのことを？」

タリンがぐるりと目をまわしてみせた。「ロックとのことも、ほかのやつらとのことも」

「やり返さないと、やつらは絶対にわたしを認めない」

タリンはため息をついた。「あいつらがあんたを認めるなんてことは絶対にないわ」

わたしは草地を這いつくばって進んだことや、汚れた膝や、妖精の実の味を思い出した。いまもあの味が簡単に舌の上によみがえる。また口にすればどうやっても満たせないこの飢えが満たされ、頭がくらくらするほどの喜びが待っていることはわかっている。

「あんたは昨日、妖精の実で顔を汚して裸同然の格好で帰ってきたのよ。それだけされたら充分じゃないの？　もっと自分を大事にしなさいよ」タリンはベッドの支柱に背中を預けて座っている。

「びくびくしているだけなのはもういやなの。どうして卑屈にしていなくちゃならないの？」

「殺されるかもしれないのよ！」

「そうね。そうする以外、やつらはわたしを止められないもの」

「何か計画があるの？　カーダン王子にあくまでも逆らうって言ったよね。王子がそれでも屈服させようとするなら、共倒れも辞さないって。でも、どうやってそうするつもり？」

「どうって、計画があるわけじゃないけど」

タリンがあきれたように両手をあげた。

「別に大げさなことじゃないわ。カーダンが仕掛けてきたいやがらせに、もう許してって懇願せずに一日一日を過ごすことが勝利なの。王子はわたしに屈辱を与えられる。だけどこちらがそれに負けずに踏ん張るたびに、彼は少しずつ力を失っていくのよ。だって彼はわたしみたいな弱い相手に全力を出しているのに、思いどおりにできないんだから。つまり彼は自分で自分を追いつめていくってわけ」

タリンはため息をついたあと近寄ってきて、わたしの胸に頭をつけて抱きしめた。

そのままタリンがささやく。「彼は火打ち石で、あんたは火口《ほくち》ね」

何も言わず、ただタリンを抱きしめ返す。

わたしたちはしばらくそうやって抱きあっていた。

「ロックに脅されたの？　急に会いたいと言って来るなんて、変だもの。厩へ探しに行ったら、あんたは変な顔をしてたし」タリンが静かにきく。

「別にいやなことは何もなかったわ。なんで来たのかは知らないけど、手にキスされたの。いい感じだった。本のなかの出来事みたいで」

「本のなかではいいことなんか起こらないわ。いいことがあると、次に悪いことが起こるのよ。そうじゃないと話がつまらなくて、誰も読まないから」

今度はわたしがため息をついた。「カーダンの取り巻きのひとりにいい感情を抱くなんて、ばかだよね。だけど、ロックは本当に助けてくれたの。カーダンに立ち向かってくれたのよ。でもそんなことより、あんたの話をしたいわ。好きな人がいるんでしょう？　いつか恋に落ちるつもりだって言ったとき、誰かを思い浮かべていたはずよ」

〝彼女の服を緑に染めるのはぼくが最初ではないけどな〟

「たしかにいるわ」タリンがしぶしぶ認めた。「デイン王子の戴冠式のときに、彼はわたしたちのことを公にするつもりなの。彼がマドックに結婚の許しをもらったら、わたしの生活はがらりと変わる」

カーダンのそばに立って泣いていたタリンの姿が頭に浮かんだ。あくまでも彼に対抗するわたしにタリンがどれほど腹を立てていたか思い出して、ぞっとするような予感に体が冷たくなる。「誰なの？」

カーダンではありませんように。どうかカーダン以外の男性でありますように。

「誰にも言わないって約束したから。あんたにも言わないって」

「わたしたちがする約束なんて、意味はないのよ」デイン王子にゲシュで縛られていることを考え、妖精がどれだけわたしたちを信用していないのか実感する。「わたしたちに名誉を重んじる心があるなんて、誰も期待しちゃいないんだもの。人間は嘘がつけると知っているから」

タリンは賛成できないというように、険しい視線を向けた。「妖精との約束よ。破れば彼にはわかる。わたしは彼に、妖精と同じようにやっていけると示さなければならないの」

「わかったわ」のろのろと返す。

「ねえ、喜んで」タリンが言ったので、わたしは胸を突かれた。この妖精国でタリンは自分の居場所を見つけ、わたしも自分の居場所を見つけた。それでも心配せずにはいられない。

「じゃあ、なんでもいいから彼のことを教えて。彼は優しくしてくれる？　ちゃんと彼を愛してるの？　彼はあんたを大事にするって約束してくれた？」

「彼は妖精よ。彼らの愛し方はわたしたちとは違う。でも、あんたは彼のことを好きになると思う――さあ、これでいいでしょう？」

それならタリンの相手がカーダンとは思えない。わたしは彼を軽蔑している。でもタリンのいまの答えで安心できるかどうかは、よくわからなかった。

どういう意味なのだろう、わたしが彼を好きになるというのは？　彼にはまだ会ったことがないのだろうか？　彼の愛し方がわたしたちとは違うというのも、よくわからない。

「あんたに愛する人ができてうれしいわ。本当よ」喜んでいるというより心配する気持ちのほうが強かったが、そう言った。「わくわくするわね。オリアナのところに仕立て屋が来たら、特別すてきなドレスを作ってもらわなくちゃだめよ」

タリンが緊張を解いた。「わたしはただ、すべてがいい方向に変わってほしいだけなの。わたしたちふたりにとって」

わたしは〈虚ろの館〉から盗んできた本を取ろうと、ベッドの横のテーブルに手を伸ばした。「これ、覚えてる？」『不思議の国のアリス』と『鏡の国のアリス』が一冊になった本を持ちあげると、たたんだ紙がひらりと落ちた。

「小さいとき読んでたよね。どこにあったの？」タリンが本をつかんだ。

「見つけたのよ」誰の本棚にあったかは言えなかった。そもそも〈虚ろの館〉に行った理由を説明できない。ゲシュが本当に働くのか知りたくて、試しに〝デイン王子のスパイをしている〟と言おうとした。そうしたら口も舌も動かないとわかってパニックがわきあがり、懸命に押し戻した。これくらい、彼が与えてくれたものに比べればささいなことだ。

タリンはそれ以上きこうとせず、ページをめくってあちこちを声に出して読んでいる。昔、母さんが読んでくれた声はちっとも思い出せないのに、タリンの声を聞いていると母さんの面影があるような気がした。

「〝さあ、この場にとどまり続けるためには、全力で走らなければだめよ。どこかに行きたいなら、その二倍は速く走らなくてはだめ！〟」タリンが読んだ。

目立たないように手を伸ばして落ちた紙を拾い、枕の下に隠す。タリンが出ていったら取りだして見るつもりだったのに、本を読む声を聞いているうちに、わたしはぐっすり眠りこんでしまった。

　翌朝早く目が覚めると部屋にはわたしひとりで、おしっこがしたかった。浴室に行ってスカートを持ちあげ、その用途のために置かれている銅の容器に用を足す。誰も見ていないのに、恥ずかしくて頬が熱くなった。これは人間であるために屈辱的な思いをしなければならないことのなかでも、最上位に位置する行為だ。妖精が神ではないのはわかっている――それをわたしほどよく知る人間はいない。でもおまるの上に身をかがめている妖精など、ひとりも見たことがないのは事実だった。

　ベッドに戻ってカーテンを開け、部屋を明るくした。太陽の光はどんなランプより明るい。それから枕の下に隠してあった紙を取りだした。

　広げると、尊大で怒りに満ちたカーダンの筆跡が紙全体を埋め尽くしていた。怒りのあまりペン先を強く押しつけすぎたせいか、ところどころに穴が開いている。

　ジュード。ひたすら繰り返されているわたしの名前を見つめていると、そのひとつひとつから憎しみが伝わってきて、おなかに次々とこぶしを叩きこまれているような気分になった。

ジュード　ジュード　ジュード　ジュード　ジュード　ジュード
ジュード　ジュード　ジュード　ジュード　ジュード　ジュード
ジュード　ジュード　ジュード　ジュード　ジュード　ジュード
ジュード　ジュード　ジュード　ジュード　ジュード　ジュード
ジュード　ジュード　ジュード　ジュード　ジュード　ジュード
ジュード　ジュード　ジュード　ジュード　ジュード　ジュード
ジュード　ジュード　ジュード　ジュード　ジュード　ジュード
ジュード　ジュード　ジュード　ジュード　ジュード　ジュード
ジュード　ジュード　ジュード　ジュード　ジュード　ジュード
ジュード　ジュード　ジュード　ジュード　ジュード　ジュード

15

仕立て屋は翌日の午後早くに来た。ブランブルウェフトという名前の指の長い妖精で、茶色の瞳の真ん中に黒の横線が入った山羊のような目を持ち、足が後ろ向きについているので奇妙な歩き方をする。自分の作品の見本として身につけているドレスは、織り地に棘々の蔓を縦に何本も刺繍したストライプ模様だ。

　生地見本をたくさん持ってきていて、張りのある金の生地や玉虫色のカブト虫のように色が変化する生地などいろいろある。とても繊細なクモの糸で作った生地もあり、針の穴に三重に通せるほど薄いのに、絶対に切れ味が鈍らないように魔法をかけた銀のはさみでないと切れないのだという。金と銀が交じった紫色の生地は美しく輝いていて、クッションの上に月の光がたまっているかのようだ。

　わたしたちが自由に見られるように、すべての生地がオリアナの客間の長椅子の上に広げられていて、ヴィヴィでさえうっとりとした笑みを浮かべて生地に指を滑らせ

ている。人間の世界にはこういう生地はないとわかっているのだ。

オリアナ付きのいまの召使いである、しわくちゃで毛むくじゃらのトッドフロスが、大きな銀のトレイにお茶とケーキ、ハム、ジャムを目一杯のせて運んできた。わたしはカップにお茶を注ぎ、胃が落ち着いてくれることを願ってクリームを加えずに飲んだ。ここ何日かに味わった恐怖の影響が体に出ていて、前触れもなしに体が震えるのだ。妖精の実の味、バレキンの館で見た召使いのひび割れた唇、カーダン王子の裸の背中に振りおろされた革のベルトの音が、ひっきりなしによみがえる。

それから紙を埋め尽くしていた無数のわたしの名前も。カーダンにどれだけ嫌われているかわかっていたつもりだったけれど、あの紙を見てそうではなかったと思い知らされた。あれほどわたしを憎んでいる彼だ、床に膝をついて人間の召使いに打ち据えられているところを見られたと知ったら、さらに憎しみを募らせるだろう。わたしが人間であるがゆえに屈辱感は増し、怒りが燃えあがるに違いない。

「ジュード？」オリアナの声で、わたしは暗くなっていく窓の外をぼんやりと見つめていたことに気づいた。

「なあに？」あわててにっこりと笑みを作る。

タリンとヴィヴィが笑いだした。

「そんなにぼうっとした顔で、誰のことを考えていたの?」オリアナの言葉にヴィヴィはふたたび笑ったが、タリンは笑わなかった。たぶん、わたしのことを間抜けだと思っているのだろう。

顔が赤くなっていないことを願いながら、首を横に振る。「そんなんじゃないわ。わたしはただ――。たいしたことじゃないのよ。なんの話をしてたの?」

「仕立て屋があなたから採寸したいそうよ。一番年下だから」オリアナが言った。ブランブルウェフトを見ると、両手のあいだにメジャーを広げていた。そこで彼女の前に置かれている台にあがって、両腕を横に伸ばす。今日はいい娘らしくふるまって、すてきなドレスを手に入れよう。デイン王子の戴冠式で足から血が出るまで踊るのだ。

「そんな難しい顔をしないで」仕立て屋が言い、わたしがあわてて謝ろうとするのをさえぎって、ひそめた声で続けた。「あなたのドレスには、武器や毒やそのほかのこまごまとしたものを隠せるポケットをつけるように言われているの」

あまりにも驚いて、台から転げ落ちそうになった。「それはいいわね」仕立て屋に感謝してもしかたがないとわかっていたので、そうささやき返す。妖精たちはちょっとした言葉だけで感謝の気持ちを片づけることを、よしとしない。作った借りは、きちんと返すものなのだ。あるいは取引をする。そしてわたしが借りを作った相手はこの場にいない。借りが返されることを期待しているのはデイン王子だ。

ブランブルウェフトがピンをくわえたままほほえんだので、笑みを返す。これから王子に借りを返していくことになるが、返さなければならない借りは大きなものになりそうだ。それでも必ず王子に、わたしを誇りに思わせてみせる。そしてほかのみんなには、絶対に後悔させてやる。

顔をあげると、ヴィヴィが怪しんでいるような表情で見つめていた。次に採寸されるタリンと替わって台をおり、またお茶を飲みに行く。そして砂糖たっぷりのケーキを三つとハムをひと切れ食べた。

「この前はどこに行ったの？」起き抜けでおなかがペコペコなので猛禽類のようにハムにがっついているわたしに、ヴィヴィがきいてきた。〈虚ろの館〉に行くので逃げたときのことだろう。答えないわけにはいかないので、ゲシュで縛られた舌が許す限りの説明を試みることにして、片方の肩をすくめる。

「学校であんたが何をされたのか、生徒から聞きだしたわ。死んでたかもしれないのよ。まだ生きてるのは、彼らがこのゲームをまだ終わらせたくないと思っているから。それだけ」

「そういうやつらなんだもの。ここはそういう場所なのよ。ヴィヴィはこの国のあり方を変えたいと思っているの？　わたしたちはこの世界で生きていくしかないのに」

「ここ以外の世界もあるわ」ヴィヴィが優しく言った。

「でも、ここがわたしの世界よ」胸のなかで心臓が激しく打っていたが、そうじゃないとヴィヴィに否定される前に立ちあがった。けれども長椅子のそばに行って、広げられている生地に触れようと手を伸ばすとぶるぶると震え、てのひらは汗で濡れていた。

下着姿でよろよろと森を抜けて家に戻ってきたときから、ずっと心を麻痺《まひ》させて何も感じないようにしてきた。少しでも何かを感じたら、耐えられなくなる気がしたからだ。きっと感情の波にのみこまれ、溺れてしまう。いやなことがあったあと、心の奥に押しこめて何も感じないようにしたのはこれが初めてではない。ずっとそうしてやってきたし、また同じようなことがあっても、ほかにどうすればいいかわからない。

目の前の生地に意識を集中して、パニックが去り、普通に息ができるようになるのを待った。夕暮れの湖を思わせるブルーグリーンのベルベットがあった。蛾と蝶とシダと花が刺繡された息をのむような幻想的な生地もある。手に取ってみると、その下に煙のように揺れ動く霧を思わせる美しいグレーの生地が現れた。おとぎばなしのプリンセスがまとうような、信じられないほどきれいな布だ。

タリンがお話について言ったことは、もちろん正しい。お話のなかではプリンセスに悪いことが起こる。棘が刺さったり、毒リンゴを食べさせられたり、自分の父親と結婚させられたり。両手を切り落とされ、兄弟は白鳥に変えられ、恋人は切り刻まれてバジルの鉢に埋められる。ダイヤモンドを口から吐きだしたり、歩けばナイフの上を歩いているように感じたりするのだ。

それでも怒り狂ったり、わめいたりしない。

「わたしはそれがいいな」タリンがわたしの持っている生地を指さした。刺繍がほどこされた生地だ。採寸は終わったようで、いまはヴィヴィが台にのって腕をあげている。考えていることをすべて見通すようなヴィヴィの視線に、なんだか居心地が悪くなった。

「妹が先に見つけたものよ」オリアナが言う。

「ね、ね、お願い」タリンが言い、上目遣いにわたしを見あげた。冗談めかしているけれど、彼女は本気だ。戴冠式でふたりのことを公にするという彼のために、きれいになりたいのだろう。そして、わたしにはきれいにならなければならない理由があると思っていない。王子たちと争い、悔しさと恨みしか抱いていない、いまのわたしには。

小さく笑みを浮かべ、布地を置く、「いいわよ。どうぞ」

タリンがわたしのほっぺたにキスをした。これでいつもどおりの関係に戻ったのだと思う。いろいろないやなことも、こんなふうに簡単に解決するのならいいのに。

わたしはダークブルーのベルベットにした。ヴィヴィは角度を変えるとシルバーグレーに見えるスミレ色の生地で、オリアナは自分には淡いコーラルピンク、オークにはクリケットグリーンを選んだ。ブランブルウェフトがスケッチを始めた。うねるように広がるスカートやかわいらしい小さなケープ、風変わりな生き物が刺繍されたコルセット。蝶が腕に沿って舞いおり、精巧な帽子にとまる。魔法の力で、仕上がったドレスに身を包んだ自分の姿を見せられた。コルセットには胸当てのように二匹の金のカブト虫が縫い取られ、残りの部分は下までマドックの月の紋章ときらきら輝く糸の複雑な渦巻き模様が刺繍されている。そこにやはり金色のごく小さなドロップショルダーの袖がついていた。

これを着れば、どこの家の者か一目瞭然だ。

直してほしい箇所などの打ちあわせを続けているところに、オークがナーボーンに追いかけられながら駆けこんできた。わたしに目をとめたオークが膝の上によじのぼってきて首に抱きつき、肩の少し下に軽く歯を立てる。

「痛い！」驚いて叫ぶとオークがうれしそうに笑い、つられて笑ってしまった。オークはちょっと変わっているけれど、妖精だからなのか、子どもというのはみんなそうなのか、わたしにはわからない。「石に噛みついて、真珠みたいな白い歯を全部なくしちゃった小さい男の子の話を聞かせてほしい？」脅すようにきいて、脇の下をこちょこちょとくすぐる。

「聞かせてえ！」息もできないほど笑いながらオークが答え、悲鳴をあげた。

　オリアナが心配そうな顔で近づいてきた。「遊んでくれるのはうれしいんだけど、そろそろ夕食のために着替えなくちゃ」オリアナに抱きあげられ、オークは体をくねらせてわめいた。痣ができそうな勢いでオークの足がおなかに入ったけれど、口をつぐんでおく。

「お話が聞きたい！　お話が聞きたいよう！」

「ジュードはいま忙しいのよ」オリアナがもがく息子を連れてドアのところに行くと、引き取って子ども部屋に連れていくためにナーボーンが待っていた。

「どうして面倒を見させてくれないの？」わたしが叫ぶと、オリアナがショックを受けた表情で振り返った。いままで思っていても言えなかったことを口に出してしまったのが自分でもショックだったが、もう止められなかった。「わたしは怪物じゃないのよ！　あなたにもあなたの息子にも何もしたことがないでしょう？」

「お話が聞きたい」オークはごねながらも、混乱しているようだ。

「もうたくさん」オリアナが厳しい声を出して、わたしの反抗を断ち切った。「このことはあとでお父さまと一緒に話しましょう」

　そう言うと、オリアナは部屋から出ていった。

「お父さまって誰のこと？　彼はわたしのお父さまじゃないわ」彼女の背中に言葉をぶつける。

　タリンが目を丸くしているのが見えた。ヴィヴィはうっすら笑みを浮かべている。それから、お茶を少しだけすすり、乾杯するようにカップを掲げた。仕立て屋が顔を伏せて視線をそらし、家族のいさかいに立ち入らない姿勢を示す。

ずっと演じてきた聞き分けのいい娘に、どうしても戻れない。

いままでの自分がどんどん崩れていくのを、わたしは止められなかった。

　翌日学校で、タリンはランチのバスケットを振りながらわたしの横を歩いていた。

わたしは頭をあげ、まっすぐ前を見据えている。念のため、鉄が苦手な妖精に対抗するための小さなナイフをスカートのポケットに忍ばせ、必要以上の量の塩も持っていた。それにタターフェルに作ってもらった新しいナナカマドの実のネックレスもつけている。もうそんなものは必要ないと、タターフェルには言えなかったからだ。

わたしはいくつかの手に入れたいものがあって、王宮の庭を歩きまわっていた。

「これ、採ってもいいって許可を得ているの？」タリンにきかれたが、わたしは答えなかった。

午後は高い塔の上で、鳥の歌についての授業が行われた。途中、何度か勇気がくじけそうになったけれど、そのたびにひんやりとした金属の刃に指を滑らせてやり過ごした。

ロックがこっちを見て、目が合うとウインクをした。

カーダンは部屋の反対側にいて、教師にしかめっ面を向けているものの、何も言わずにいる。インク壺をかばんから出そうとして、彼がびくっとするのが見えた。きっと背中にひどい傷ができていて、動くと痛むのだ。けれどもせせら笑いを浮かべるときにいくぶんぎこちなかった以外、彼はいつもと違う様子を見せなかった。

痛みを隠すのに慣れているのだ。

本のあいだに挟まっていた紙を思い出した。カーダンはわたしの名前を書くのに、あちこちにインクの染みができるくらい力を入れていた。ペン先が紙を突き破ったとき、机に傷がついたかもしれない。

紙をそんなふうにしてしまうほど、彼はわたしを憎んでいる。その憎しみが直接向けられるときのことを想像すると、思わず体が震えた。

学校から戻ったあと、マドックと剣の稽古をした。マドックがきわめて有効な一連の動きをやって見せてくれて、わたしはそれを繰り返し練習した。するとマドックも驚くくらい、どんどん動きに切れが出て、すばやく動けるようになった。汗まみれで家のなかに入ると、わたしのぬいぐるみの蛇に汚いロープをつけて引きずりながら走っているオークとすれ違った。オークはわたしの部屋にあるものを勝手に取ったのだ。

「オーク！」怒鳴ったものの、そのまま階段をのぼっていってしまった。

部屋に戻って入浴したあと、わたしは授業に持っていったかばんの中身を出した。最後に余り紙に包んで底に入れておいた、虫の食った妖精の実を取りだす。帰る途中で拾ったそれをトレイに置き、革の手袋をはめて金色の果実をナイフで切り分け、ぐんにゃりとした薄切りにした。

　わたしはマドックの図書室にずらりと並んでいるほこりっぽい手書きの本を読みこんで、妖精国に存在する毒について詳しく調べていた。気味が悪いほど血にそっくりな赤い液体がビーズのようににじんでいる青白いブラッシャー・マッシュルームは、少し食べれば麻痺が起こり、たくさん食べれば死に至る。人間だけでなく妖精もそうだ。デススイートは百年続く眠りをもたらし、レイスベリーは心臓が止まるまで血圧をあげる。そして忘れてはならない妖精の実は、ある本ではエヴァーアップルと呼ばれていた。

　台所からくすねてきた松葉酒が入った携帯用の容器を出し、妖精の実が腐らないように樹液みたいに濃くて強い酒のなかに漬けこむ。

　わたしの両手はぶるぶる震えていた。

　最後に残しておいたひと切れを舌にのせる。すると芳醇な味が一気に襲ってきて、歯を食いしばって衝撃に耐えた。頭がぼうっとして幸せな気分でいるうちに、ほかのものを取りだした。王宮の庭で採ってきたレイスベリーの葉、デススイートの花びら、ブラッシャー・マッシュルームからにじみでた汁を一滴。それぞれからできる限り少量を取って、それらも口に入れる。

ミトリダートという奇妙な名前で呼ばれているこの方法は、少しずつ毒をのむことで耐性をつけるというものだ。これを死なないように続けていけば、どんどん殺しにくい体になっていく。

その日は、夕食をとりに階下へおりていけなかった。吐き気と震えと止まらない汗に耐えるのが精一杯だった。

部屋の浴室で倒れこんで眠ってしまったわたしを、迎えに来たゴーストが見つけた。ブーツの爪先でおなかをつつかれて目が覚めたのだが、彼に抗議しなかったのは、あまりにも気分が悪かったからだ。

「起きろ、ジュード。ローチが今晩は訓練しろとさ」

逆らう元気もなく起きあがった。外に出て、まだ夜露に濡れている草地に行くと、ゴーストが島を照らす太陽の最初の光を浴びながら、音を立てずに木にのぼる方法をやってみせてくれた。それから小枝を踏んだり、枯れ葉をカサカサいわせたりせずに歩く方法も。王宮の授業でも習っていたのでうまくやれると思ったのだが、ゴーストは教師がわざわざ直すまでもないと判断して放っておいたわたしのミスを指摘した。

わたしは何度もやってみたけれど、ほとんど失敗した。

「よくやった」わたしの筋肉がぶるぶる震えだすと、彼が言った。それまでほとんどしゃべらなかったので、言われたときはびくっとしてしまった。耳がほんの少ししか尖っておらず、砂色の髪とハシバミ色の目を持つゴーストは、ヴィヴィよりよっぽど人間らしい。でも彼はヴィヴィより物静かで冷たく、何を考えているのかまったくわからなかった。木々の葉が金色に輝き始めていて、もうすぐ完全に夜が明ける。「練習を続けろよ。姉貴たちに気づかれないように近づいてみろ」ゴーストがにやりとすると、砂色の髪がはらりと顔に落ちた。彼はわたしより年下に見えるけれど、絶対にそうではないと思う。

ゴーストは帰っていったが、あまりにも鮮やかな去りようは、一瞬でかき消えたと思うほどだった。屋敷のなかに戻ると、わたしはいま学んだ技を使って階段をのぼり、召使いたちと気づかれずにすれ違った。部屋に帰りつき、今回はかろうじて自分のベッドに倒れこむ。

そして翌日、目が覚めると、前の日にやったことをすべて繰り返した。

16

授業に出るのがこれまで以上にきつい。理由のひとつは、無理に摂取している妖精の実や毒の作用に体が抵抗しているから。もうひとつの理由は、マドックとの稽古とデイン王子の〈影の臣下〉との訓練でくたくたに疲れきっているからだ。マドックからは演習問題も与えられ——たとえば〝ゴブリンの騎士が十二人で要塞を奇襲し、訓練を受けていない貴族が九人で応戦する場合〟の戦法を考えろと言われる——毎晩、夕食のあとで回答を求められる。ローチからは、大勢の廷臣にまぎれて気づかれずに動きまわり、無関心を装って盗み聞きする訓練をしろと指示された。ボムからは、建物の警備が手薄な場所や相手の急所を見つける方法を教わっている。ゴーストからは、人目につかずに垂木からぶらさがる技術、洋弓銃《クロスボウ》の扱い方、手の震えを止める方法を学んでいた。

情報収集の任務をあとふたつ与えられた。ひとつは、王宮の騎士の机からエロウィ

ン王女宛の手紙を盗むこと。もうひとつは、妖精の花嫁衣装を着てパーティーにまぎれこみ、バレキン王子の愛人のひとり、タラカンドの私室に忍びこんで机から指輪を盗むこと。どちらの任務も、盗んだものがどのくらい重要かは知らされていない。

授業にも出て、カーダンやニカシアやヴァレリアンをはじめ、辱めを受けるわたしを嘲笑した貴族の子たちとも机を並べている。引きさがって彼らを満足させるつもりはないけれど、あの妖精の実の一件があって以来、いざこざは起こっていない。わたしは逆襲のチャンスをうかがっている。きっと彼らもそうだろう。争いは終わったと思うほどわたしは単純ではない。

ロックは相変わらず気を引こうとしてくる。昼食時はわたしとタリンと一緒に座り、毛布の上にランチを広げて沈む夕日を眺める。家まで送ってくれることもあり、わたしたちは森を抜け、マドックの領地の手前にあるモミの木立で立ちどまってキスをする。自分の唇に残る毒の苦味に彼が気づきませんようにと祈るしかない。

どうしてロックがわたしのことを好きなのかわからないけれど、好かれるのは気分がいい。

タリンも彼の好意が理解できないみたいだ。ロックを疑いの目で見ている。わたしもタリンの謎の恋人のことを気にしているのだから、彼女がわたしの恋人のことを気にしても不思議ではない。

「お楽しみのようね」授業に向かうロックにニカシアが話しかけるのを聞いてしまったことがある。「あなたが彼女としていることをカーダンは許さないわよ」

わたしはロックの返事を聞かずに通り過ぎることができなくて立ちどまった。でも、彼は笑うだけだった。「カーダンはきみが彼よりぼくを選んだことを怒っているのか、ぼくがきみより人間を選んだことを怒っているのか、どっちだろうな？」

聞き間違えたのかと耳を疑った。

ニカシアが何か言いかけ、立ち聞きしているわたしに気づいた。彼女の唇がゆがむ。

「あら、ネズミさん。彼の甘い言葉を信じるんじゃないわよ」

習ったばかりの盗み聞きの技術をうまく生かせなかった。こんなわたしを見たらローチは落胆するだろう。教わったことを何もできなかったのだから。ふたりに気づかれないよう隠れることも、ほかの生徒にまぎれることも。わたしがスパイの技術を知っているだなんて、誰も勘ぐらないことだけはたしかだ。

「カーダンは、あなたのことは許したってわけ？」そうきくと、ニカシアが顔を引きつらせたので、わたしは気をよくした。「残念ね。王子に気に入られることが大事なんでしょ」

「わたしが王子をほしがる理由がある？　母は女王なのよ！」ニカシアも引きさがらない。

ニカシアの母親、オーラー女王については言ってやれることが山ほどある。何しろ彼女は毒殺に加担しようとしているのだ。でも、わたしは口をつぐんだ。何か言ってしまわないよう、歯を食いしばったほどだ。わたしはタリンが座っているところに向かった。満足げなほほえみを小さく浮かべて。

さらに数週間が経ち、戴冠式が数日後に迫っていた。わたしはあまりにも疲れていて、頭を休めればどこでも寝てしまう。蛾を呼び集める実習で塔にのぼったときでさえ居眠りをした。蛾の翅音《はおと》が眠気を誘ったのだろう。眠りこけるまでに時間はかからなかった。

目を覚ますと、石造りの床に転がっていた。がんがんする頭を抱え、あわててナイフを手探りする。自分がどこにいるのかわからない。一瞬、椅子から転げ落ちたのだと思った。自分がおかしくなったのだと。そのとき、薄笑いを浮かべてわたしを見おろしているヴァレリアンに気づいた。彼に椅子から突き落とされたのだ。その表情を見ただけでわかる。

そこまでおかしくなったわけではないのだ。

外から話し声が聞こえ、夕刻を迎えてほかの生徒たちが芝生で昼食をとっているのがわかった。小さい子たちが毛布の上で追いかけっこをしているのだろう、甲高い声も聞こえる。

「タリンはどこ？」起こしてくれないなんて、彼女らしくない。

「あいつはおまえを助けないって約束しただろう？」ヴァレリアンの金色の髪が片目にかかっていた。お決まりの赤い服に身を包んでいるが、あまりに深い色味なので、ぱっと見たところ黒っぽく映る。「口を挟まない、手を貸さないってな」

そうだった。ひとりで戦うことを忘れるとは、なんて間抜けなのだろう。

立ちあがろうとして、ふくらはぎの傷に気がついた。どのくらい眠っていたのだろう？　チュニックとズボンを払う。「どういうつもり？」

「がっかりしたよ」ヴァレリアンが嫌味ったらしく言った。「カーダンを打ち負かすって偉そうに言ってたよな。それなのにあのちょっとした悪ふざけ以来、ふてくされているだけじゃないか」

無意識に手がナイフの柄に向かう。

ヴァレリアンがポケットからわたしのナナカマドの実のネックレスを取りだし、にやりとした。寝ているあいだに、首からちぎり取ったのだろう。彼にそこまで近づかれていたのを知って身震いした。ネックレスではなく、皮膚を切られていたかもしれないのだ。「さあ、言うとおりにしてもらおうか」空気中に魔法の香りを嗅ぎ取れるくらいだった。言葉で魔法をかけようとしている。「カーダンを呼んで、彼の勝ちだって言えよ。そしてここから飛びおりろ。人間に生まれるってことは、死人として生まれてくるも同然だからな」

その言葉の激しさ、その命令のむごさにぞっとした。数カ月前なら、言われたとおりにしていただろう。カーダンに負けを認めて、飛びおりていたはずだ。デイン王子と取引をしていなければ、いまごろは死んでいた。

わたしを窒息させようとしたあの日から、ヴァレリアンはわたしを殺そうと狙っていたのかもしれない。あのときの彼の目の光、苦しむわたしを見る彼の熱中ぶりを思い出す。殺されるかもしれないとタリンに警告され、わたしは強気な態度を示してみせたけれど、本当は死ぬ覚悟なんてない。

「階段でおりるわ」体の震えが半分でも伝わりませんようにと願いながら言った。そして平静を装い、ヴァレリアンの横を通り過ぎようとした。

一瞬、彼はとまどいを見せたが、その当惑はすぐに怒りへと変わった。彼がわたしを逃すまいと階段の前に立ちふさがる。「命令したんだぞ。なぜ従わない？」

ヴァレリアンの目を見据え、無理に笑ってみせた。「あんたは二度もわたしの優位に立ったのに、二度ともチャンスを逃したわね。三度目の幸運を祈ってあげる」

彼は激怒して大声でまくしたてた。「おまえなんかくずだ。人間という生き物はしぶといふりをしているだけだからな。人間の一生なんて、長いまやかしゲームみたいなもんさ。自分をごまかせなかったら、自ら首を切ってそのみじめな人生を終わらせるだろうよ」

わたしは〝生き物〟という言葉にショックを受けた。蟻《あり》や犬や鹿みたいに、わたしのことを別の生き物だと思っているのだ。彼が間違っているという確信はないけれど、自分のことをそんなふうに考えたくない。「いまのところ、そんなにみじめだとは思ってないわ」怖がっていることを相手に気づかせるわけにはいかない。

ヴァレリアンが口をゆがめた。「おまえたちは何が楽しいんだよ？　発情して子を産むだけじゃないか。自分がどんな存在か認めたら、気が狂うだろうな。おまえはくずだ。存在してないに等しい。おまえたちの目的なんて、無意味で苦しい死を迎える前に子孫を残すことだけだろ」

彼の目をじっと見つめる。「だから？」

ヴァレリアンは言葉を失ったようだが、その薄ら笑いは消えなかった。

「ええ、たしかにわたしは死ぬわ。それに大嘘つきよ。だからなんだっていうの？」

彼がわたしを壁にきつく押しつけた。「だから、おまえの負けってことだ。負けを認めろ」

わたしは押しのけようとしたが、彼に喉をつかまれ、指が食いこんで気道が詰まりそうになる。「ここで殺すこともできるんだぞ。そしておまえは忘れ去られる。まるで生まれてこなかったみたいに」

ヴァレリアンが本気なのは疑いようもない。本気で殺すつもりだ。わたしは息を詰まらせながら、ポケットからナイフを引っ張りだして彼の脇腹を刺した。肋骨《ろっこつ》のあいだを。ナイフがもっと長ければ、肺まで貫いていただろう。

ヴァレリアンがショックで目を見開く。喉をつかんでいた手がゆるんだ。マドックなら、こう言っていただろう——刃を上まで突きあげろ、動脈を突いて心臓をやれ。でも、もしそうすれば、妖精国の子どものひとりを殺すことになる。どんな罰を受けることになるのか、想像すらできない。

〝おまえは殺すという行為になじめないだろう〟

尻込みしてナイフを引き抜き、部屋を出ようと走った。血に濡れた刃をポケットに押しこむ。階段へ向かうブーツの足音が石の上で響き渡った。振り向くと、ヴァレリアンが膝をつき、脇腹に手を当てて血を止めようとしていた。彼が苦痛の声をもらし、わたしはナイフが鋼鉄製だったと思い出す。妖精は鋼鉄に弱いのだ。

このナイフを持ち歩いていてよかった。

角を曲がると、タリンと衝突しそうになった。

「ジュード！　何があったの？」彼女が大声で言った。

「来て」わたしはタリンをほかの生徒たちのところへ引っ張った。関節にも指にも血がついているが、大量ではない。チュニックでそれをぬぐった。

「何をされたの？」わたしにせきたてられて、タリンが声をうわずらせた。

タリンに置き去りにされたことは気にしない、と自分に言い聞かせる。首を突っこむのはタリンの役割ではないし、彼女はこの争いに関わりたくないとはっきり宣言したのだ。彼女がわたしを起こしてヴァレリアンのたくらみを台なしにしなかったことを、わたしは心のどこかで憤慨し、悲しく思っているだろうか？　たしかにそう思う。だけどヴァレリアンがどこまでひどいことをするのか、どんなにすばやく手を下そうとするのか、わたしでも予測していなかったのだ。

芝生を横切っていると、カーダンがこちらを向いた。ゆったりとした服を着て、練習用の剣を手にしている。

彼は血を見て眉をひそめ、その木製の剣でわたしを指した。「自分で切ったようだな」カーダンはわたしが生きていることに驚いたのだろうか？　ずっと塔を見あげながら、わたしが飛びおり自殺する楽しい光景を待っていたの？

わたしはポケットからナイフを取りだし、血痕のついた刃を彼に示した。そして笑った。「あんたのことも刺してあげようか」

「ジュード！」タリンが声をあげた。わたしの行動にショックを受けている。それも当然だろう。わたしの行動はショッキングだ。

「向こうへ行ってろ」カーダンが手を振ってタリンをしっしと追い払った。「うっとうしいやつだな」

タリンが驚いて一歩さがった。わたしも驚いた。これもゲームの一部なのか？

「おまえの汚い刃と、もっと汚い性格に何か意味でもあるのか？」カーダンがゆったりと貴族らしい口調で言った。彼に武器を向けるだなんて、みっともないことをするなよとでも言いたげな表情でわたしを見ている。手下にわたしを襲わせるなんて、みっともないのは彼のほうなのに。しかも襲わせたのは二度目だ。彼は気のきいたやりとりを期待するようにこちらを見ているけれど、わたしは言葉を探しあぐねた。

わたしがヴァレリアンに何をしたのか心配じゃないのだろうか？

ヴァレリアンがわたしを襲ったことを、まさか知らないの？

タリンがロックを見つけ、彼のほうに走っていった。ふたりは少し言葉を交わし、タリンがその場を離れた。わたしがふたりに気づいたことを、カーダンも気づいている。彼はわたしの匂いすら気に入らないとでもいうように、ふんと鼻を鳴らした。ロックが気だるげに近づいてきた。きらきらした目でわたしに手を振る。一瞬、もう安心だと思った。ロックを呼んでくれたタリンに深く感謝する。来てくれたロックにも。

「わたしが彼にふさわしくないって思ってるんでしょう」カーダンに言った。

カーダンがゆっくりとほほえんだ。まるで月が湖の水面下を滑るみたいに。「とんでもない、最高にお似合いだ」

ロックが来て、わたしの肩に腕をまわす。「行こう。送るから」

そうしてわたしたちは振り向きもせず、その場を去った。

わたしたちはねじれの森を通った。どの木も、若木の頃から強風に吹かれ続けたかのように同じ方向に曲がっている。立ちどまり、木立のあいだに茂る低木の棘々した枝からブラックベリーを摘んだ。口に放りこむ前に、小さな蟻を吹き飛ばさなければいけない。

ロックにも勧めると、彼はいらないというようにゆっくりと首を横に振った。

「というわけで、早い話、ヴァレリアンに殺されかけたの。だから彼を刺した」わたしは塔で起こったことの説明を終えた。

彼のキツネみたいな目がわたしを見据える。「ヴァレリアンを刺したのか」

「そう、だから厄介なことになるかも」深く息を吸った。

ロックは首を横に振った。「ヴァレリアンは人間の女の子に負かされたなんて誰にも言わないだろう」

「でも、カーダンは？　自分のたくらみがうまくいかなかったんだから、がっかりするでしょう？」わたしは木々のあいだに見える海を眺めた。海はどこまでも広がっているみたいだ。

「カーダンは知らないんじゃないかな」ロックはそう言うと、驚くわたしを見てほほえんだ。「彼は自分がぼくたちのリーダーだってきみに思わせたがっているけど、どちらかというと権力を好むのはニカシアで、ぼくはドラマティックなものが好きで、ヴァレリアンは暴力が好きなんだ。カーダンはその三つをそろえてくれる。まあ、少なくともその三つを生む理由をくれるってことだ」

「ドラマティックなものって？」その言葉を繰り返す。

「何かが起こるのが好きなんだ、物語が展開するのがね。おもしろい物語が見つからなければ、自分で物語を生みだすまでだ」その瞬間、どこから見ても彼はペテン師だった。「ニカシアがぼくたちのことを話すのを聞いただろう？　彼女はカーダンとつきあってたんだけど、彼を捨ててぼくを選ぶことで、初めて彼の優位に立てたってわけさ」

　そのことをじっくり考えた。そしてふと、マドックの領地に続くいつもの道を歩いていないことに気づく。「どこに向かっているの？」

「ぼくの領地だ」ロックは気づかれてうれしそうに笑った。「そう遠くない。生け垣の迷路を見せてあげるよ」

　わたしは〈虚ろの館〉以外、彼らの領地に入ったことがない。人間の世界では、子どもたちはいつも近所の家の裏庭でブランコに乗ったり泳いだり飛び跳ねたりして遊んでいた。でも、妖精の世界のルールはまったく違う。上王の宮廷の子どもたちのほとんどは王族で、ほかの小さな宮廷から王女や王子を見習いに来ているので、それ以外のことをする時間はほとんどない。

人間の世界には裏庭というものがあるけれど、ここには森や海、岩場や迷路がある。あと、新鮮な血を浴びたときだけ赤くなる花とか。生け垣の迷路でわざわざ迷うだなんて気が進まないが、楽しみなふりをして笑顔で応えた。ロックをがっかりさせたくないから。

「あとでパーティーがあるんだ」彼は話を続けた。「きみも残るといい。絶対に楽しめるって約束するから」

それを聞いて、胃がぎゅっと締めつけられた。彼の友だち抜きでパーティーを催すとは思えない。「くだらなさそう」あからさまには断れなくて、まわりくどい返事をする。

「帰りが遅くなるとお父さんに怒られるかな？」ロックが気の毒そうな表情で言った。わたしが残りたくない理由をちゃんと知っているくせに、わざと子ども扱いしているのだ。でも、それがわかっていても悪い気はしない。

ロックの領地はマドックのそれよりも慎ましく、警備もゆるかった。木々のあいだに、苔むした樹皮で覆われた高い尖塔《せんとう》がそびえている。くるくる巻いた蔦やスイカズラが外壁を伝い、どこまでも緑豊かだ。

「わあ」これまでにも馬でここを通りがかって、遠くからあの尖塔を見たことがあるけれど、誰の屋敷かは知らなかった。「きれいね」

彼はにっこりした。「なかに入ろう」

正面に重厚な両開きのドアがあるが、ロックは横口の小さなドアに案内した。入ると台所に続いている。カウンターには焼きたてのパン、その横にリンゴや干しブドウ、ソフトチーズが並んでいた。でも、それを用意したであろう召使いはひとりも見当たらない。

〈虚ろの館〉でカーダンの暖炉を掃除していた少女のことをぼんやり思い出した。あの子の家族は彼女がどこにいると思っているのだろう？　あの子はどんな取引をしたの？　わたしだって、あの子みたいな立場になっていたかもしれない。

「家族はおうちにいるの？」少女のことを頭から振り払って尋ねた。

「家族はいないんだ。父は破天荒で、宮廷向きじゃなかったんでね。母のことよりも、ひとけのない物騒な森のほうが好きだった。父は出ていって、そのあとに母は亡くなった。いまはぼくだけだ」

「大変だったのね。寂しいでしょう」

彼はわたしの言葉を否定するように言った。「きみの両親の話を聞いたことがある。

そっちのほうがバラッドになりそうな悲劇だ」

「もう昔のことよ」マドックと彼が犯した殺人のことは話したくない。「お母さんはどうして亡くなったの？」

ロックは軽蔑するように手を振った。「上王と関係を持ったんだ。あの王宮で。そして子どもができた。たぶん上王の子どもだけど、生まれてきてほしくないと思った人間がいた。だからブラッシャー・マッシュルームで殺《や》られた」彼は明るい口調で始めたが、話の終わりは明るくなかった。

〝ブラッシャー・マッシュルーム〟わたしはバレキンの館で見つけたオーラー女王の手紙のことを考えた。あの手紙はロックのお母さんの毒殺とは関係ない、と自分に言い聞かせる。デインがすでに上王の後継者に選ばれていたのだから、バレキンには彼女を毒殺する動機などなかったはずだ。でもどれだけ自分に言い聞かせようと、その可能性を考えずにいられない。ニカシアのお母さんがロックのお母さんの死に関わっているという恐ろしい話の可能性を。「よけいなことをきいてしまって――失礼だったわ、ごめんね」

「ぼくたちは悲劇の子だ」ロックは首を横に振ってほほえんだ。「こんな話で始めるつもりじゃなかった。ワインとフルーツとチーズをごちそうしようと思っていたんだ。

きみの髪は巻きあがるウッドスモークみたいにきれいで、目はクルミと同じ色だって言いたかったのに。その髪と目に寄せて抒情詩《じょじょうし》を書ける気がしたんだけど、抒情詩は得意じゃなくて」

わたしが笑うと、彼は無情にも笑われたことに傷ついたふりをして胸を押さえた。

「迷路に案内する前に、見せたいものがあるんだ」

「何?」好奇心をそそられた。

ロックがわたしの手を取った。「こっちだ」からかうように引っ張っていく。らせん階段に着くと、上へ、上へとのぼっていった。

わたしはめまいがした。扉も踊り場もない。ひたすら石段が続き、鼓動が激しく打っている。そこには唇の片端をあげた彼の笑顔と琥珀色の目だけ。階段をのぼりながら、つまずいたり滑ったりしないよう気をつけた。どれだけ頭がくらくらしても、遅れないようについていく。

ヴァレリアンのことが頭に浮かんだ。〝ここから飛びおりろ〟

浅い息をしながら、のぼり続ける。

〝おまえはくずだ。存在してないに等しい〟

頂上にたどりつくと、小さな扉があった——わたしたちの身長の半分くらいの高さだ。壁にもたれてバランス感覚が戻ってくるのを待ちながら、ロックが精巧な銀色のノブをまわすのを見る。彼が身をかがめてなかに入っていく。わたしはなんとか壁から離れ、あとに続いた。

　そして、驚いて息をのんだ。そこは一番高い塔、木立よりも高い塔の頂上のバルコニーだった。眼下には星明かりに照らされた迷路と、その中央に装飾用の建物《フォリー》が見える。それにエルフェイムの王宮の地表に現れた部分とマドックの領地とバレキンの〈虚ろの館〉。この島を囲む海と、その向こう側も。果てしなく漂う霧越しに、人間の世界の街の明かりまで見える。妖精国から人間の世界を見るのは初めてだ。

　ロックがわたしの背中を支えるように肩甲骨のあいだに手を置いた。「夜になると、人間の世界は隕石《いんせき》がひしめいているみたいに見えるんだ」

　わたしは階段をのぼった疲れを押しのけるように彼の手にもたれ、端に近づきすぎないよう気をつけた。「人間の世界に行ったことはあるの？」

　彼がうなずく。「子どもの頃、母に連れられてね。きみの人間の世界がなければ、ぼくたちの妖精国は停滞するって言ってたな」

　人間の世界はわたしのものじゃないし、停滞するというのはどういう意味なのかよくわからなかったけれど、ロックが言いたいことはわかった。〝わたしの人間の世界じゃない〟なんて訂正すれば彼の意図もわからない子なんだと思われそうなので、何も言わないでおく。ロックのお母さんの言葉には思いやりがある。間違いなく、ほかの妖精たちの人間の世界に対する考え方よりも優しい。きっと優しい人だったのだろう。

　彼がわたしを自分のほうに向かせて、ゆっくりと唇を近づけてきた。その唇は柔らかく、息があたたかい。はるか遠くの街の明かりみたいに、わたしは自分の体からも遠く離れている気がした。彼の腕がウエストにまわってきて、わたしはこの状況にしっかり踏みとどまるべく、手すりをぎゅっと握った。自分がここにいること――すべてを見おろす高い塔にいるこの瞬間が現実のことだと自らに言い聞かせるように。

　ロックが身を引いた。「きみは本当にきれいだ」

　妖精が嘘をつけないことを、こんなにうれしく思ったことはない。

「最高の景色ね」わたしは見おろして言った。「何もかもが小さく見える。戦略ボードの駒みたい」

　本気かと言いたげに彼が笑う。「きみはお父さんの書斎で膨大な時間を過ごしているのかい？」

「そこそこの時間をね。そうやってカーダンに勝てる可能性を考えているの……ヴァレリアンやニカシアに勝てる可能性を。あと、あなたにも」

ロックがわたしの手を取った。「カーダンはばかだ。残りの連中はどうでもいい」

彼の笑顔が皮肉にゆがむ。「でも、これもきみのたくらみの一部なのかな——ぼくの縄張りに連れてくるよう仕向けられたのかもしれない。きみはその悪いたくらみを打ち明けて、ぼくを服従させようとしているんだろう。一応言っておくけれど、ぼくを服従させるのはわりと簡単だ」

　思わず笑った。「あなたは彼らとは違うわ」

「そうかな？」

　わたしはロックをじっと見つめた。「よくわからない。わたしにここから飛びおりろって命令するつもり？」

　彼が驚いたように眉をあげる。「まさか」

「そう。じゃあ、彼らとは違うわね」ロックの胸を強めに押した。ほとんど無意識に手をぴたりと当てて、体温をてのひらで感じる。風に吹かれるままに立っていた自分がどれだけ冷えきっていたのか、気づいていなかった。

「きみは彼らの噂とは違うな」ロックがわたしのほうに身をかがめながら言い、またキスをした。

あの人たちがわたしについてどんな噂をしていたのか、いまは知りたくない。彼の唇を感じ、ほかのことは全部消してしまいたい。

階段をおりて下に着くまで時間がかかった。わたしの手が彼の髪をまさぐるから。彼がわたしの首にキスをするから。わたしは古ぼけた石壁に背を押しつけた。すべてがゆっくりと完璧に進んでいる。何もかも、わけがわからない。これが自分の身に起こっているなんて。これが自分のことだなんて信じられない。

わたしたちは誰もいない晩餐用の長いテーブルにつき、チーズとパンを食べた。ロックがキャビネットの奥に見つけた巨大なゴブレットでハーブ味の淡緑色のワインを飲んだ。ゴブレットにはごっそりほこりが積もっていたので、使う前に二度洗いしなければいけなかった。

食事を終えると、ロックがわたしをテーブルに押しつけ、その上に座らせた。ふたりの体がぴったりくっつくように。わくわくすると同時に怖い気もする。

自分のキスがうまいのかよくわからない。唇の動きがぎこちない。おじけづいてしまう。彼を引き寄せたいような、押しのけたいような複雑な気分だ。慎み深さという点では、妖精にはあまりタブーがないけれど、わたしにはある。自分の人間の体が汗くさくないか、妙な匂いがしないか、すごく気になる。手をどこに置いていいのか、どのくらい強くつかんでいいのか、彼の肩にどのくらい指を沈ませていいのか、わからない。キスのあとに何が起こるのか、わたしの傷ついたふくらはぎから太腿へ彼が手を滑らせることが何を意味するのかはわかっているけれど、自分の経験不足をどうやって隠せばいいのかわからない。

ロックが身を引いて見つめてきて、わたしは目に浮かんだ動揺を隠そうとした。

「今夜は一緒に過ごそう」彼がささやく。

一瞬、彼と一緒に過ごそうと言われたのだと思った——つまり彼と夜を過ごそうと誘われたのだと思い、欲望と不安で胸が高鳴った。そしてふと、今夜はパーティーがあるのだと思い出す。パーティーまでいてくれ、と誘われているのだ。見えざる召使いが、どこにいるのか知らないがパーティーの準備をしているのだろう。わたしの殺人未遂者、ヴァレリアンもやってきて、庭でダンスに興じるのかもしれない。

いいえ、ダンスは無理だ。彼はきっと脇腹に包帯を巻いて、飲み物を片手にぎこちなく壁にもたれ、わたしを殺す新しい計画を考える。わたしを殺せという新たな命令をカーダンから受けていなくても。

「あなたのお友だちはいやがると思うわ」わたしはテーブルから滑りおりた。

「すぐに酔っ払うから気づかないさ。マドックの屋敷に閉じこもって一生を過ごすわけにはいかないだろう?」ロックは明らかにわたしを魅了しようとほほえんだ。その効果はある。デインが言っていた〝額の印〟のことを考え、ロックの額にそれがあるのかもしれないとぼんやり思う。だって、とにかく彼に惹《ひ》かれているから。

「でも、ちゃんとしたドレスを着てないし」わたしはそう言って、ヴァレリアンの血で汚れたチュニックを示した。

ロックは必要以上に長いあいだ、わたしの服を上から下まで念入りに眺めた。「ドレスならある。きみが気に入るものが見つかるはずだ。カーダンとヴァレリアンとニカシアのことが気になるんだね? 学校以外の場所で彼らに会えばいい。彼らがばかみたいに酔いつぶれて堕落するところを見るといいよ。彼らのもろいところ、弱みをね。敵を負かすためには、敵を知る必要があるんじゃないか? 彼らのことを好きになるとは言わないけど、好きになる必要もない」

「あなたのことは好きよ。あなたと一緒に見せかけを演じるのは楽しいわ」

「見せかけ?」ロックは侮辱されているのかといぶかるように、その言葉を繰り返した。

「そう」窓辺に行って外を眺めた。迷路の草深い入り口に月明かりが差している。近くで松明《たいまつ》が燃え、炎が風に揺られてきらめいた。「だって、これは見せかけでしょ!

わたしたちは立場が違うもの。見せかけでも楽しいけど」

彼は見定めるように意味ありげな目でわたしを見た。「じゃあ、見せかけを続けよう」

「ええ」心細い思いで返した。「残るわ。パーティーに参加する」これまでの人生で楽しんだことはあまりない。楽しもうという彼の言葉に抵抗しきれない。

ロックに案内されていくつかの部屋を通り、両開きのドアの前に立った。一瞬、彼がためらってからわたしを振り返る。ドアが開くと、そこは広い寝室だった。息づまるほどに積もったほこりがすべてを覆っている。そして足跡——誰かの足跡があった。ロックが前にも入ったのだ。でも、回数は多くない。

「クローゼットにあるドレスは母のものだったんだ。好きなのを着るといい」彼がわたしの手を取って言った。

わたしは屋敷の中心にあるその放置された部屋を見まわし、長いあいだここを閉ざした彼の悲しみを理解した。ここに入れてもらえるなんて光栄だ。もしわたしの母のものがたくさんある部屋があれば、自分は誰かをそこに入れるだろうか。自分でも入る勇気があるかわからない。

ロックがクローゼットのひとつを開けた。ほとんどが虫に食われているけれど、それぞれの昔の姿が想像できる。ビーズで描いたザクロ柄のスカート。カーテンみたいに引きあげると、ステージ上の宝石でできた操り人形が現れるスカート。スカート丈と同じ高さの踊る牧神のシルエットを刺繍したものもある。わたしはいつもオリアナの優雅で豪華なドレスを感嘆して見ていたが、ここにあるものを目にすると、ドレスに対する狂おしいほどの渇望が芽生えた。このどれかを着ているロックのお母さんを見たかった。ドレスを見ていると、彼女は笑うことが好きだったのだろうなと思う。

「どれも見たことがないくらいすてきだわ。本当に着てもいいの？」

ロックは袖を払いながら言った。「少しばかり古ぼけているけどね」

「そんなことない。わたしは気に入ったわ」

牧神の刺繍入りスカートが一番ましな状態だった。ほこりを払い、古いついたての奥でそれをぐいと引きあげる。タターフェルの手を借りずに着るのは難しい。髪はどんなふうに結っていいのかわからず、そのままにしておいた。三つ編みを王冠のように頭にぐるりと巻いたスタイルだ。銀製の鏡を手でぬぐい、亡くなった妖精のドレスを着た自分を見ると、全身に震えが走った。

どうして自分がここにいるのか、急にわからなくなる。ロックはどういうつもりなのだろう？　彼がお母さんの宝石をつけさせようとしたので、わたしは断った。

「庭に出ましょう」もうこの虚ろな部屋にいたくない。

彼は持っていたエメラルドの長いネックレスをしまった。部屋を出るとき、わたしは朽ちたドレスの詰まったクローゼットを振り返った。気味悪いと思いながらも、心のどこかで、ここの女主人になるのはどんな感じか想像してしまう。王冠を戴いたデイン王子。ロックとキスした長いテーブルでおもてなしをするところ。淡緑色のワインを飲むクラスメイトたち。彼らに殺されそうになったことなどないふりをする自分。わたしの手を握るロック。そんな光景を想像せずにいられない。

想像のなかで、わたしは王のために彼らを探っている。

生け垣の迷路はオグルの身長より高く、うっそうと茂るつやつやした深緑色の葉で覆われていた。カーダンの取り巻きはここによく集まるらしい。主催者なのに遅れたロックと外に出ると、迷路の中央から彼らの笑い声が聞こえた。松葉酒の香りが漂ってくる。松明の明かりが長い影を落とし、何もかもを赤く染めていた。わたしの足取りが重くなる。

借りたドレスのポケットに手を入れ、ヴァレリアンの血がついたままのナイフを触った。ナイフ以外にも何かが指に触れる。ロックのお母さんが何年も前に入れたものだろう。引っ張りだすと、黄金のドングリだった。チェーンもついていないそれは宝飾品には見えず、かわいらしいけれど何か特別な意味があるとも思えない。わたしはそれをポケットに戻した。

ロックに手を取られ、ふたりで迷路を進んでいった。曲がり角はそれほど多くなさそうだ。ひとりで出る羽目になった場合に備えて、曲がりながら進路を記憶する。迷路の単純さに、自信よりも不安が募った。妖精国に単純なものなど少ないからだ。家ではわたし抜きの夕食が終わる頃だろう。わたしがロックとどこかに消えたことを、タリンがヴィヴィに耳打ちしているはずだ。マドックはしかめっ面で肉を突き刺しながら、稽古をさぼったわたしに立腹しているに違いない。

さぼるより、もっとひどいことをしたのだけれど。

迷路の中央に着くと、笛吹きが陽気な曲を演奏していた。白いバラの花びらが空を舞っている。晩餐用の長いテーブルを囲んだ妖精たちが飲み食いして騒いでいた。テーブルの上にあるのは、ほとんどが蒸留酒みたいだ——マンドレークの根が浮かぶリキュール、梅酒、アカツメクサを浸した透明の液体。その横には金色のネヴァーモアを入れた小瓶。

カーダンが毛布の上で横になっていた。頭を後ろにそらし、ゆったりとした白いシャツはボタンが外れている。まだ夜になってまもないのに、もう酔っ払っているらしい。口元には金色の粉。角のある女の子が彼の首筋にキスしている。淡黄色の髪をした別の女の子が、ブーツの上に出ている彼のふくらはぎに唇を押し当てていた。

ありがたいことにヴァレリアンの姿はない。わたしにやられた傷の手当てをしながら、家でおとなしくしているといいのだけれど。

ロックが小さなグラスに入ったお酒を渡してきたので、失礼にならないよう少しだけすすった。すぐにむせ返る。その瞬間、カーダンの視線がこちらに向いた。半分閉じかけているのに、その目が濡れたように輝いているのがわかる。女の子に唇をふさがれながら、彼がわたしを見つめた。彼女の手がしわくちゃのシャツの裾の下に滑りおりても、彼はわたしを見ていた。

頬が熱くなる。目をそらし、わたしを気まずくさせた満足感をカーダンに与えてしまったことに腹を立てた。気まずい姿をさらしているのは彼のほうなのに。

「虫けら団のひとりが光栄にも参加してくださったみたいね」ニカシアがさまざまな夕日色のドレスに身をまとい、わたしたちの前にふらりと現れた。そしてわたしの顔をのぞきこんだ。「双子のどちらかしら？」

「あなたが嫌ってるほうよ」彼女の愚弄を無視して答える。

その言葉に、ニカシアはわざとらしく甲高い笑い声を立てた。「あら、わたしたちがふたりのことをどう思ってるか知ったら、びっくりするんじゃないかしら」

「ぼくはもっと楽しいことをきみに約束したんだ」ロックが声をこわばらせ、わたしの肘をつかんだ。周囲にクッションが置かれたローテーブルのほうに引っ張られ、わたしはほっとしたが、行く前にニカシアをあおるように小さく手を振るのを忘れなかった。ロックが見ていないときに、渡されたお酒をこっそり芝生に捨てる。笛吹きが演奏を終えると、きらきらと金色にペイントした裸の少年がハープを取りだし、失恋を嘆く卑猥《ひわい》な歌を歌い始めた。「〝美しいレディ！　冷淡なレディよ！　あなたの無秩序がどれだけ恋しいことか。あなたの髪が、瞳が恋しい。でも何よりも、あなたの内腿に恋い焦がれてる〟」

ロックが焚き火の前で、またわたしにキスをした。みんなに見えるけれど、みんなが見ているのかどうかはわからない。なぜなら、ぎゅっと目を閉じているから。

17

目を覚ますとロックの家で、タペストリーのかかったベッドの上にいた。口のなかは梅の味がして、唇はキスの名残で腫れている。ロックが横でパーティーの服を着たまま眠っていた。わたしは起きあがろうとして動きを止め、彼を観察した。尖った耳、キツネの毛みたいな髪、柔らかい唇、無造作に投げだした長い手足。ひだ飾りに覆われた手首を枕にしている。

　昨夜の記憶がどっとよみがえる。踊り、迷路で追いかけっこした。転んで地面に手をつき、大笑いしたのを覚えている。まったく自分らしくない。着たまま眠ってしまったドレスを見おろすと、草の染みが点々と残っていた。

〝彼女の服を緑に染めるのはぼくが最初ではないけどな〟

カーダンはひと晩じゅう、わたしを見ていた。獲物に食らいつく瞬間を待ちながら泳ぎまわるサメみたいに。その瞳の焼け焦げたような黒さを、いまもまざまざと思い

描ける。わたしはカーダンを怒らせたくて、必要以上に大声で笑い、大きな笑顔を見せ、ロックと長々とキスをした。その大げさなふるまいは、妖精でさえ非難できない演技みたいなものだ。

だけどいまは、昨夜のことが長くありえない夢のように感じられる。

ロックの寝室は雑然としていて、本と服が長椅子やソファに散らかっていた。わたしは物をかき分けるようにドアへ向かい、誰もいない廊下をそっと歩いた。ロックのお母さんのほこりまみれの部屋を見つけ、ドレスを脱いで自分の服を引っ張りだす。ドレスのポケットからナイフを取り戻すとき、黄金のドングリが一緒に出てきた。とっさに両方をチュニックのポケットにしまった。昨日みたいなことはもう起こらないかもしれないから、何か記念になるもの、思い出になるものがほしかったのだ。ロックはこの部屋にあるものならなんでも借りていいと言ったから、これを借りておこう。

家を出ようと長いダイニングテーブルの横を通った。ニカシアが小ぶりのナイフでリンゴを切っている。

「髪がぼさぼさよ」彼女が切ったリンゴを口に放りこみながら話しかけてきた。

わたしは壁にかかった銀製のプレートをちらりと見たが、そこにはぼんやりとゆがんだ自分しか映っていない。それでもニカシアの言うとおりだとわかる——三つ編みの輪が頭を囲んでいる。わたしはその三つ編みをほどき、手ぐしですいた。

「ロックは寝てる」ニカシアが彼を待っているのだろうと思って言った。彼の寝室から出てきたのは自分のほうだから、ニカシアに対して優越感を覚えるだろうと思ったけれど、実際に感じたのはちょっとしたパニックだ。

どうふるまっていいのかわからない。男の子の家で起きて、彼が前につきあっていた女の子と話すだなんて、どうすればいいのだろう？　しかも彼女はたぶんわたしに死んでほしいと思っているのに、妙な話だがその事実だけが、この一連の出来事のなかで唯一当たり前のことに思えた。

「母と彼のお兄さんは、わたしたちが結婚すると思っていたわ」ニカシアはまるでわたしではなく空気に話しかけるみたいに言った。「そうなると都合がよかったんでしょうね」

「ロックと？」困惑してきいた。

わたしの質問で話を邪魔されたと思ったのか、ニカシアがいやな顔をしてこちらを見た。「カーダンとわたしのことよ。彼は物事をめちゃくちゃにするの。それが好きなのよ。物事をめちゃくちゃにするのが」

　カーダンが物事をめちゃくちゃにするのが好きなのは知っている。まさかニカシアはいまごろそのことに気づいたのだろうか。みんなの共通認識だと思っていたけれど。

　わたしはリンゴと思い出話に彼女をまかせ、王宮へ向かった。木々を吹き抜ける冷たいそよ風がわたしのほどいた髪を舞いあげ、松の香りを運んでくる。空でカモメが鳴いていた。今日は授業があるのがうれしい。家に帰ってオリアナの小言を聞かずにすむ理由があるのが。

　今日の授業は塔で行われる。一番いやな場所だ。階段をのぼって教室に入る。遅刻したのに、後部に空いている席を見つけた。タリンは教室の向こう側に座っている。彼女は眉をあげて一度こちらを見た。その横にはカーダンが緑色のベルベットの服を着て座っている。金色の糸で縁取った青色のイバラ模様の服だ。彼は椅子にだらしなく座り、木製の椅子を長い指で落ち着きなくトントンと叩いていた。

　彼を見ていると、こちらまで落ち着かない。

　ヴァレリアンが来ていないのがせめてもの救いだ。彼がもう二度と来ませんようにと願うのは高望みだとわかっているけれど、少なくとも今日はそう願った。

　新任教師はドゥルカマラという名の騎士で、王位継承のしきたりについて話していた。きたる戴冠式に備えてのテーマだろう。

わたしが力を手に入れることにも関わってくる戴冠式。デイン王子が上王になれば、彼のスパイはエルフェイムの暗部を探りまわることができる。スパイ活動を制止できるのはデインだけだ。

「王や王妃を殺害した者が王位につくことができる下宮廷もあります」ドゥルカマラが説明し、自分はターマイトの国に属しているのだと続けた。ターマイトの国はまだエルドレッドの旗下に加わっていない。

ドゥルカマラは鎧こそつけていないが、その重みには慣れっこだと言わんばかりに堂々としている。「だからこそ、マブ女王はエルドレッド上王のために特別な王冠を作らせたのです。王冠は彼女の子孫にしか継承できません。それを力ずくで手に入れるのは難しいでしょうね」彼女は意地悪そうに笑った。

もしカーダンが授業をやめさせようとしたら、この先生は彼を丸のみして骨まで砕きそうだ。

貴族の子たちは気まずそうにドゥルカマラを見ていた。噂によると、ターマイトの国の君主、ロイベン卿は大きな部隊を連れて次の上王に忠義を誓いに来るらしい。彼の部隊は、もう何年ものあいだマドック軍を寄せつけていない。ロイベン卿がエルフェイムの傘下に入れば外交戦略の快挙になるだろうと広く考えられている。この外交はマドックの意向に反してデイン王子が交渉したものだ。ドゥルカマラは戴冠式のために来たのだろう。

　下級生のラークスパーが甲高い声で質問した。「グリーンブライア一族に子どもがいなくなった場合はどうなるんですか？」

ドゥルカマラの意地悪な笑顔が優しくなる。「子孫がふたり以下になれば、王冠もその権力も崩壊します。ひとりが戴冠し、もうひとりが戴冠させないといけませんからね。そうなると、エルフェイムの同盟国はみな忠誠から自由になります。その後はどうなると思いますか？　新しい支配者が新しい王冠を作るかもしれませんよ。シーリー・コートやアンシーリー・コートとまた争うことになるかもしれないし、もしかすると、南西にあるわたしたちの宮廷の旗下にあなた方が加わることになるかもしれませんね」彼女がどの結末を望んでいるか、その笑顔が物語っていた。

　わたしが挙手すると、ドゥルカマラがこちらを見てうなずいた。「誰かが王冠を奪おうとした場合はどうなるんですか？」

カーダンがわたしをにらんだ。にらみ返してやりたいけれど、あの女の子たちに囲まれて地面に寝そべる彼の姿がどうしても浮かんでしまう。また頬が熱くなり、視線を落とした。

「おもしろい質問ですね」ドゥルカマラが返す。「伝説によると、王冠はマブ女王の子孫以外の頭にかぶせられるのを拒むそうです。でも、マブ女王の子孫はたくさんいますからね。ふたりの子孫が結託して王冠を奪おうとすれば、成立するでしょう。ただクーデターの一番危険な点は、王冠には呪いがかけられているので、それを戴く者が殺された場合、その死をもくろんだ者も死に至るということです」

わたしはバレキンの館で見つけた手紙のこと、ブラッシャー・マッシュルームのこと、その策略の弱点について思いをめぐらせた。

授業が終わると、慎重に階段をおりながら、ヴァレリアンを刺して駆け足でこの階段をおりたことを考えた。視界がかすみ、一瞬めまいがしたが、なんとかその瞬間をやり過ごす。外に出たとたん、後ろにいたタリンがわたしを木立のほうへ引っ張っていった。

「先に言っておくけど」シダの茂みに引っ張りながら話し始める。「あんたがひと晩じゅう家にいなかったことは、タターフェル以外知らないわ。あんたの一番いい指輪のひとつをあげて、何も言わないよう約束させたんだから。でも、わたしにはどこにいたか教えて」

「ロックが家でパーティーを開いたの。だからわたしも残ったんだけど——大丈夫よ、その、何も起こっていないから。キスしただけ」

　タリンが首を横に振り、栗色の三つ編みが揺れた。「信じられないわ」

　わたしはほっと息をついた。ちょっと大げさなため息だったかもしれない。「だって嘘をつく必要がある？　つきあってる相手が誰か隠しているのは、あんたのほうでしょ」

　タリンが顔をしかめる。「でも、誰かの部屋の誰かのベッドで眠るなんてキス以上のことだと思う」

　ロックが眠る横で目覚めたときの気持ちを思い出し、頰が熱くなった。自分のことから話題を変えたくて、タリンの相手をあれこれ推測してみる。「うーん、あんたのお相手はバレキン王子かもしれないわね。バレキン王子と結婚するつもり？　それとも相手はノグル先生かな。そうしたら、ふたりで星を数えて楽しめるもんね」

　タリンがわたしの腕をぴしゃりと叩いた。少しきつめに。「やめてよ。言わないって約束させられたこと、知ってるでしょ」

「痛いわね」わたしはマンテマの花を摘んで耳の後ろに飾った。

「で、彼のことが好きなの？」タリンが続ける。「本気で？」

「ロックのこと？　もちろん好きよ」

タリンに凝視され、自分が家に帰らなかったことで彼女をどれだけ心配させてしまったのだろうと思った。

「バレキンのほうがいやだわ」わたしが言うと、タリンはまさかというように目をぐるりとまわしてみせた。

家に戻ると、マドックが〝帰りは遅くなる〟と伝言を残していた。久しぶりにすることがなくて、わたしはタリンを探した。ほんの数分前に階段をのぼるところを見たのに、部屋にはいない。ベッドの上にドレスが置かれ、クローゼットが開いている。ドレスが何着か乱雑にかかっていて、彼女が目当てのものを手荒く探したことがうかがえた。

恋人に会いに行ったのだろうか？　スパイがやるように部屋を見まわし、秘密らしきものがないか探る。怪しいものは何もないけれど、化粧台の上に落ちたバラの花びらが何枚かしおれていた。

わたしは自分の部屋に行ってベッドに横たわり、昨晩のことを思い返した。ポケットに手を伸ばし、ようやく洗おうとナイフを取りだす。すると一緒に黄金のドングリも出てきた。その安っぽい飾り物をてのひらの上で転がしてみる。

金属製の頑丈なもので、きれいではある。最初はそうとしか思わなかったが、よく見ると周囲に細い線が入っていて、その部分を動かせそうだった。パズルみたいにはめられるのかも。

ねじって上部を取ろうとするも動かなかった。でも、ねじる以外にどうしようもない。あきらめて化粧台の上にポイと投げようとしたそのとき、底部に小さな穴があることに気づいた。あまりに小さくて見えないくらいの穴が。わたしはベッドから滑りおり、ピンがないか机をかきまわした。見つかったのは先端に真珠のついたピンだ。針先がドングリの穴に入るか試してみる。少し手こずったが、なんとか押しこむと、カチリと音がしてドングリが開いた。

真ん中から機械仕掛けの階段が出てきた。きらびやかな中央で小さな金色の小鳥が休んでいる。くちばしが動き、きしんだ小さな声で話し始めた。

「〝親愛なる友へ、これはリリオペからの最後の言葉です。わたしは三羽の金の小鳥を放ちます。三羽試みて、どれか一羽でもあなたの手に届くように。わたしはもう手遅れで、解毒剤をのんでも間に合いません。だから、もしあなたがこのメッセージを聞けたなら、わたしの秘密の責任と最後の願いをあなたに託します。彼を守ってください。この宮廷の危険からはるか遠くに、彼を連れだしてください。どうか彼の安全を守って。そしてわたしの身に起こったことを、絶対に本人に教えないで〟」

タターフェルがお茶をのせたトレイを持って部屋に入ってきた。のぞかれそうになったので、ドングリに手をかぶせて隠した。

彼女が出ていくと、わたしはドングリを置いてお茶を注ぎ、カップで手をあたためた。リリオペはロックのお母さんだ。このメッセージは誰かに――リリオペの親友に――彼を、つまりロックを連れだしてくれと頼んでいる。彼女は〝最後の言葉〟と言っているから、自分が死の間際にいることをわかっていたのだろう。もしかすると、ドングリはロックのお父さんに宛てたものかもしれない。ロックが陰謀に巻きこまれるくらいなら、父親と荒れ地を探検して過ごすほうがいいと考えて。

けれど、ロックはまだ屋敷にいる。三つのドングリはどれも届かなかったようだ。ひょっとすると、どれひとつ彼女の居室から持ちだされることさえなかったのかもしれない。

これをロックに渡して、どうするか彼に決めさせるべきだ。でも、バレキンの机にあったあの手紙のことが頭から離れない。あの手紙はリリオペの殺害にバレキンが関わっていることを匂わせている気がする。ロックに全部話すべきだろうか？

〝あなたがお探しのブラッシャー・マッシュルームの出所を知っています。ただそのことをあなたがどうするにせよ、決してこちらとのつながりをたどられてはなりません〟

わたしはてのひらでドングリをひねくりまわすように、あの手紙の言葉をひねくりまわした。ドングリの筋みたいに、そこにも合わせるべき道筋があるのではないだろうか。

あの文章には妙な点がある。

わたしはそれを紙に書きだし、自分が正確に覚えているか確かめた。手紙を最初に読んだときは、オーラー女王がバレキンのためにブラッシャー・マッシュルームのありかを突きとめたと言っているのだと思った。けれどブラッシャー・マッシュルームは貴重ではあるものの、この島でも自生している。現にわたしも乳の木の森で、黒い棘蜂《ブラックソーン》にまぎれてブラッシャー・マッシュルームを採取した。ブラックソーン蜂は高い木のこずえに巣を作る（ブラッシャー・マッシュルームの解毒剤はブラックソーン蜂の蜂蜜で作れるということを、最近調べて知った）。ブラッシャー・マッシュルームはその赤い汁をのまなければ危険ではない。

オーラー女王の手紙は、ブラッシャー・マッシュルームのありかを見つけたので、バレキンに送るという意味だと思っていたけれど、そういう意味ではないのかもしれない。もしかすると〝ブラッシャー・マッシュルームの出所を知っています〟は、〝あのブラッシャー・マッシュルームを誰が手配したか〟をオーラー女王が文字どおり知っているという意味かもしれない。なぜなら〝そのことをあなたがどうするにせよ〟と書いているからだ。ブラッシャー・マッシュルームを指すのなら、〝それをあなたがどうするにせよ〟と書くはず。つまり、オーラー女王はブラッシャー・マッシュルームのことを戒めているのではなく、その出所を知ったバレキンがどうするかを戒めているのだ。

ということは、バレキンがこれからデインを毒殺しようとしているわけではない。

しかもロックのお母さんの毒殺に使われたブラッシャー・マッシュルームの出所をバレキンが知ったということは、毒殺の犯人を知ったということかもしれない。その答えは、わたしが焦るあまりに見落としたほかの手紙か何かに書いてあったかもしれない。

あの館にもう一度行く必要がある。あの塔に戻る必要が。戴冠式が近づいているのだから、一刻の猶予もない。もしバレキンがデイン殺害をたくらんでいるわけではないのなら、〈影の臣下〉は勘違いしていることになる。勘違いでないにしても、バレキンはブラッシャー・マッシュルーム以外の方法を考えているということだ。

わたしはお茶をぐいと飲み干し、召使い用のお仕着せをクローゼットの奥から取りだした。髪をほどき、バレキンの館で見かけた少女たちのように雑な三つ編みにする。腿の上部にナイフを隠し、銀製の箱に入れた塩をポケットにしまう。そしてマントをつかむと、革靴で忍び歩きしながら部屋を出た。てのひらが汗ばんでくる。

初めて〈虚ろの館〉に忍びこんだときよりも多くを学んできたので、自分が冒している危険のことも以前より理解している。だからといって、神経が休まるわけではない。カーダンを罰していたバレキンのことを考えると、忍びこんだわたしを見つけた彼がする仕打ちに耐えられる自信がない。

大きく息を吸い、絶対に捕まるなと自分に言い聞かせた。

捕まらないことがスパイの本業だとローチが言っていた。情報は二の次だ。一番大切なのは、捕まらないこと。

廊下でオリアナとすれ違う。彼女に上から下までじっと見られ、マントをきつくかき寄せたくなる衝動をこらえた。彼女は熟す前の桑の実色のドレスに身を包み、髪を後ろに軽く垂らしている。尖った耳の先をきらきら光るクリスタルの耳飾りが覆っていた。それが少しうらやましい。あの耳飾りをつければ、わたしの耳の人間っぽい丸みを隠せるのに。

「ゆうべは遅かったのね」オリアナが唇を不快そうにゆがめて言った。「夕食にいなかったでしょう。お父さまはあなたと稽古をするつもりだったのよ」

「今度から気をつけるわ」そう言ったとたん、今晩もたぶん夕食までに戻れないことを思い、自分の発言を後悔する。「明日から気をつける」

「信用ならない子ね」まるで凝視すれば秘密を嗅ぎ取れるかのように、オリアナがわたしをじっと見た。「何かたくらんでいるんでしょう」

疑いの目を向けられるのにはうんざりだ。いいかげんにしてほしい。

「いつもそう思っているよね。今回だけは正解だけど」その返事で彼女を疑心暗鬼に陥れたまま、階段をおりて芝生に出た。今日は誰も見当たらない。わたしがしようとしていることを考え直すように言ってくる人は誰も。

今回はヒキガエルを使わないことにした。前回よりも慎重になっている。森を抜けていると、頭上でフクロウが弧を描くように舞うのが見えた。わたしはマントのフードをかぶって顔を隠した。

〈虚ろの館〉に着くと、戸外に積まれた薪の山にマントを隠し、台所に入った。夕食の準備ができている。若鶏にローズゼリーが塗られていて、そのカリカリの皮の香ばしさに唾が出てきておなかが鳴った。

キャビネットを開けると一ダースほどのろうそくがあった。なめした革の色で、一本一本にバレキン王子個人の紋章――三羽の笑う黒い鳥――をかたどった金色の刻印が押してある。それを九本取り、できるだけ機械的な動きで守衛たちの横を通った。ひとりがけげんな表情をする。自分のどこかが不自然なのだと思うけれど、この守衛には一度顔を見られているし、わたしの足取りも前回よりはたしかだ。

少なくとも、階段をおりてくるバレキンを見かけるまではそうだった。

彼がこちらを見る。わたしは頭を低くして歩調を変えずに進み続けることしかできなかった。目の前の部屋にろうそくを持って入ると、そこは図書室だった。

ありがたいことに、バレキンはしっかりとわたしを見たわけではなさそうだ。とはいえ鼓動は激しく、呼吸も荒くなっている。

カーダンの部屋で暖炉を掃除していた召使いの少女が、ぼんやりと本を棚に片づけていた。記憶とたがわず、ひび割れた唇、細身の体、隈のできた目。まるで水中にいるみたいに動きが緩慢だ。魔法で夢のなかにいる彼女にとっては、わたしの存在など家具同然で、なんの役にも立たないのだろう。

焦って棚を見渡したが、めぼしいものは見つからなかった。早く塔にのぼってバレキンの手紙類を調べたい。ロックのお母さんかデイン王子、あるいは戴冠式に関するものが見つかればいいのだけれど。何かわたしが見落としたものが。

でも、階段へ行くまでにバレキンがいては何もできない。

わたしはまた少女を見た。ここでの生活はどんな具合で、どんな夢を見ているのだろう？　一瞬でも逃げだすチャンスはなかったのだろうか？　少なくともわたしはゲシュのおかげで、万が一バレキンに捕まっても彼女のような運命には陥らずにすむ。

待つあいだ、千まで数えながら椅子にろうそくを積んで時間をつぶした。ようやく部屋の外をのぞく。ありがたいことにバレキンはいなくなっていた。塔に向かってすばやく階段をのぼる。カーダンの部屋の前で息をひそめるが、今日は運がいい。ドアはしっかり閉じていた。

さらに階段をのぼり、バレキンの書斎に入る。部屋じゅうに置かれたハーブの小瓶を新たな目で見た。毒性のものもあるが、ほとんどは催眠性のものだ。ブラッシャー・マッシュルームはどこにも見当たらない。彼の机に向かい、服で手をぬぐう。汗の跡を残さないよう、書類の配置を忘れないよう気をつける。

マドックからの手紙が二通あるけれど、戴冠式にどの騎士を呼ぶか、中央の玉座まわりに彼らをどのように配備するか、といった内容にすぎない。ほかの手紙も任務の割り当てに関するものや、酒宴やパーティーに関するものといったところだ。ブラッシャー・マッシュルームどころか毒物に関するものもいっさいない。リリオペのことも、殺人のことも。唯一ちょっと意外だったのは、下手くそな詩だ。デイン王子が書いた愛の詩で、相手の女性が何者なのかはわからないが、〝朝焼けのような髪色〟と〝星明かりのような瞳〟を称えられている。

それより残念なことに、デイン王子を引きずりおろすたくらみに関するものは何も見当たらなかった。バレキンが弟を殺害するつもりだとすれば、ここに証拠を残さない程度には頭がいいのだろう。あのブラッシャー・マッシュルームに関する手紙でさえ姿を消している。

ここへ来る危険を冒したのに、何も見つからないなんて。

一瞬そこに立ち尽くし、考えをまとめようとした。注意を引かずにここを出る必要がある。

使者だ。使者のふりをしよう。伝言ならいつでも領地間を行き交っている。わたしは白紙の紙を取り、片面に〝マドック〟と書いて蠟《ろう》で封をした。マッチの匂いが少しのあいだ空中に漂う。それが消えると、偽の手紙を片手に階段をおりた。

図書室を通り過ぎるとき、躊躇《ちゅうちょ》した。あの少女がまだなかにいて、本の山を機械的に棚に戻している。ほかの用事を言いつけられるまで、ずっとそうしているのだろう。倒れるまで……誰にも記憶されずに消えてしまうまで。まるで物みたいに扱われて。

彼女を置いていくことはできない。

わたしには人間の世界に戻る理由がないけれど、彼女にはあるかもしれない。ああ、これはデイン王子の信頼を裏切ることになるし、妖精国に対する裏切りでもある。そうわかっていても、彼女を置いていくことができない。

そのことに気づいて、一種の安堵《あんど》感《かん》を覚えた。

図書室に入って偽の手紙をテーブルに置く。少女は振り向きもせず、無反応だ。わたしはポケットに手を入れ、てのひらに塩を少々つかんだ。そして馬に砂糖を差しだしておびき寄せるみたいに、塩を彼女の前に差しだす。

「これを食べて」声をひそめて話しかけた。

少女が振り向くが、目は焦点が合っていない。「それは禁じられてる」久しぶりに口をきいたせいで、声がしわがれていた。「塩は禁止。それを食べちゃ――」

手で彼女の口をふさいだ。少し床に落ちてしまったが、残った塩が少女の唇に押しつけられた。

わたしはばかだ。衝動的なばか娘だ。

少女に腕をまわして図書室の奥に引きずりこんだ。彼女は叫ぼうとしたり、嚙みつこうとしたりして抵抗した。わたしの腕を引っかき、爪を皮膚に食いこませる。それでも壁に押さえつけていると、やがて彼女はがくりと力を失い、抵抗をやめた。

「ごめんね」少女を支えながらささやく。「急に思いついたの。傷つけるつもりじゃなくて、あなたを助けたいだけよ。お願い、わたしにまかせて。助けてあげるから」とうとう少女が静まり、わたしは思いきって手を離した。彼女は息をぜいぜいと切らしている。でも、叫んだりはしない。いい兆候だ。

「ふたりでここを出ましょう。わたしを信じて」

彼女は何がなんだかわからないといった表情でわたしを見た。

「何も問題ないふりをするだけでいいから」少女をしっかり立たせようとして、自分が無理なお願いをしていることに気づく。彼女は気の触れた子馬のように目をまわしていた。完全に正気を失うまで、あとどのくらいあるだろう？

それでもなるべく早く彼女をこの〈虚ろの館〉から連れだす以外、わたしにできることはない。大広間をのぞくと相変わらず無人だったので、彼女を図書室から引きずりだした。彼女は重厚な木製の階段やその上のギャラリーを初めて見るかのように、あたりを見まわしている。そこでわたしは図書室のテーブルに偽の手紙を残してきたことに気づいた。

「ちょっと待ってて。図書室に戻らないと――」

すると少女が泣きそうな声をあげ、わたしの手から逃れようとした。わたしは力ずくで彼女を引きずり、手紙を取り戻した。それをくしゃりと丸めてポケットに押しこむ。もうこれは不要だ。こんなものを守衛に見られたら、行方不明になった召使いの女の子と、その子を連れだした人間が住む館を結びつけられてしまう。「あなた、名前は？」

彼女が首を横に振る。

「思い出して」強い口調で言った。同情すべきなのに、いらいらするなんてひどい話だ。急がなくては。感傷に浸るのはやめて急がないと。

「ソフィー」少女がすすり泣くように答えた。目に涙が浮かび始める。わたしは自分がどれだけ残酷なことをしようとしているのか考えて、どんどん気が滅《め》入《い》った。

「泣いちゃだめ」できるだけ厳しい口調で命じた。きつく言って脅せば、言うことを聞いてくれるかもしれない。マドックの真似をして、命令に従わせるのに慣れている口調を装う。「泣かないで。ひっぱたくわよ」

ソフィーは首をすくめたが、おとなしくなった。わたしは手の甲で彼女の涙をぬぐってきいた。「もう大丈夫？」

返事がないので、もう会話をするのは無駄だと思い、ソフィーを台所のほうへ追いたてた。守衛の横を通らないといけない。それしか出る方法がないのだ。彼女は引きつった笑みを浮かべているが、それでも最低限の落ち着きを見せているだけましだ。表情よりも気になるのは、ソフィーがあたりをうかがわずにいられないこと。守衛のほうに向かっているときも、彼女があまりに凝視するので、ごまかしようがなかった。

わたしは適当に口実をでっちあげ、抑揚のない口調であたかも記憶した伝言を読みあげるみたいに口を開いた。「カーダン王子に同行するよう言われています」

守衛のひとりが仲間のほうを向く。「バレキン王子は気に入らないだろうな」

反応しないように努めたが、難しかった。ただそこに立って待つ。彼らが襲いかかってきたら、殺すしかない。

「よかろう」ひとり目の守衛が言った。「行け。だが、兄上がふたりとも連れて戻るよう命じているとカーダン王子に伝えるんだぞ」

なんだかいやな感じだ。

ふたり目の守衛が、ソフィーとその見開かれた目に気づいた。「何を見てるんだ？」

彼女が横で震えているのがわかった。全身ががたがた震えている。彼女が何か言ってしまう前に、わたしが口を開かないと。「カーダンさまにもっと観察力を養えと言われました」妙な命令を受けて混乱しているのだと思わせれば、ソフィーの凝視も説明がつくだろう。

ソフィーを従えて台所に入り、わたしが救わない人間の召使いたちの横を通り過ぎた。自分の軽率な行動はわかっている。ひとりだけ救っても意味があるだろうか？〝力を手に入れたら、彼ら全員を助ける方法を考えるわ〟そう自分に言い聞かせた。デイン王子が即位すれば、力を手に入れられる。

わたしは動きを緩慢に保つよう気をつけた。外に出たとき、ようやく息をつく。けれど、まだ安心するには早すぎた。カーダンが灰色の大きな斑馬に乗って、こちらに向かってきたのだ。その後ろには小型の馬に乗った少女——ニカシアがいる。彼が屋敷に着いたら、すぐに守衛がわたしたちのことを尋ねるだろう。屋敷に入ったとたん、彼は何かおかしいと気づくに違いない。

もしカーダンが先にわたしを見つけて、ことの次第を知ったら話は別だけれど。

王子の召使いをさらった罰はどんなものだろう？　見当がつかない。カラスに変身する呪いをかけられるかもしれない。そして北へ飛んで、氷の宮殿で七年過ごす生涯を七度繰り返させられる。もっとひどい罰なら、呪いなどかけられずに処刑だ。

われを忘れて走りださないよう、必死にこらえた。走ったところで、ソフィーを引きずって森までたどりつけるとは思わない。馬ですぐに追いつかれてしまう。「じっと見るのはやめなさい」わたしはソフィーを脅すように言った。思ったよりきつい口調になる。「足元を見るのよ」

「叱るのはやめて」ソフィーは言い返すが、少なくとも泣いてはいない。わたしは視線を落としたまま、彼女と腕を組んで森に向かった。

視界の片隅で、カーダンが鞍から飛びおりるのが見えた。黒い髪が風に吹き散らされている。彼がこちらのほうを見て、一瞬動きを止めた。わたしは息をのんだものの、走りはしなかった。

走ることはできない。

蹄が立てる轟音《ごうおん》も聞こえなければ、追跡も処罰も起こらなかった。カーダンは召使いがふたり森に向かうのを見ただけのようだ。わたしは大きく安堵した。たぶん、森にベリーでも摘みに行くと思ったのだろう。

森に近づくにつれ、足早になる。

そこでソフィーが膝からくずおれ、バレキンの館を振り返った。彼女の喉の奥から悲痛な声がもれる。「そんな」そう言いながら頭を振った。「そんな……まさか。ありえない。これは現実じゃないわ。ありえない」

彼女の脇の下をつかんでぐいと引きあげる。「動いて。でないと置いていくわよ。言ってることがわかる？　置いていかれたら、カーダン王子に見つかって屋敷に連れ戻されるわ」

わたしは後ろを盗み見て、彼を確かめた。馬からおり、厩に向かっている。ニカシアはまだ馬に乗ったままで、首をのけぞらせてカーダンの冗談に笑っていた。彼も笑っているけれど、いつもの冷笑ではない。物語に出てくる意地の悪い敵役には見えない。月明かりに誘われて友人と散歩する、この世のものではない男の子に見える。ソフィーが前によろけた。いま捕まるわけにはいかない。あと少しで森に着くのだから。

松葉が散らばる森に入ったとたん、わたしは大きく息をついた。ソフィーをせきたて、小川にたどりつく。彼女に小川を渡らせたが、冷たい水とぬかるみに足を取られて速度が落ちた。それでも足取りを消すためには、なんだっていとわない。

とうとうソフィーが岸辺に倒れこみ、泣き崩れた。どうすべきかわからず、歯がゆい思いで彼女を見つめる。自分がもっと同情心あふれる善人ならよかったのにと思うけれど、実際はいらついて、遅れを取れば捕まるのにと気をもんでいる。わたしは岸辺に転がる白蟻に食われた丸太に腰をおろし、彼女を泣かせたまま放っておいたが、何分経っても泣きやみそうにないので、そばに行ってぬかるんだ草むらに膝をついた。

「わたしの家まであと少しよ」言い含めるように声をかける。「あと少し歩くだけ」

「うるさいわね！」ソフィーが手でわたしを払いながら叫んだ。

いらだちが募る。彼女を怒鳴りつけ、揺さぶってやりたい。けれどもぐっとこらえ、手を握りしめて自分を抑えた。

「わかったわ」深呼吸して応える。「あまりにも急な展開だものね。だけど本当にあなたを助けたいの。妖精国から助けだしてあげられるわ。今夜にでも」

ソフィーがまた頭を振っている。「わからない。わからないの。イベント会場で男の人に会ったわ。金持ちの変わり者に雇われてエアコンのきいたテントでオードブルを配ってるから来ないかって誘われた。〝でも、何も取るなよ。取ったらぼくに千年仕えなくちゃいけない〟って言われたの」

ソフィーは口ごもったが、わたしには彼女がどんなふうに罠《わな》にかかったか見えるようだった。彼が冗談を言っていると思ったのだろう。少女は笑い、彼もほほえんだに違いない。それから彼女はシュリンプでも口にしたか、銀製の食器をポケットに隠したか――どちらにせよ同じことだ。

「大丈夫よ」わたしは言葉だけで慰めた。「もう大丈夫」

ソフィーがこちらに視線を向け、まるで初めて見るかのように自分と同じ召使いの格好をしたわたしをまじまじと観察した。何かがおかしいと気づいたようだ。「あなた誰？　ここはどこ？　わたしたちに何が起こったの？」

わたしも彼女の名前をきいたのだから、自分の名前も教えるべきだろう。「わたしはジュード。ここで育ったの。姉のひとりがあなたと一緒に海を渡って、ここから近い人間の世界の街に連れていける。街で誰かに電話して迎えに来てもらうといいわ。警察に頼んで、家族を探してもらうこともできるし。あと少しの辛抱よ」

ソフィーが考えこんだ。「これって、あの――何が起こったの？　覚えていることがあるけど、ありえない。わたしが望んだの。いいえ、望んだわけない……」

彼女の声が消え入り、わたしは何を言っていいのかわからなかった。彼女は何を言おうとしたのだろう？

「ねえ、お願いだから、これは現実じゃないって言って。これが現実だとしたら生きていけないわ」森が魔法でないと証明できたら、ほかのすべても魔法ではないと証明できるとでもいうように、ソフィーは森を見渡した。そんなふうに思うのはばかげている。だって、森にはことごとく魔法がかかっているのだから。

「行きましょう」わたしは促した。ソフィーの口ぶりが気になるけれど、気休めの嘘をついてもしかたがない。彼女は自分が妖精国にとらわれていたことを受け入れるべきだ。彼女を乗せて海を渡るためのボートがあるわけではないから。わたしに用意できるのは、ヴィヴィが魔法をかけたラグワートの馬だけ。「さあ、あと少し歩ける？」人間の世界に戻るのは早いに越したことはない。

マドックの屋敷まであと少しというところで、マントのことを思い出した。〈虚ろの館〉の戸外に積まれた薪の山に隠したままだ。また自分をののしった。ソフィーを厩に連れていき、スツールに座らせようとしたが、彼女は干し草の上に崩れ落ちた。巨大なヒキガエルを見て、わたしに対して残っていた信頼も崩れ落ちたのだろう。

「ほら、着いたわ」元気を装って言う。「姉を連れてくるから、動かないで待っていて。約束よ」

ソフィーが死にそうな顔でこちらを見た。「できないわ。耐えられない」

「耐えなさい」思っていたよりきつい口調になる。わたしは屋敷にこそこそと入り、途中で誰にも会いませんようにとはかない望みを抱きながら、できるだけすばやく階段をあがった。ヴィヴィの部屋に着くと、ノックもせずにドアを勢いよく開ける。

ありがたいことに、ヴィヴィはベッドに寝転がって手紙を書いていた。緑色のインクで余白にハートや星や顔を描いている。わたしが入っていくと、彼女は顔をあげて髪を払った。「おかしな格好してるのね」

「すごくばかなことをしちゃったの」息をはずませながら言った。

その言葉に、ヴィヴィは体を起こしてベッドから滑りおりた。「何があったの？」

「人間の女の子をさらってきたの。召使いの子よ。バレキン王子の館から。誰かに見つかる前に彼女を人間の世界に戻すのを手伝って」説明しながら、自分がどれだけ愚かなことをしたか、またしても思い知った。危険で、愚かなことを。バレキンは、喜んで愚かな取引をしようとする別の人間をまた見つけるだけだろう。

でも、ヴィヴィは小言を言ったりしなかった。「わかった。靴を履くから待って。誰かを殺したって言われるのかと思ったわ」

「なんでそんなこと思うの？」

彼女はブーツを探しながら、ふんと鼻で笑った。ブーツのひもを結びつつ、わたしと目を合わせる。「ジュード、あんた、マドックの前でずっと愛想笑いしてたでしょ。だけどわたしには、敵意で歯をむきだしているようにしか見えなかった」

返す言葉がない。

ヴィヴィは縁に毛皮をあしらった、カエルの形のボタンがついた緑色の長い上着をはおった。「その子、どこにいるの？」

「厩よ。一緒に行くから――」

ヴィヴィが首を横に振った。「絶対だめ。その服を脱がなきゃ。ドレスに着替えて、いつもどおりに夕食の席につくの。誰かに何かきかれたら、ずっと部屋にいたって答えなさい」

「誰にも見られてないわ！」

ヴィヴィが冷たい目でわたしを見た。「誰にも？　絶対にたしか？」

わたしはカーダンのことを考えた。館から出たとき、馬に乗ってこちらに向かってきたカーダン。それから守衛にも見られたし、彼らには嘘もついた。「たぶん、誰にも見られてない」そう言い直した。「誰も何も気づいてないわ」もしカーダンが気づいていたなら、わたしを逃さなかったはずだ。わたしを懲らしめる機会を逃すはずがない。

「ええ、そうでしょうよ」ヴィヴィが警告するように長い指を振る。「ジュード、危険だわ」

「一緒に行かせて」わたしは食いさがった。「その子、ソフィーっていうの。すごく取り乱してて――」

ヴィヴィがふんと鼻を鳴らす。「でしょうね」

「姉さんにはついてこないと思う。妖精に見えるから」わたしは神経が擦り切れるのを何より恐れているのかもしれない。アドレナリンが体から抜けて、自分がしでかしたとんでもないことと向きあうのが怖いのだ。でもソフィーがわたしを疑ったことを考えると、ヴィヴィの猫の目が彼女の正気を失わせることは間違いない。「姉さんは妖精だもの」

「わたしがそのことを忘れるとでも思ってるの？」

「もう行かなきゃ。わたしも行く。議論している時間はないの」

「わかった。だったら行きましょ」わたしたちは一緒に階段をおりたが、ドアから出る直前にヴィヴィがわたしの肩をつかんだ。「母さんを助けることはできないのよ。もう死んだんだから」

ひっぱたかれたみたいな気がした。

「そんなつもりじゃ――」

「そうでしょ？」ヴィヴィが詰め寄る。「母さんを助けようとしているんじゃないの？　母さんを助けられなかったから、代わりにその子を助けようと思ってるんでしょう。身代わりみたいに」

「ソフィーを助けたいだけ」わたしは姉の手を振り払った。「ソフィーのことを」

外では月が空高くのぼり、木の葉を銀色に照らしている。ヴィヴィが外に出てラグワートの茎を束ねた。「わかった。じゃあ、ソフィーのところに行きましょう」

ソフィーは最後に見たときと同じところにいた。干し草に突っ伏し、体を前後に揺らしながら、静かにひとり言をつぶやいている。わたしはほっとした。ソフィーが逃げださなかったこと、彼女を探して森をさまよう羽目にならなかったこと、バレキンの館の誰かがここを突きとめ、彼女を連れ去っていないことに。

「さあ」また元気を装ってソフィーに話しかける。「行くわよ」

「ええ」彼女は立ちあがった。顔は涙に濡れているが、もう泣いてはいない。ショック状態に見える。

「もう大丈夫だから」そう励ましたが、ソフィーは返事をしなかった。黙ってわたしについてきて、厩をあとにする。ヴィヴィはふさふさのたてがみと緑色の目を持つ二頭の痩せた子馬を従えて待っていた。

ソフィーが馬を見て、ヴィヴィに視線を移す。そして首を横に振りながら、あとずさりし始めた。わたしがそばに行くと、彼女はわたしからも離れようとした。

「まさか……。やめて。もういやよ。やめて」ソフィーが言った。

「ちょっと魔法をかけるだけよ」ヴィヴィは落ち着いた声を出したが、少し毛深い耳先と暗闇で金色に光る目を持つ誰かが話しかけているという事実は変わらない。「ほんのちょっとだけ。それがすめば、もう魔法とはおさらばよ。人間の世界に戻るの。光の世界、普通の世界よ。でも、そこに戻るにはこうするしかないの。空を飛んでいくから」

「いや」ソフィーの声がかすれている。

「じゃあ、ここから近い崖まで歩いていきましょう」わたしは言った。「そこから街の明かりが見えるわ。ボートもいくつか見えるかも。目的地が見えたら、気分も晴れるわよ」

「歩いていく時間はないんじゃない」ヴィヴィが深刻な顔をしてわたしに言う。

「そんなに遠くないもの」わたしは言葉を返した。ほかにどうしていいかわからないから。唯一考えられる選択肢は、ソフィーを殴って意識を失わせるか、ヴィヴィに魔法をかけてもらうかだ。どちらも最悪の選択。

　結局、わたしたちはラグワートの馬を従え、歩いて森を抜けた。ソフィーにもためらいはない。歩いているうちに落ち着いてきたのだろう。彼女は道すがら石を拾っていた。土を払ってすべすべした石を、いくつもポケットにしまっている。

「前の生活を覚えてる？」ソフィーに尋ねた。

彼女はうなずいてしばらく黙っていたけれど、ふとわたしを見て、奇妙にかすれた笑い声をあげた。「魔法があればいいなってずっと思ってたの。おかしいでしょ？本物のイースターのウサギやサンタクロースがいればいいのにって思っていたのよ。それにティンカーベルとか。でも、そんなのいらない。もういらないわ」

「わかるわ」わたしは返した。彼女の言っていることがわかるから。わたしも長いあいだたくさんのことを願ってきたけれど、心からの一番の願いは、これがどれひとつ本当ではありませんように、というものだった。

崖に着くと、ヴィヴィは馬にまたがり、自分の前にソフィーを乗せた。わたしはもう一頭の馬の背に跳び乗った。ソフィーが震えながら森を振り返り、こちらを見る。もう怖がってはいないようだ。まるで、最悪なことはもう終わったと信じ始めているみたいに。

「しっかりつかまって」ヴィヴィが言うと、彼女の馬が崖を蹴って空に舞いあがった。わたしの馬もあとに続く。空を飛ぶ高揚感がわき起こり、おなじみの爽快感に笑みを浮かべる。眼下には白いさざ波、前方には人間の世界の街の明かりがきらめいていて、まるで星々がまたたく不思議の国みたいだ。ソフィーも笑顔を返してくれるかと思い、彼女のほうを見た。

でも、ソフィーはこちらを見ていなかった。目をつぶっている。すると彼女が急に片方に傾き、馬のたてがみを放して落ちていった。ヴィヴィがつかもうとしたけれど、間に合わない。ソフィーは夜空を音もなく落下し、暗闇を映す海に向かっていった。

水面に当たっても、しぶきすら起こらなかった。

わたしは何も言えなかった。すべてがスローモーションのようだ。ソフィーのひび割れた唇と、その言葉を思い出す。〝ねえ、お願いだから、これは現実じゃないって言って。これが現実だとしたら生きていけないわ〟

彼女がポケットに石を詰めこんでいたのは、このためだったのだ。

わたしはソフィーの言葉に耳を貸さなかった。聞きたくなかったのだ。ただ、彼女を助けたかった。

それなのに、わたしのせいで彼女は死んだ。

18

もうろうとした気分で目を覚ました。泣きながら眠ったので目が赤く腫れ、頭がずきずきしている。昨夜のことが、熱に浮かされた悪夢のようだ。バレキンの館に忍びこみ、彼の召使いをさらったなんて信じられない。妖精国の記憶を残して生きるくらいなら、溺れ死んだほうがましだと彼女が思ったなんて、もっと信じられない。フェンネルのお茶を飲み、上着に腕を通していると、ナーボーンが部屋に来た。

「失礼します」彼が軽く会釈して言った。「すぐにジュードを呼べと――」

タターフェルが彼を追い払うように手を振った。「まだ身支度中ですよ。着替えたら階下《した》に向かわせますから」

「デイン王子がマドックさまの応接室でお嬢さまをお待ちです。どんな状態でもかまわないから連れてこいと命じられました。いやがるなら抱えてこい、と」ナーボーンは気まずそうだが、王子の命令には誰も背くことができないのは明らかだ。

おなかで恐怖心がぞわぞわと渦巻いた。ほかの人ならともかく、お抱えのスパイまでいるデインなら、わたしのしたことを嗅ぎつけても不思議ではない。どうしてそのことを考えなかったのだろう？　わたしはベルベットの上着で手の汗をぬぐった。王子の命令を無視して、行く前にズボンとブーツを履く。誰もとめだてはしない。もう充分に弱い立場なのだから、せめて体裁だけでも保つつもりだ。

デインはマドックの机の奥側の窓辺に立っていた。こちらに背を向けていたので、わたしは思わず彼のベルトにかかったナイフを注視した。重厚なウールのマントの下にはっきりと見える。わたしが部屋に入っていっても、デインは振り向かなかった。

「過ちを犯しました」彼がそこから動かないことにほっとした。見られていないほうが話しやすい。「自分の非を認めて――」

デインが振り向く。強烈な怒りをあらわにしたその顔を見て、彼がカーダンに似ていることにはっと気づいた。彼の手がマドックの机を激しく叩き、上にのっていたものが揺れる。「わたしはおまえを使うと決め、大きな恩恵を与えなかったか？　わたしの宮廷における地位を約束しなかったか？　それなのに――それにもかかわらず、おまえはわたしが教えたことを利用して、わたしの計画を壊そうというのか」

わたしは視線を床に落とした。デインはわたしをどうにでもできる。その力があるのだ。マドックでさえ、デインを止められないだろう――マドックが止めるとも思わないけれど。わたしはデインに背いただけでなく、彼にまったく関係ないものに忠誠を示してしまったのだ。人間の少女を助けるという形で。わたしは人間のように行動した。

唇を噛み、許しを請うのを必死でこらえる。口をきくこともできない。

「あの少年はそこまで重傷を負わなかったが、ナイフによっては――もっと長い刃だったら、致命傷になっていたはずだ。おまえがもっとひどい怪我を負わせようとしていたことを、わたしが知らないなどと思うなよ」

反射的に顔をあげた。あまりに驚いたせいで内心を隠すこともできない。ふたりの目が合い、気まずい数秒が流れる。わたしはデインのシルバーグレーの目を見つめ、眉間が寄って不快そうなしわが深く刻まれるさまに意識を集中した。彼が知った過ち以上にひどい悪事を危うく明かすところだったことから、気をそらすために。

「なんだ？　ばれたときの言い訳は考えていなかったのか？」デインが詰め寄る。

「わたしに塔から飛びおりさせるために、彼が魔法をかけようとしたんです」

「では、おまえに魔法がかからないことを気づかれたというわけか。最悪にもほどがある」彼が机をまわって近づいてきた。「おまえはわたしの支配下にあるんだ、ジュード・デュアルテ。わたしが襲えと命じたときしか襲ってはならない。そうでないときは自制しろ。わかったか？」

「わかりません」思わず言ってしまった。デインの言い分はおかしい。「彼の攻撃を黙って受ければよかったんですか？」

わたしがしたことを全部知ったら、デインはいま以上に激怒するだろう。

彼がマドックの机にナイフを叩きつけた。「取れ」その言葉に魔法がこめられているのを感じた。わたしの指が柄をつかむ。霞《かすみ》のようなものが襲ってきた。自分が何をしているのかわかっているけれど、わかっていない。

「このナイフを手に突き刺すよう、いまからおまえに命じる。突き刺すとき、どこに骨があって、どこに静脈が流れているのか覚えるんだ。一番ダメージが少ないところを刺せ」その声は催眠術をかけるように落ち着いたものだったが、声音とは関係なく、わたしの心臓は激しく打った。

自分の意志に反して、ナイフの切っ先の狙いを定める。それを軽く肌に当てた。準備完了だ。

デインが憎いのに準備はできている。彼が憎い。自分のことが憎い。

「やれ」彼が言うと、わたしは魔法から解き放たれた。思わず半歩さがる。ナイフを握ったまま、また自らの意志で動けるようになっていた。彼は魔法をかけるつもりじゃ——。

「わたしを失望させるな」デインが言った。

わたしは自分が許されたのではないことをただちに理解した。彼が魔法を解いたのは、許したからではない。ふたたび魔法をかけることはできるが、わたしが自分の意志で突き刺すことを促している。忠誠を示せと言っているのだ。血と骨で。わたしはためらった——ためらわずにいられようか。これはおかしい。最悪だ。こんな形で忠誠を示せだなんて。最悪の茶番だ。

「どうした？」デインが促す。わたしがこのテストに合格すると思っているのか、それとも失敗してほしいのか、よくわからない。海底に沈んだソフィーのこと、ポケットに詰めこまれた石のことを思い浮かべる。塔から飛びおりろと命じたときのヴァレリアンの満足げな顔。わたしをけしかけたカーダンの目。

彼らをしのごうとがんばってきたのに、失敗してしまった。

死ぬことを、痛みのことを、いろいろなことを恐れるのをやめたらどうなるだろう？　居場所を見つけようとするのをやめたら？

恐れる立場ではなく、恐れられる立場になる。

わたしはデインを見据えて、手にナイフを突き刺した。痛みが波のように激しく襲ってくるが、波のようには消えていかない。喉の奥で低くうなった。このことで罰を受ける義理などないと思うけれど、罰は受けるべきだ。

デインは説明しがたい虚ろな表情を浮かべ、一歩さがった。命令に従っただけなのに、まるでわたしが自分の意志でそうしたみたいに。彼が咳払《せきばら》いをした。「剣の腕前を人に悟られるな。魔法にかからないことも知られるなよ。自分の能力を隠せ。力などないふりをすることが実力の示し方だ。おまえにはそれを求める」

「わかりました」息を殺してナイフを引き抜いた。マドックの机に、予想以上に大量の血が流れる。一気にめまいを覚えた。

「拭いておけ」デインはそう言うと、口元を固く結んだ。わたしの行動に不意を打たれたものの、その驚きはおさまったようで、何か別のものに代わっている。

机を拭くものは上着の裾しかなかった。

「手を見せてみろ」わたしがしぶしぶ差しだした手を彼はそっとつかみ、ポケットから出した緑色の布で包んだ。指を曲げようとすると気絶しそうなくらい痛い。布で間に合わせに作った包帯が、もう黒く染まっている。「わたしはもう行くから、台所に行って苔を当てておけ」

わたしはうなずいた。自分の考えを言葉にまとめられない。もうこれ以上立っていられそうにないけれど、膝にぐっと力を入れ、マドックの机の表面にナイフが当たって削れた切りこみを見つめた。赤い血に染まっている。

そのとき応接室のドアがさっと開き、わたしたちを驚かせた。デインがわたしの手を放し、わたしはそれをポケットに隠した。痛みに思わずふらつきそうになる。オリアナが、湯気を立てたポットとカップを三つのせた木製のトレイを持って立っていた。柿の実の明るい色味のドレスを着ている。「デイン王子」彼女は優雅にお辞儀をした。「ジュードとふたりでお会いになっていると召使いから聞いたもので、きっと何かの間違いだろうと申しておりました。戴冠式が近づいているのですから、こんな愚にもつかない娘に貴重なお時間を割かれるのはもったいないですわ。取るに足りない娘ですもの。お時間をいただいて、この子もとまどっていることでしょう」

「そうだな」デインが口元だけでオリアナに笑いかけた。「長居してしまった」

「お帰りになる前に、どうぞお茶でも」オリアナがトレイをマドックの机に置く。

「人数分、用意しておりますから。もしジュードが何か失礼なことを――」

「いや」デインがあまり愛想がいいとは言えない調子で口を挟む。「あなたに時間のことを言われて急用を思い出した」

デインはさっさとオリアナの横を通り過ぎ、部屋から出る前に一瞬わたしのほうを振り返った。自分がテストに合格したのかどうかわからない。でもどちらにせよ、彼は以前のようにわたしを信頼してはいない。わたしがその信頼を裏切ったのだ。

それにわたしも、デインのことを前ほど信頼していない。

「ありがとう」わたしはオリアナに言った。体じゅうがぶるぶる震えている。

彼女は珍しく叱らなかった。何も言わない。オリアナが両手をわたしの肩に軽く置き、わたしは彼女にもたれかかった。バーベナの香りが鼻をくすぐる。目を閉じて、その慣れ親しんだ香りを吸いこんだ。どうしていいかわからない。慰めになるものなら、なんでもいいから寄りかかりたかった。

授業のことも、訓練のことも頭になかった。身震いしながら自分の部屋にまっすぐ戻り、ベッドに這いあがる。タターフェルが居眠りする猫を撫でるみたいに少しのあいだ髪を撫でてくれたが、やがてわたしのドレスを仕分ける仕事に戻った。今日の遅くに新しいドレスが届く予定で、戴冠式は明後日に迫っている。デインの即位を皮切りにお祭り騒ぎが一カ月続き、そのあいだに月が満ち欠けする。

あまりにも手が痛くて、苔を当てる余裕もない。わたしは手を胸にただ押し当てていた。

刺すような激痛が、ぼろぼろになった第二の心臓みたいに脈打ちながら襲ってくる。横たわることしかできず、痛みがおさまるのを待った。思考がとりとめなく行き交う。

遠方の宮廷《コート》の王族や諸公たちが、新しい上王を表敬訪問するために到着し始めていた。ナイト・コート、ブライト・コート、フリー・コートにワイルド・コート。上王の臣下と、エルフェイムと同盟を結んでいる君主たちが集まっている（なかには形ばかりの頼りない同盟もあるが）。オーラー女王が統べる海の国の廷臣たちでさえも出席予定だった。その多くが新しい上王に忠誠を誓うことになっていて、その代わりに彼の知恵と庇護をあおぐことができる。必要とあらば彼を守り、彼の仇《かたき》を討つと誓う。そうして宴を盛りあげて敬意を示すのだ。

わたしも彼らに交ざって宴に参加することになっている。一カ月間、踊り、ごちそうを平らげ、飲んで騒いで決闘するというわけだ。

それに備えて最上のドレス全部にはたきやアイロンをかけ、整えておかなければならない。タターフェルは、擦り切れた袖口をごまかすために松ぼっくりのかさで作ったカフスを縫いつけた。スカートの小さな裂け目は、木の葉やザクロの実を模したステッチで隠す。はしゃぎまわるキツネの刺繍まである。彼女は革製のダンスシューズを何十足と縫ってくれた。それを履いて踊り狂う予定なので、毎晩一足ずつ履きつぶすことになるだろう。

少なくとも、ロックがダンスの相手をしてくれるはずだ。わたしは手の痛みを忘れようと、彼の琥珀色の瞳の記憶に意識を集中させた。

タターフェルが忙しそうに部屋を動きまわるなか、わたしは目を閉じて断続的な眠りについた。目を覚ますと夜中で、体じゅう汗まみれだった。でも妙な具合に落ち着き、涙もパニックも痛みもどうにかおさまっている。手の激痛は鈍い疼痛《とうつう》になっていた。

タターフェルがいなくなっている。ヴィヴィがベッドの端に腰かけ、月明かりを浴びて、その猫のような目を黄緑色に光らせていた。

「様子を見に来たの」ヴィヴィが言った。「どんな具合かなと思ったんだけど、大丈夫なわけないよね」

片手だけで、なんとか上体を起こす。「ごめんなさい——あんなことを頼んで。やめておけばよかった。それに姉さんを危険にさらした」

「わたしは年上なのよ。自分の意志ですることを、妹にかばってもらう必要なんてない」

ソフィーが海に落ちていったあと、わたしたちは夜明けまで何時間も冷たい海に潜って彼女を呼び、何か痕跡はないかと必死で探した。暗い水のなかを泳ぎまわり、声がかれるまで彼女の名前を叫んだ。

「それでも……」

「それでも助けたかった」ヴィヴィは強い口調でわたしの言葉を継いだ。「わたしが助けたかったの。あの子を助けたかった」

「助けられなかったのが悔しい」喉の奥で言葉が詰まる。

ヴィヴィが肩をすくめた。たとえ姉妹でも、ふたりは理解しがたい形で異なるのだと改めて思う。「あんたは勇敢なことをしたの、それはいいことよ。誰でもできることじゃないんだから。わたしだって、いつも勇敢だとは言えないし」

「それって、ヘザーにすべてを打ち明けていないことを言ってるの？」

ヴィヴィはしかめっ面をしてからほほえんだ。わたしがソフィーのことより暗くない話題に切り替えたから、ほっとしたのだろう。だけどふたりの頭のなかでは、死んだ人間の女の子のこと、そして彼女の愛する人たちのことに考えが戻ってしまう。

「二、三日前、ふたりでベッドに横になっていたの」ヴィヴィが言った。「そしたら、ヘザーがわたしの耳の形を指でたどり始めた。何かきかれたら打ち明けようと思ったんだけど、彼女はすてきな形にしたのねって言っただけ。ねえ、知ってた？　耳に切りこみを入れて縫うと、治ったときに耳先が尖るから、わざとそうする人たちもいるんだって」

わたしは驚かない。ヴィヴィみたいな耳をほしがる気持ちがわかるから。これまでの人生の半分は、繊細で毛深く尖った耳先がほしいと思ってきた。

でも、わたしはヴィヴィに言わないでおいた——その耳を触ったら、誰も人工的なものだなんて思わないわ。ヘザーは姉さんに嘘をついてるか、自分に嘘をついてるかのどちらかよ、と。

「ヘザーに怖がられたくないの」ヴィヴィが言った。

わたしはソフィーのことを考えた。ヴィヴィも彼女のことを考えているのがわかる。ポケットに石を詰めこんだソフィー。海底に沈んだソフィー。ヴィヴィは昨日の出来事をそこまで気にしていないと思わせたがっているみたいだが、気にしていないわけがない。

階下からタリンの声が聞こえた。「着いたわよ！　ドレスが！　見に来て！」

ヴィヴィがベッドから滑りおり、わたしに笑いかけた。「でも、冒険だったよね。次の冒険が始まるわよ」

わたしはヴィヴィを先に行かせた。階下へおりる前に、包帯を巻いた手を手袋で隠す必要があったから。わたしは上着からボタンを引きちぎり、それを傷口に当てて、何か握ったときなどに直接圧力がかからないようにした。ボタンのふくらみが目立たないよう、祈るばかりだ。

わたしたちのドレスは、オリアナの客間にある三脚の椅子とソファの上に広げられていた。衣装がいかに完璧に仕上がったかを熱狂的に語るオリアナに、マドックが辛抱強く耳を傾けている。彼女のロングドレスはその瞳とまったく同じピンク色で、徐々に赤みを帯びている。たくさんの大きな花びらが縫いあわされたみたいに見え、長い裾《トレーン》まで連なっていた。タリンのはすごく豪華で、ガウンと胸飾り《ストマッカー》のデザインも非の打ちどころがない。その二着の横には、オークのかわいらしい上下服が並んでいた。マドックのダブレットとケープは、彼が好きな血痕のような赤色だ。ヴィヴィは裾が不ぞろいにカットされたシルバーグレーのドレスを広げ、わたしに笑いかけた。

向こう側にわたしのドレスがある。わたしがそれを持ちあげると、タリンがあっと声をあげた。

「注文したのと違うじゃない」タリンが非難するような口調で言う。まるでわたしが故意に彼女をだましたみたいに。

たしかにこのドレスは、ブランブルウェフトがわたしのために描いたデザインと違う。それはまったく別のドレスで、ロックのお母さんのクローゼットに並んでいた、突拍子もないけれどすてきな衣装を思い起こさせた。濃淡のあるロングドレスで、首元の白色が下に向かうにつれて淡い青色に変わり、足元は濃紺になっている。夕暮れどきに窓から見えるような寒々とした木々の輪郭が描かれ、星々を模して小さなクリスタルのビーズまでついていた。

想像しろと言われてもできないくらい完璧なドレスで、見ていると一瞬何もかもを忘れるほど美しかった。

「あの――これはわたしのじゃないと思う。タリンの言うとおりよ。あのデザインと似ても似つかないし」

「でも、すごくきれいよ」わたしが気に入っていないと思ったのか、オリアナが慰めるように言った。「それにあなたの名前がピンでとめてあるわ」

誰も返品しろと言わないので、わたしは安心した。こんなドレスが自分に届いた理由はわからないけれど、サイズが合うなら着てみたい。

マドックが眉をあげて言った。「みんな、すばらしく似合うだろうよ」彼は客間から出ていくとき、通りすがりにわたしの髪をくしゃっと撫でた。そんな瞬間は、わたしたちのあいだに川のように血が流れたことなどなかったみたいに思えてくる。

オリアナが手を叩いた。「あなたたち、こちらに集まって。話があるの」

わたしたち姉妹はソファに並んでオリアナの横に座り、当惑して彼女の言葉を待った。

「明日は各地から集まった貴族とたくさん会うことになるでしょう。あなたたちはこれまでお父さまの庇護下にあったけれど、ほとんどの者はそのことを知らないわ。自分たちの不利になりかねない取引や約束に誘いこまれないよう気をつけなさい。相手につけこまれるような言動も絶対にだめよ。ばかな真似をしないようにね。誰かの思うままにならないよう気をつけて」

「ばかな真似なんて絶対にしないわ」タリンが返した。わざとらしい嘘というものがあるのなら、彼女のその言葉こそ見え透いた嘘だ。

オリアナが悩ましい表情を浮かべる。「酒宴には行かせたくないんだけれど、あなたたちも参加するよう、お父さまがわざわざ指示したのよ。だからわたしのアドバイスを聞いてちょうだい。気をつけてね、どうにか行儀よくしているのよ」

これは予測しておくべきだった。またもや注意とお説教を受けることを。酒宴の場で行儀よくできないと思われているのなら、戴冠式での行儀も信用してくれないだろう。わたしたちは立ちあがり、オリアナはそれぞれの頬に冷たい唇を当てた。わたしの番は最後だ。

「分不相応なことを望んではだめよ」彼女がわたしに優しく言う。

一瞬、なんのことだかわからなかった。でもすぐにその意味に気づいて、わたしは驚愕《きょうがく》した。さっきのことがあってから、オリアナはわたしがデイン王子の愛人だと思っているのだ。

「違うわ」思わず口走る。もちろんカーダンなら、わたしが手にしているものすべてが分不相応だと言うだろうけれど。

オリアナが哀れむような表情でわたしの手を取った。

「あなたの将来を考えてのことなの」まだ優しい口調で続ける。「玉座に近い立場の者は、ほとんど味方がいないものなのよ。人間の女の子なら、なおさら味方は少ないわ」

オリアナの賢明なアドバイスに応じるようにうなずいた。わたしのことを信じてくれないのなら、話を合わせるのが一番簡単だ。真実——デインがわたしをスパイに任命したという真実よりも、わたしが彼の愛人だという発想のほうがまだ考えられるのだろう。

わたしの表情に何かを感じ取ったのか、オリアナがわたしの両手をつかんだ。傷が圧迫されて、思わず顔をしかめる。「マドックの妻になる前、わたしはエルドレッド上王の愛人だったの。ジュード、よく聞いて。上王の愛人になるのは大変なことよ。常に危険にさらされることになる。ずっと人質でいるようなものよ」

わたしはショックのあまり、呆然《ぼうぜん》とオリアナを見つめていたに違いない。彼女がこの屋敷へやってくる前は何をしていたのか、考えたこともなかった。わたしたちに対するオリアナの心配が違う意味合いを持つことに、突然気づいた――彼女はここ とはまったく異なるしきたりに従って生きていたことがあるのだ。足元の床が傾いた気がした。目の前にいる女性のことがよくわからない。ここに来る前、オリアナがどんな苦しみを経験したのか、どうしてマドックの妻になることになったのかさえ、もうわからなくなっていた。マドックのことを愛したからだろうか、それとも彼の庇護下に入るために賢い選択をして結婚したのだろうか？

「知らなかった」ばかみたいにつぶやいた。

「エルドレッドの子どもは授からなかった。でも、彼のほかの愛人のひとりがもう少しで授かるところだったの。彼女が亡くなったとき、王子のひとりが彼女を毒殺したという噂が立ったわ。王座への競争率をさげるためだけにね」オリアナが淡いピンク色の瞳でわたしを見つめる。その愛人はリリオペのことだ。「信じる必要はないのよ。でも、同じくらいひどい噂がたくさんあった。ひとつの場所に権力が集中すると、それを争ってくだらない話がいくらでも出てくるものだから。宮廷に毒物が飛び交っていないときは、醜聞が飛び交っているというわけ。あなたは王宮暮らしには向いていないわ」

「どうしてそう思うの？」オリアナの言葉は、わたしが騎士になるためのチャンスをマドックが一蹴したときの言葉と不愉快なくらい似ている。「わたしにぴったりかもしれないじゃない」

オリアナの指がまたわたしの頬を撫で、髪を後ろに払った。本来なら優しい仕草だけれど、彼女のそれは値踏みする態度だ。「あの人はあなたのお母さんをとても愛したのね。あなたたち三人に夢中だもの。わたしがあの人の立場だったら、とっくの昔にあなたたちを遠くへやってるわ」

そうだろうと思う。

「わたしの警告を無視してデイン王子のもとに行くのなら……そして彼の後継者を身ごもったら、誰よりも先にわたしに話して。あなたのお母さんのお墓にかけて、そうすると誓ってちょうだい」オリアナがわたしの首の後ろで手を休め、爪の感触にわたしはたじろいだ。「誰にも言わないで。わかった？」

「わかった」こんな約束なら、なんの問題もない。言葉に重みを持たせようと、深刻な口調で言う。「本当よ。誓うわ」

オリアナがわたしを放す。「もう行っていいわ。ジュード、ゆっくり休みなさい。起きたら戴冠式が間近ですからね、休む暇もなくなるはずよ」

わたしはお辞儀をして部屋を出た。

廊下でタリンが待っていた。とぐろを巻いた蛇の彫刻がほどこしてあるベンチに座っていた彼女は、わたしを見てさっと立ちあがった。「なんの話だったの？」

複雑な心境を振り払うように頭を振った。「オリアナが上王の愛人だったって知ってた？」

タリンが眉をあげ、愉快そうにくすっと鼻を鳴らす。「知らなかった。そのことを話してたの？」

「そんなところよ」ロックのお母さんのこと、ドングリのなかの小鳥のこと、王冠を戴くエルドレッド上王のことを考える。愛人たちを囲う彼のことが想像できない。でも妖精にしては珍しいほど大人数の子どもがいるということは、それだけの愛人がいたということだ。なのに、それはわたしの想像できる範囲を超えていた。

「へえ」どうやらタリンも想像力が足りないようだ。彼女は一瞬考えこむように眉をひそめていたが、わたしを待っていた理由をふと思い出したらしい。「ところでバレキン王子は何をしに来たのかしら？」

「バレキン王子が来てたの？」驚きのニュースをこれ以上処理できる気がしない。「この屋敷に、ここに来てたってこと？」

タリンがうなずく。「マドックと一緒に来たのよ。それで何時間もふたりで書斎にこもっていたわ」

デイン王子が帰ってから、どのくらいあとに来たのだろう？　バレキン王子の行方不明になった召使いのことを、デインが小耳に挟んでいなければいいのだけれど。手を動かすたびに傷が痛むが、動かせるだけでもありがたい。もうこれ以上の罰はごめんだ。

だけど、さっきマドックはわたしに怒っている様子ではなかった。いつもどおりというか、ご機嫌でさえあった。たぶん、ふたりは別のことを相談していたのだろう。

「おかしいわね」わたしはタリンにそう言うしかなかった。自分がスパイだと彼女に打ち明けることは禁じられているし、ソフィーのことを話す気にもなれない。

もう少しで戴冠式だと思うとうれしかった。早く始まって、何もかもを吹き飛ばしてくれたらいいのに。

その夜は服を着たままベッドでうとうとしながらゴーストを待った。もう二夜連続で訓練をさぼっている。ロックのパーティーがあった夜と、水中でソフィーを探した昨夜。ゴーストが来たら、きっと機嫌が悪いだろう。

そのことを頭の片隅に追いやり、休むことに集中した。息を吐いて、吸うことに。

妖精国に初めて来たときは不眠症になった。悪夢ばかり見ていたのだろうと思われるかもしれないが、実際はそれほどたくさん見た覚えはない。夢は現実の恐怖に対抗していたのだ。悪夢は見ない代わりに、落ち着いて休むこともできなかった。胸をどきどきさせながら朝も夜も寝返りばかり打ち、ようやく午後遅くに頭痛を伴う眠りについたとしても、それは妖精たちが起きだす時間帯だ。夢遊病患者のように屋敷の回廊をさまよい、大昔の本をぱらぱらめくったり、キツネとガチョウの駒をあちこち動かしたり、台所でチーズを焼いたりするのが習慣になった。血が染みこんだマドックの頭巾をぼんやり見つめたりもした。まるで森羅万象の答えがそこに見つかるかのように眺めていた。その頃ここで勤めていたネル・ユーサーという名前のホブが、よくわたしを見つけては部屋に連れ戻してくれた。眠れないのなら、ただ目を閉じてじっとしていればいい、と言っていた。そうすれば体だけでも休まるから。頭は休まらないにしても。

あの頃みたいに横たわっていると、バルコニーでがさがさと物音が聞こえた。ゴーストが来たのだろうと思い、そちらに寝返りを打った。音を立てるなんて幽霊《ゴースト》らしくないね、とからかおうとして、その人物がゴーストでないことに気づく。ヴァレリアンだ。曲線を描く長いナイフを片手に、辛辣な笑みを浮かべている。

「ちょっと……」あわてて上体を起こした。「なんでここにいるの？」

まるで誰かに彼が見つかるのを恐れているかのように、わたしは小声で話していた。

〝おまえはわたしの支配下にあるんだ、ジュード・デュアルテ。わたしが襲えと命じたときしか襲ってはならない。そうでないときは自制しろ〟

デイン王子はそう命じたけれど、それに従うよう魔法はかけなかった。

「ここにいて何が悪い？」ヴァレリアンが大股でこちらに近づいてくる。シャクジョウソウと焦げた毛みたいな匂いがした。金色の粉の跡が片頬に筋になって残っている。ここへ来る前にどこにいたのか知らないけれど、しらふには見えない。

「ここはわたしの家よ」ゴーストとの訓練の準備はできている。ブーツと腰にそれぞれナイフを隠し持っているが、デインの命令のことを思い出した。これ以上、彼を失望させるわけにはいかない。どちらのナイフにも手が伸ばせない。ここに、自分の部屋にヴァレリアンがいることに動揺を覚える。

ヴァレリアンがベッドに近づいてきた。持ち慣れたふうにナイフを握っているものの、使い方を練習してきたわけではないのがわかる。だって、彼は将軍の息子ではないから。「ここはおまえの家じゃない」彼が怒りに声を震わせて言った。

「カーダンの差し金でここに来たのなら、交友関係を見直したほうがいいわよ」わたしは怖くなり、やっとの思いで言った。奇跡的に声は震えていない。「わたしが叫べば廊下の守衛が駆けつけてくるわ。大きな剣を持ってね。巨大なやつよ。あんたはお友だちのカーダンのせいで殺されるってわけ」

〝力などないふりをすることが実力の示し方だ〟

ヴァレリアンはわたしの言葉を聞いていないようだ。縁が赤らんだ目をかっと見開いているが、焦点が合っていない。「おまえに刺されたとカーダンに話したら、彼はなんて言ったと思う？　いい気味だって言ったんだ」

そんなわけない。ヴァレリアンが誤解したのだろう。カーダンはきっと、わたしに隙を見せたヴァレリアンをからかっただけだ。

「なんて言ってもらえると思ったの？」驚きを隠そうとして話をそらす。「あんたは気づいてないのかもしれないけれど、あいつは最低野郎よ」

わたしを刺してやりたいと思っていることをヴァレリアンがこれまで自覚していなかったとしても、いまはもう確信しているはずだ。彼が急に動いてナイフをマットレスに振りおろす。わたしはそれを避けて転がり、床に足をついた。彼が刃を引き抜くと、羽毛が舞いあがって雪のように落ちてきた。あわてて体勢を立て直すヴァレリアンのかたわらで、わたしは自分のナイフを引き抜いた。

〝剣の腕前を人に悟られるな。魔法にかからないことも知られるなよ。自分の能力を隠せ〟

わたしの本当の能力は相手を怒らせることだなんて、デイン王子は考えてもいなかったのだ。

ヴァレリアンがまた向かってくる。酩酊《めいてい》し、激怒しているうえに、戦うことに慣れていない。とはいえ、彼は妖精だ。猫みたいに反射神経がよく、身長にも恵まれているので攻撃範囲が広い。わたしの心臓が早鐘のように脈打っている。叫んで助けを呼ばないといけない。声をあげるべきだ。

叫ぼうと口を開いたそのとき、ヴァレリアンが飛びかかってきた。わたしはバランスを崩し、叫ぶ代わりにごほっとむせた。また転がりながら、床でしたたかに肩を打つ。自分でも驚いたが、日頃の稽古の成果だろう、向かってきた彼のナイフを持つ手を蹴りあげる。ナイフが床の上を滑っていった。

「オーケー」わたしは自分たちをなだめるように言った。「オーケー」

ヴァレリアンは動きを止めない。わたしはナイフを握っているうえに、攻撃を二度もかわし、武器まで取りあげたのに、そしてわたしは前にヴァレリアンを刺したこともあるというのに、彼はしつこく喉につかみかかってきた。指が皮膚に食いこみ、口に果実を押しこまれて柔らかい果肉が歯を割って入ってきたときのことを思い出した。その果実の恐ろしい魔力に判断力を奪われ、自分が死にかけていてもどうでもいいと思いながら、果汁と果肉にむせ返ったことを思い出す。あのとき、ヴァレリアンはわたしが死ぬところを見たがっていた。いまみたいに空気を求めて苦しむわたしを。彼の瞳をのぞきこむと、あのときと同じ感情が見えた。

〝おまえはくずだ。存在してないに等しい。おまえたちの目的なんて、無意味で苦しい死を迎える前に子孫を残すことだけだろ〟

ヴァレリアンはわたしのことを誤解している。わたしはこのはかない人生を値打ちあるものにするつもりだ。

ヴァレリアンのことも、デイン王子の叱責のことも恐れるものか。この人たちをしのぐことができないなら、この人たちより悪くなってやるまでだ。

　気道をふさがれ、視界が暗くせばまってきたが、彼の胸にナイフを突き刺す前にその軌道を確かめた。心臓めがけて一気に突く。

　ヴァレリアンがごぼごぼと音を立て、わたしから転がり落ちた。わたしは胸いっぱいに空気を吸いこんだ。彼は立ちあがろうとしたが、よろめいて膝をついた。彼をぼんやり見おろしながら、ナイフの柄が胸に突き刺さっているのを見つめる。赤いベルベットのダブレットが、さらに真紅に染まっていく。

　ヴァレリアンはナイフを引き抜こうとするかのように手を伸ばした。

「だめよ」刃を抜いたら傷口が広がるだけだ。わたしは近くにあるものならなんでもいいと手を伸ばした。止血に使えそうなペチコートが床に脱いだまま置いてある。ところが彼はわたしを避けるように横向けに転がり、目もろくに開けられないのにせせら笑った。

「手当てを――」わたしが言いかけると、ヴァレリアンの小声にさえぎられた。

「呪ってやる……いいか、三つの呪いだ。おまえはおれを殺したから、その手はずっと血で汚れたままだ。死だけがおまえの仲間になる。そして――」急に咳きこみ、そこで言葉を切る。咳が止まっても、彼は動かなかった。目は半分閉じたままで、そこから生気が消えていた。
わたしは呪いに恐れおののき、叫び声を抑えるように傷があるほうの手で口を覆ったが、叫びはしなかった。ヴァレリアンが入ってきてから一度も叫んでいないのだ、いまさら騒ぎ立てるつもりはない。もう叫ぶ理由もないのだから。

一分、また一分と過ぎていくあいだ、わたしはヴァレリアンの横に座りこんだまま、もう血のめぐってこないその顔が青ざめていくのを見ていた。唇が緑がかった青色に変色していく。死に方は人間と大差ないのだ。でも、そのことを知ったら彼は悔しがるに違いない。わたしがいなければ、千年くらい生きたかもしれないのに。

手がこれまでになく痛い。戦っているときにぶつけたのだろう。

部屋を見まわし、向こう側の鏡に映る自分の姿に気づく。乱れた髪に血走った目、足元に血の海が広がる人間の女の子。

ゴーストがやってくる。彼なら遺体をどうすべきか知っているはずだ。きっと何人も殺してきただろうから。けれどもデイン王子は、彼の宮廷でかわいがられている子を刺しただけでも怒っていた。彼の戴冠式の前夜にその子を殺したとなったら、怒るどころの騒ぎではないだろう。〈影の臣下〉の人たちにだけは、このことを知られてはいけない。

そうだ、自分で遺体を隠さなければ。

何かいい案が浮かばないかと部屋を見まわしたが、たとえいっときでもヴァレリアンを隠しておける場所はベッドの下しか思いつかなかった。彼の体の横にペチコートを広げ、その上に転がす。ちょっと吐きそうだ。体はまだあたたかい。そのぬくもりを無視して彼をベッドのところまで引きずり、その下に押しこんだ。最初は手で、次に足で蹴って。

あとは血だまりだけだ。わたしはおまるの横に置いた水差しを取り、中身の一部を床板にかけて、残りで顔を洗った。拭き掃除が終わる頃には、怪我をしていないほうの手が震えていた。床に座りこみ、両手を髪にうずめた。

わたしはどうかしてる。

わたしはどうかしてる。

わたしはどうかしてる。

けれどもゴーストがバルコニーに到着したとき、彼には何も気づかれなかった。それが一番大事なことだ。

19

その夜ゴーストから教わったのは、以前タリンとふたりで宴を見物した踊り場よりもはるか高いところにのぼる方法だ。わたしたちは大広間の上の垂木のところまでのぼり、頑丈な木の梁の上に座った。梁には格子状に木の根が巻かれ、ところどころケージや桟敷の形に編まれていて、綱渡りの綱みたいに見えるところもある。下では戴冠式の準備が進んでいた。青いベルベット、鍛造した銀の色、編み模様の金色のテーブルクロスが広げられ、それぞれにグリーンブライア家の紋章——根をあらわにして王冠をかぶった、半分が白い花、半分が棘に覆われた木——が描かれている。

「デイン王子が上王に即位したら、状況はよくなると思う？」わたしはゴーストにきいた。

ゴーストがあいまいな笑みを浮かべ、残念そうに首を横に振る。「状況は変わらない。この状況が続くだけさ」

意味がよくわからなかったけれど、その妙な返事からすると、これ以上きいても無駄だろうと察した。ベッドの下に隠したヴァレリアンのことが思い浮かぶ。妖精は人間みたいには腐敗しない。時間とともに苔むしてくる遺体や、キノコが生えてくる遺体もあるという。戦場が青々とした丘に変貌したという話を聞いたこともある。部屋に戻ってみたら彼の体が根に覆われているといいのにと考えたものの、自分がそんなにラッキーだとは思えない。

ヴァレリアンの遺体のことを考えている場合じゃない。彼のことを考えるべきだ。捕まることよりも、彼のことを気にするべきなのに。

わたしたちはお仕着せを着た召使いたちの頭上を静かに移動し、誰にも気づかれずに梁を横断した。ゴーストの冷静な表情、一歩一歩巧みに進むさまを観察する。わたしは彼のやり方を真似した。バランスを取るとき以外は、傷ついた手を使わないよう気をつける。彼はわたしが手をかばっていることに気づいた様子だが、何もきかなかった。ひょっとすると、デインから聞いているのかもしれない。

「ここで待つぞ」ゴーストが言い、わたしたちは頑丈な梁の上に身を落ち着けた。

「何を待つの？」

「上王のお仕着せで変装した使者がバレキンの館から来ると聞いている。そいつが宮舎に入る前に殺すことになっている」

ゴーストは特に感情も見せずに言った。この人はどのくらいデインのもとで働いているのだろう？　デインは手にナイフを突き刺せとゴーストにも命じたことがあるだろうか？　デインはいつもそんなふうに手下を試すの？　それとも、あれは人間だけに試す特別なテストなのかもしれない。

「その使者はデイン王子を暗殺するつもりなの？」

「殺してしまえば、その目的はわからないな」

下を見ると、綿菓子にクリスタル製の高い尖塔が飾られていた。ネヴァーモアを塗ったリンゴが晩餐用のテーブルに積まれている。あれだけあれば、宮廷の半分の人を夢見心地にさせられるだろう。

わたしはその粉がついたカーダンの口を思い浮かべた。「本当にここを通るの？」

「ああ」ゴーストはそれしか言わなかった。

だからわたしたちは待った。時間が刻一刻と流れて数時間に及んでも、筋肉がこわばらない程度に身じろぎするだけで、なるべく体を動かさないようにした。これも訓練の一環だ。たぶんゴーストは、忍び歩きをしてじっと待つことがもっとも大切だと考えている。もう何度も念を押されたことだが、殺し屋と泥棒の仕事の大半は待つことらしい。彼に言わせると、一番大切なのは頭に雑念をよぎらせないこと。きっとそのとおりなのだろう。召使いたちが行き来するのを上から見ていると、考えがあちこちに飛び、戴冠式のことや溺れ死んだ少女のこと、〈虚ろの館〉から逃げるときに馬に乗って向かってきたカーダンのこと、ヴァレリアンの死に際の硬直した笑みなどを思い出してしまう。

わたしは意識を目の前のことに引き戻した。すると長くて毛のない尾を引きずった生き物が急ぎ足で来るのが見えた。一瞬、台所の召使いだと思ったが、持っているかばんがあまりに汚いし、そのお仕着せにも違和感を覚えた。バレキンの召使いのような服装ではなく、王宮のほかの召使いのものとも違う。

ゴーストをちらっと見る。

「いい勘だ。あいつを狙え」

わたしは小型のクロスボウを引き、震えないよう腕に固定した。手に汗を握る。わたしは虐殺者の屋敷で育った。このための稽古も受けている。子ども時代の一番重要な記憶は、殺害現場だ。それに今夜はすでにひとり殺している。なのに、一瞬できるかどうか躊躇した。

〝おまえは殺すという行為になじめないだろう〟

意を決して矢を放った。反動で腕が痙攣《けいれん》する。その生き物が倒れ、振りまわした腕になぎ払われて、黄金のリンゴの山が床に転がった。わたしは木の根のかたまりにぴたりとくっつき、教わったとおりに身を隠した。召使いたちが叫び、犯人を探してあたりを見まわしている。

横では、片方の口角をあげてゴーストが笑みを浮かべていた。「いまのが初めてか？」わたしがきょとんと見つめ返すと、彼がきき直した。「いままでに誰かを殺したことは？」

〝死だけがおまえの仲間になる〟

自然に嘘をつける自信がなくて、無言で首を横に振った。

「人間のなかには吐いてしまうやつもいるからな。泣きだすやつとか」わたしが吐きもしなければ泣きもしないことに、ゴーストは明らかに満足していた。「恥じることはない」

「平気よ」わたしは大きく息を吸い、新しい矢を装備した。

アドレナリンがわき起こり、なんでもこいという一種の気構えがあった。越えてはいけない線を越えた気がする。以前は自分がどこまでやれるかわかっていなかった。いまならわかる。わたしは行けるところまで行くつもりなのだ。行くべきではないところまで。

ゴーストが感心したように眉をあげる。「こういうことに向いているようだな。狙いもたしかだし、乱暴にも耐えられる」

驚いた。ゴーストは簡単に人を褒めるタイプではない。

わたしは敵よりも悪くなってやると誓った。ひと晩でふたり殺したことは、誇るべき転落だ。マドックはわたしのことを何もわかっていない。

「貴族の子の大半は我慢が足りない。それに手を汚すのをいやがるもんだ」

なんと返していいかわからない。ヴァレリアンの呪いの言葉が頭のなかに生々しく残っているいまは、とりわけ返事に詰まる。両親が殺されるのを目撃したことが、わたしのなかの何かを壊したのだろうか？　このめちゃくちゃな人生のせいで、自分は物事をめちゃくちゃにできる人間になってしまったのだろうか？　でも心のどこかで、マドックに殺戮《さつりく》の家庭で育てられたからかもしれないと思っている。わたしがこんな人間になったのは、マドックがわたしの両親を殺したからなのか、それともマドックがわたしの育ての親だからなのか……どちらが原因だろう？

〝その手はずっと血で汚れたままだ〟

ゴーストが手を伸ばしてわたしの手首をつかみ、爪の根元の青くなった半月部分を示した。振りほどく間もなかった。「手といえば、この指の変色はおまえが何をしているかを物語ってるな。青みがかった色。それに汗の匂いでもわかる。毒をのんでいるだろう」

はっとしたが、否定する理由もないのでうなずいた。

「なんでだ？」ゴーストのこういうところが好きだ。わたしをはめてお説教するつもりで質問しているわけではないから。彼はただ知りたいだけなのだ。

でも、どう説明すればいいのだろう。「人間は妖精より努力が必要なの」

ゴーストはわたしの表情をじっと観察した。「誰かに嘘を信じこまされたんだな。人間の多くが、妖精より多くのことで秀でている。そうでなければ、なんでわれわれが人間をさらってくると思う？」

彼が真面目に話していると気づくのに少し時間がかかった。「じゃあ、わたしは……」質問を言い終えることができない。

ゴーストがふんと鼻を鳴らす。「おれより秀でることができるかって？　調子に乗るなよ」

「そんなことをきこうとしたんじゃないわ」そう言い返したが、彼はにやりとしただけだった。見おろすと、標的の体は転がったままだった。そのまわりに騎士が何人か集まっている。彼らが遺体を移動させたら、すぐにこちらも移動するつもりだ。「わたしはただ敵を負かしたいの。それだけよ」

ゴーストは驚いたようだった。「そんなに敵がいるのか？」彼は貴族の子たち——しなやかな手をして、ベルベットのスカートをはいた上品な子たち——に交ざるわたしを想像しているのだろう。わたしが受けているのはちょっとした仕打ち、軽い無視、小さな意地悪くらいだろうと考えているのがわかる。

「そこまで多くはないけど」生け垣の迷路で松明に照らされて、苦々しい表情をどんよりと向けてきたカーダンのことが思い浮かぶ。「でも、手ごわいの」

騎士たちがようやく遺体を片づけ、犯人探しをする者がいなくなると、ゴーストがまた梁の上を先導した。回廊を滑るように移動し、使者が持っていたかばんに手が届く距離に来ると、ゴーストがなかに入っていた紙をくすねた。でもここにきて、あることに気づき、全身の血の気が引いた。使者は変装していた。あの生き物は雌で、尾は偽物だったけれど、あのパースニップみたいに長い鼻は本物だった。あれはマドックのスパイのひとりだ。

ゴーストはその紙をジャケットのポケットに押しこみ、森に出るまで開かなかった。読むのに頼れるのは月明かりだけだ。メモを見た彼の顔が蒼白《そうはく》になった。紙がみしみし音を立てるほど強くつかんでいる。

「なんて書いてあるの？」

ゴーストがわたしのほうに紙を向けた。十四文字の走り書き。〝このメッセージを運ぶ者を殺せ〟

「どういうこと？」気分が悪くなる。

ゴーストは首を横に振った。「バレキンにはめられた。行くぞ。急がないと」

彼がわたしを物陰に引っ張りこみ、わたしたちはそこからこっそり去った。あの使者はマドックのスパイだと思う、とわたしはゴーストに言わなかった。言わずに、自分でその謎を解こうとした。でも、ヒントが少なすぎる。

リリオペの殺害と戴冠式にはなんの関係があるのだろう？　このことにマドックはどう関わっている？　彼のスパイはバレキンのもとでも働く二重スパイだったのだろうか？　もしそうなら、あの使者はうちの屋敷から情報を持ちだしていたということになる。

「こっちの目をくらまそうとしているやつがいるな」ゴーストが言った。「そうしておいて、何か罠を仕掛けているんだ。明日は警戒しておけよ」

ゴーストはそれ以上、具体的な指示は出さなかった。自分に毒を盛るのをやめろとも言わなかった。わたしのやり方を変えろとはいっさい言わない。夜明けのあとに少しでも眠れるよう、家に送り返してくれただけだ。別れるとき、彼を引きとめて助けを求めたかった。〝大変なことをしちゃったの〟そう言ってしまいたかった。〝遺体を片づけるのを手伝って。わたしを助けて〟

人は誰しも愚かなことを求めてしまうものだ。だからといって、それを実行すべきではない。

ヴァレリアンは厩の近くに埋めることにした。放牧場からは離れたところなので、マドックの鋭い歯をした馬のなかで一番肉が好きな馬でも、遺体を掘り起こして骨までむさぼることはないだろう。

体を埋めるのは簡単ではない。それも家じゅうの者に気づかれないように埋めるのはとりわけ難しい。まずは彼をバルコニーまで転がし、下の茂みに投げ落とさなければいけなかった。それから片手だけで引きずっていく。露がおりた芝生のちょうどいい場所に着く頃には、体がこわばり、汗だくだった。夜明けの空で、起きたばかりの小鳥たちがさえずりあっている。

もう横たわる以外、何もしたくない。

でも、穴を掘る作業がまだ残っていた。

その日の午後は、睡眠不足でふらふらしながら顔にペイントを塗られ、髪を編まれ、コルセットを巻かれて締めあげられた。マドックの緑色の耳の片方には黄金の厚いイヤリングが三つ縁に並び、それぞれの指には黄金の長いかぎ爪がはめられている。彼の横にいるオリアナは咲き誇るバラみたいで、ラフカットのエメラルドが連なる仰々しいネックレスをつけていた。武器としても使えそうなくらいだ。

わたしは部屋で手の包帯を取った。思っていたより悪化してるように見える。かさぶたで覆われず、じゅくじゅくしていた。それに腫れている。わたしはようやくデインの助言に従って台所から苔を調達してくると、傷口を洗い、間に合わせの添え木代わりにボタンを当ててから包帯を巻き直した。戴冠式には手袋をはめていく予定ではなかったけれど、そうするしかない。引き出しをかきまわすと、濃紺のシルクの手袋が出てきた。

今夜、ロックに手を取られて丘をぐるりと踊りまわる自分を想像する。手をきつく握られても、顔をしかめてしまいませんように。ヴァレリアンの身に起こったことをロックに勘づかれてはならない。ロックがどれだけわたしを好きだったとしても、自分の友だちを埋めた人間にキスしようとは思わないだろう。

わたしたち姉妹は必要なものを取りに走りまわり、廊下で何度もすれ違った。ヴィヴィがわたしの宝石入れをあさっている。でも、彼女の幽霊みたいなドレスに合うものが見つからないようだ。

「本当に一緒に来るつもりなのね」わたしはヴィヴィに言った。「マドックが驚愕するわよ」

わたしはヴァレリアンに首を絞められて痣になってきた部分を隠すためにチョーカーをつけた。ヴィヴィが絡まったイヤリングをより分けようと膝をついたとき、ベッドの下を見られて拭き忘れた血痕に気づかれたらどうしようと恐怖にすくんだ。緊張のあまり、彼女の笑顔にも意識が向かない。

「みんなを警戒させたいの」ヴィヴィが言った。「それにライア王女ともおしゃべりしたいし、妖精の君主たちがいっせいに集まるのは壮観な眺めでしょうからね。あと何よりもタリンの秘密の恋人に会ってみたい。マドックがプロポーズにどう反応するか見ものだわ」

「その人が何者か全然知らないの？」いろいろなことが起こりすぎて、タリンの謎の恋人のことなどほとんど忘れていた。

「まったく知らない。あんたは？」ヴィヴィがお目当てのものを見つけた。曹灰長石《ラブラドライト》でできた玉虫色に光るグレーのイヤリングで、十六歳の誕生日にタリンからもらったものだ。三つのキスと交換に、ゴブリンの職人に作ってもらったらしい。

わたしは暇つぶしに、誰がタリンに結婚を申しこむのだろうとあれこれ考えた。彼女を引き寄せて泣かせたカーダンや、ヴァレリアンのいやな目つきを思い浮かべる。相手はバレキンじゃないのとからかったとき、タリンに叩かれたことを思い出す。でも、バレキンでないことはほぼ間違いない。頭がくらくらしてきて、ベッドに倒れて目を閉じたくなった。どうか、どうかお願い。彼らの誰でもありませんように。わたしたちの知らない、ほかの誰かいい人でありますように。

タリンが言ったことを思い出す。〝あんたは彼のことを好きになると思う〟

ヴィヴィのほうを向き、ましだと思える候補を並べ立てようとしたそのとき、マドックが部屋に入ってきた。細い銀製の鞘《さや》に入った剣を片手に持っている。

「ヴィヴィアン」マドックが小首をかしげて言った。「ジュードに話があるから、少し外してくれるか？」

「もちろんよ、お父さん」ヴィヴィは小さな嫌味をこめてそう返すと、わたしのイヤリングを持って出ていった。

マドックは少々気まずそうに咳払いをしてから、剣を差しだした。つばと柄頭の部分に装飾はないが、優美な形状だ。血抜き溝に沿って蔓模様が薄く描かれている。

「今夜はこれを身につけるといい。プレゼントだ」

わたしは小さく息をのんだ気がする。すごく、すごく、すごく見事な剣だ。

「これまで真面目に稽古をしてきたおまえにふさわしいと思ってね。作り手はこれを〝夜のとばり《ナイトフェル》〟と呼んでいたが、好きな名前に変えてもいいし、名前などいらんと思うならそれでもかまわない。使い手に幸運をもたらすと言われているが、まあ、人はどんな剣でもそんなことを言いたがるものだからな。これは家宝のようなものなんだ」

オリアナが言ったことを思い出す。〝あの人はあなたのお母さんをとても愛したのね。あなたたち三人に夢中だもの〟「でも、オークにあげなくていいの？」思わず言った。「あの子がほしがるかもしれないでしょ？」

マドックが小さく笑いかけた。「おまえはほしいと思わないのか？」

「ほしいわ」そう言わずにいられなかった。鞘から抜くと、わたしの手にあつらえたかのようにぴったりだった。完璧なバランスだ。「ええ、もちろんほしい」

「よかった。おまえにはこれを持つ権利がある。おまえの父さん、ジャスティン・

デュアルテがわたしのために作ってくれたものでね。彼こそがそれの作り手で、名づけ親でもある。だからおまえの家宝なんだよ」

わたしは少しのあいだ息をするのを忘れていた。これまでマドックが父さんの名前を口にするのを聞いたことがない。彼がわたしの両親を殺したことを、誰も話さなかった。遠まわしに触れることはあっても。

ふたりが生きていた頃の話もしないのが普通になっていた。

「父さんが作った剣……」確かめるように繰り返す。「父さんはここにいたの？……妖精国に？」

「ああ、何年間か。彼の作ったものは少ししか持っていない。そのうちのふたつを見つけて、ひとつをおまえに、もうひとつをタリンにと思ってね」マドックの表情が険しくなる。「ここでおまえの母さんは彼に出会った。そして駆け落ちしたんだ。人間の世界に戻っていった」

息を震わせながら、これまできききたくても口にできなかったことを尋ねようと勇気を振り絞った。「ふたりはどんな様子だったの？」その言葉が口をついたとたん、わたしはたじろいだ。マドックに答えてほしいかどうかもわからない。たまに母さんを憎みたくなることがあった。母さんを憎むことができたら、マドックを愛していても、大きな裏切りではない気がしたから。

それでも母さんはわたしの母親だ。母さんを唯一責められるとしたら、死んでしまったことに対して。でも、それさえ母さんの責任ではない。

マドックは化粧台の前に置いたスツールに腰かけ、悪いほうの脚を伸ばした。まるで寝る前の読み聞かせをしてくれるみたいに。「おまえの母さんは頭のいい人だった。若かったしな。わたしが妖精国に連れてきたあとは、何週間も飲んで踊り続けたよ。どんな宴でも、その場の中心になるような女性だった。

いつも一緒にいられるわけではなかった。東のほうで争いが起こっていたんでね。広大な領地を統べるアンシーリー・コートの王が上王に忠誠を誓おうとしなかったのだ。しかし家にいるときは、幸福そうな彼女に見とれたものだよ。彼女には不思議な力があって、まわりにいる者に不可能を可能に思わせることができた。わたしはそれを人間特有の力かと思っていたが、正当な評価じゃなかったといまならわかる。その力は特別なものだったんだ。彼女には度胸があったのかもしれない。魔法にも、何にもひるむ様子がなかった」

マドックは母さんのことを怒っているのだろうと思っていたけれど、そうではないらしい。怒りどころか、その声には思いもよらぬ愛情がにじみでていた。わたしはベッドの前に置いた長椅子に腰かけ、もらった剣を支え代わりにつかんだ。

「おまえの父さんは愉快な人物だった。わたしが彼のことを知らないとおまえは思っていたようだが、彼はうちに何度も来たことがあった——前の家に。ふたりに燃やされた家のことだ。三人で庭に座り、蜂蜜酒を飲んだりしたものだ。彼は子どもの頃から剣が好きだったと話していた。おまえくらいの年齢のときに、両親を説得して裏庭に初めての鍛冶場を作ったらしい。

大学には行かず、刀鍛冶の師と出会って弟子入りし、そこで美術館の学芸員助手に紹介してもらったそうだ。その人は閉館後に彼をこっそり入れて、古代の剣を間近で見せてくれた。そうして彼は腕を磨いたが、あるとき、妖精にしか作れないたぐいの剣があるとの噂を聞いて、わたしたちの国を探しに来たんだ。

この国を訪れたとき、彼はすでに腕ききの鍛冶職人だったが、この国を去ったときはさらに熟達していた。しかし彼は、妖精の秘技と一緒に妻まで盗んできたことを自慢せずにいられなかった。やがてその話がバレキン王子に伝わり、わたしの耳に入った」

父さんがマドックの人柄を知るほどちゃんと話をしていれば、彼から妻を奪ったと自慢するような愚かな真似はしなかっただろう。でも、人間の世界で暮らした経験があるわたしにはわかる。そこがどれだけエルフェイムから遠く離れているように感じるかを。年月を経て、父さんには妖精国が昔の夢みたいに思われたのだろう。

「わたしは優しさというものをあまり持ちあわせていない」マドックが続けた。「だが、おまえたちには負い目を感じている。だから自分にできる限りのことをしてやろうと誓った」

わたしは立ちあがり、マドックのところに行って手袋をはめた手で彼の顔の生気のない緑色の肌に触れた。彼が猫の目を閉じる。マドックを許すことはできないけれど、憎むこともできない。わたしたちは長いあいだ、そのまま動かなかった。やがて彼が顔をあげ、わたしの包帯を巻いていないほうの手を取り、手袋越しに甲にキスをした。

「今日を機にいろいろな状況が変わるだろう」マドックが言った。「馬車で待っている」

彼が部屋を出ていき、わたしは頭を抱えた。考えがまとまらない。それでもなんとか立ちあがり、新しい銀の剣を装着した。手にしたそれは冷たく頑丈で、まるで約束のように重かった。

20

オークがバッタみたいな緑色の服を着て、馬車の前でくるくる踊っている。わたしを見ると駆け寄ってきて、抱っこしてとせがんだかと思うと、そうされる前に馬を触りに走っていった。オークは妖精の子だ。妖精らしい気まぐれな子。

タリンはみっしりと刺繍の入ったドレスに身を包み、とてもきれいだ。ヴィヴィは淡い紫がかったグレーのドレスを着て輝いている。優雅に縫いこまれた一群の蛾は肩から飛んで胸を横切り、片側のウエストにいる別の一群に加わろうとしているように見えた。わたしは華美なドレスをまとったヴィヴィを見るのは珍しいことだと気づいた。髪をまとめあげ、少し毛深い耳につけたわたしのイヤリングがきらめいている。彼女の猫の目が薄明かりにきらりと光った。マドックにそっくりの目。このときばかりは、父娘《おやこ》で同じ目をしていると思って笑ってしまう。わたしが無傷なほうの手でタリンの手を取ると、彼女はぎゅっと握り返してきた。ふたりで共謀者らしく笑みを交

わす。

馬車に乗ると、誰かが気をきかせて食べ物のバスケットを用意してくれていた。一日じゅう、みんなちゃんとした食事をとろうなどと思いつかなかったのだ。わたしは片方だけ手袋を外して、小さなロールパンをふたつ食べた。ふんわりと軽く、舌の上で溶けてしまいそうだ。真ん中には蜂蜜漬けのレーズンとナッツが詰まっていて、あまりの甘さに感動した。マドックが黄色いチーズの厚切りと、ジンと胡椒で味つけした、まだ血のしたたる鹿肉を渡してくれる。わたしたちは手早く食事をすませた。

マドックの頭巾が前ポケットから半分出ていた。彼にとっては、国家行事に着用すべき勲章みたいなものなのだろう。

誰もほとんどしゃべらなかった。みんなが何を考えているのかはわからないけれど、わたしは自分がこれから踊らないといけないことにはたと気づいた。ダンスは大の苦手だ。学校でタリンを相手に踊るみじめな授業以外、踊る練習などしてこなかった。ゴーストとローチとボムのことを考える。バレキンのたくらみがどんなものであろうと、デインを守ろうとする彼らのことを。自分が何をすべきか、彼らを助けるにはどうすべきかわからないのがもどかしい。

〝このメッセージを運ぶ者を殺せ〟

スパイス入りのワインを飲むマドックに視線を向けた。すっかりくつろいで見える。スパイのひとりを失ったことを知らない――あるいは気にしていない――様子だ。

鼓動が激しくなる。食べ物のついた手をスカートで拭いてしまわないよう気にしていると、オリアナが手拭き用にローズミント水に浸したハンカチを配ってくれた。それをきっかけに、オークが顔を拭かれまいと逃げ始めた。車内には走るほどのスペースはないにもかかわらず、オークはわたしたちを踏みまくって予想以上に延々と逃げおおせた。

わたしは気もそぞろになり、石壁にまっすぐ突っこんで王宮に入るときも、いつもみたいに身構えることさえなかった。到着したことに気づく前に、馬車は停車しようと大揺れしていた。従者がドアを開けると、中庭全体が見渡せた。音楽と声と活気があふれている。林立するろうそくは溶けだした蠟のせいで、白蟻に食われた木みたいに見える。木々のこずえにもろうそくが掲げられ、その下で衣《きぬ》ずれの音を立てるドレスと一緒に炎が揺らめいていた。壁際に並ぶろうそくはまるで一隊の番兵みたいで、岩場に固めて配置されたろうそくも丘を明るく照らしている。

「行くわよ？」タリンがわたしに小声で言った。

「ええ」浅い息で返した。

馬車から押しあうようにして出る。オリアナが銀色の革ひも《リーシュ》を迷子防止のためにオークの手首にくくりつけた。わたしは悪くないアイデアだと思ったけれど、オークはめそめそと泣いて、抗議しようと猫みたいに地面に座りこんだ。

ヴィヴィが中庭を見まわしている。その目つきはどこか野性的だった。鼻孔までふくらんでいる。「上王に最後のご挨拶をすることになってるの？」彼女がマドックにきいた。

彼は首を軽く横に振った。「いや。忠誠を誓う順番が来たら、事前に呼ばれることになっている。それまで、わたしはデイン王子の警護につかなければならない。おまえたちは楽しんでくるといい。ベルが鳴ってヴァル・モレンが式典開始を告げたら、謁見の間に来なさい。騎士に警護をさせるから、玉座近くに場所を用意しておこう」

わたしはオリアナのほうを向いた。トラブルに巻きこまれないよう気をつけなさい、といつものお説教をされるか、王族の前では行儀よくしなさい、と新たな小言をちょうだいするかと思ったけれど、彼女は道に飛びだそうとするオークにじっとしているよう懇願するのに忙しくて、わたしたちに説教するどころではなかった。

「さあ、楽しみましょう」ヴィヴィがわたしとタリンをさらいながら言う。人込みのなかに逃げこみ、すぐにのみこまれた。

エルフェイムの王宮はごったがえしていた。同盟を結んでいないはぐれ妖精、外交特使、君主らが入り交じっている。オーラー女王の海の国から来たセルキーが、自分たちの言葉でわいわい話していた。肩から垂れる皮がマントみたいだ。ターマイトの国のロイベン卿もいる。彼は玉座を勝ち取るために自分の愛人を殺したと噂されている。架台式の長いテーブルのかたわらに立っているけれど、こんなに混みあっているのに、彼のまわりには空間ができていた。まるで誰も近づく勇気がないみたい。ロイベンの髪は塩のような色で、全身黒ずくめ、大きく曲線を描く剣を腰に帯びている。おかしなことに、彼の横には緑色の肌をしたピクシーの少女が付き添っていた。パールグレーのスリットドレスを身にまとい、編みあげブーツを履いている——明らかに人間の世界の服装だ。その少女の両脇には、ロイベンのお仕着せを身につけた騎士がふたり。ひとりは緋色《ひいろ》の三つ編みを王冠のように頭に巻きつけている。ドゥルカマラだ。授業でエルフェイムの王冠について話していた教師。

ほかにもいる。バラッドに出てくるニュー・アバロンのルー・シルバー。カリフォルニアの海岸を切り取って自分の領地にした彼女が、亡命したアルダーキングの息子セヴェリンと話している。彼が新しい上王と同盟を結びに来たのか、ロイベンと手を組むつもりなのかはわからない。セヴェリンはわたしと同じ年頃の赤毛の人間の少年を連れていた。思わずその子を観察する。彼の従者だろうか？　魔法をかけられているの？　部屋を見まわす少年の様子だけでは判断できなかったけれど、目が合ったとき、彼がにこりと笑った。

わたしはあわてて顔を背けた。

その視線の先でセルキーたちが移動し、彼らに同行する人物が見えた。灰色の肌、青い唇、くぼんだ目をした顔にかかる髪。それでもわたしにはわかった。ソフィー。溺れた船乗りをさらうという海底の人魚族の話は聞いたことがあるけれど、信じていなかった。彼女の口が動き、尖った歯が見えた。ショックで背中がぞくぞくする。

わたしはヴィヴィとタリンの後ろをよろよろとついていった。振り返るとソフィーは見えなかった。本当に彼女だったのか、確信が持てない。

いずれも黒い犬の姿をした妖精シャッグフォールとバーゲストの前を横切る。誰も彼もが大きすぎる声で笑い、激しすぎる動きで踊っていた。ゴブリンの仮面をつけた人の前を通ると、彼がそれを持ちあげてわたしにウインクした。ローチだ。

「ゆうべのことを聞いたぞ。よくやった」彼が言った。「何かおかしな点がないか、よく見張ってろよ。バレキンがデイン王子に反逆するつもりなら、式典が始まる前に行動を起こすはずだ」

「わかった」わたしは彼と少し話すために、姉たちとつないでいた手を離した。これほどの人込みなら簡単に姿を消せる。

「よし。おれもデイン王子の戴冠をこの目で見たくてね」ローチは茶色い木の葉色のジャケットに手を伸ばして銀色のフラスコ瓶を取りだすと、傾けて中身をごくごく飲んだ。「それに貴族がはしゃぎまわってばかな真似をするのも見ものだからな」

彼は灰色がかった緑色の爪をした手でフラスコ瓶をわたしに差しだした。鼻を近づけなくても、中身が刺激性の強いどろりとした液体だとわかる。「遠慮しとく」首を横に振った。

「だろうな」ローチは笑い、また仮面を引きおろした。

人込みに消えていく彼を見送りながら、わたしはひとりでにやついていた。ローチに会っただけで、ようやくここの一員になれたという感覚に満たされる。彼もゴーストもボムも正確に言うとわたしの友だちというわけではないが、彼らには好かれている気がするし、この関係をいちいち定義づけたいとも思わない。彼らといると、自分にも居場所と目的ができるのだ。

「どこにいたの？」ヴィヴィがわたしをつかまえた。「あんたもオークみたいにリーシュが必要ね。さあ、踊りに行こう」

わたしはふたりとくるくる踊りまわった。どこに行っても音楽が流れていて、軽いステップを踏みたくなる。妖精の音楽に抵抗するのは不可能だとよく言われるけれど、それは本当ではない。一度踊り始めると、音楽が鳴りやまない限り、ダンスを止めるのが不可能なのだ。そして音楽はひと晩じゅう流れ、ダンスは次から次へと続き、曲もめまぐるしく変わるので息もつけない。音楽に夢中になって、そのグループに合わせるのはすごく楽しい。もちろん、ヴィヴィは妖精なので好きなタイミングでダンスをやめられるし、わたしたちを引き戻すこともできる。だから彼女とダンスを楽しむのは、ほぼ安全だ。まあ、ヴィヴィが常に安全を心がけているとは言えないけれど。でも安全を心がけるという点では、自分も人のことをとやかく言える立場ではない。

わたしたちは手をつないでサークルダンスに加わり、跳んではねて大笑いした。その曲に呼ばれているかのように血が騒ぎ、血流まで不規則なリズムと甘い旋律に合わせているみたい。輪が崩れ、気づいたらロックの手を握っていた。目がまわるほどの速さでリードされている。

「きみはとてもきれいだ。冬の夜みたいに」

ロックがキツネの目でわたしを見おろしながら笑った。黄褐色の髪が尖った耳のまわりで巻いている。片方の耳たぶに黄金のイヤリングがぶらさがり、鏡のようにろうそくの光を反射していた。きれいなのは彼のほうだ。息をのむほどの、この世のものとは思えない美しさ。

「ドレスを気に入ってくれてうれしいわ」なんとか返した。

「きみはぼくを愛せる？」ロックが唐突にきいた。

「もちろん」どういう返事を期待されているのかわからず、笑って答える。妙な言いまわしできかれたので、否定はできない。だって、わたしは両親を殺した人のことも愛している。ということは誰でも愛せるのかも。ロックのことも愛したい。

「知りたいんだ。きみはぼくのために何をしてくれる？」

「どういう意味？」

冷たい目で謎めいたことを言うこの人は、塔の頂上のバルコニーで優しい言葉をかけてくれたロックではない。廊下を笑いながら追いかけてきたロックでもない。目の前にいるのが誰なのかわからないけれど、わたしはいま、彼に調子を狂わされている。

「ぼくのために約束を破れるかな？」彼はからかうように笑っている。

「なんの約束？」ロックにくるりと回転させられ、わたしの革靴も固い土の上でくるりとまわった。遠くで笛吹きが演奏を始める。

「どんな約束でも」彼はこともなげに言った。こともなげにできることではないのに。

「約束の内容によるわ」正直に言うと答えは〝いいえ〟だが、そんな答えは誰も聞きたくないだろう。

「愛しているがゆえに、ぼくをあきらめられる？」わたしの顔には驚きが浮かんでいたに違いない。彼がさらに身を寄せてきた。「これって、愛の試験というやつじゃないか？」

「わたし――わからないわ」この会話は彼の告白のようなものに向かっているに違いない。愛の告白か、愛の欠落の告白のどちらかに。

「ぼくを思って泣くほど、きみはぼくを愛しているかな？」首筋にささやかれ、彼の息を感じて産毛が逆立った。欲望と気まずさのおかしな組みあわせに身震いする。

「あなたが傷つけられたら泣くかってきいてるの？」

「ぼくがきみを傷つけたら泣くかってきいてるんだ」

肌がぞわぞわする。いやな感じだ。でも、言うべきことだけはわかる。「あなたに傷つけられても泣かないと思うわ。傷つけ返すでしょうね」

ダンスフロアを踊り抜けるロックの足が止まった。「たしかにきみは――」

そこで言葉が途切れ、彼が後ろを振り返った。何も考えられない。顔が熱くなる。彼が言おうとしていたことが怖い。

「お相手を替える時間だ」声がして、わたしはそこに一番会いたくない人を見た。カーダン。「ああ、きみのせりふを奪ってしまったかな?」彼がロックに言った。

カーダンの口調はよそよそしかった。わたしはその言葉を頭のなかで反芻《はんすう》したが、なんの慰めにもならない。

ロックが末の王子にわたしを譲った。そうやって敬意を示すのが当然だから。視界の片隅に、こちらを見ているタリンが映った。饗宴《きようえん》の真ん中で凍りついたようにたたずんでいる。目もまわるような弧を描きながらパートナーと踊り狂う妖精たちに囲まれ、タリンは呆然として見えた。カーダンはわたしたちのところへ来る前に、タリンにもいやがらせをしたのだろうか?

カーダンがわたしの傷ついたほうの手を取った。黒い手袋をはめた彼の体温が、シルクをつけたわたしの指先にまで伝わってくる。黒いスーツで、カラスの羽根がダブレットの上半分を覆っていた。ブーツの爪先は金属製で鋭く尖っているので、それで蹴られたらひとたまりもないだろうと意識せずにいられない。額には金属製の枝模様を編んだ冠をつけているが、少しゆがんでいる。頬には濃い銀色のペイントで筋模様が、そしてまつげに沿って黒いアイラインが引かれていた。アイラインのことを忘れて目をこすったのだろうか、左のほうだけにじんでいる。

「どういうつもり？」やっとの思いできいた。でも、まだロックのことを考えている。彼が言ったことと言わなかったことから、その意図を読み取ろうとして。「わたしのことを侮辱するつもりなら、どうぞご自由に」

カーダンが眉をあげた。「人間からの命令は受けないことにしている」そう言って、いつもの冷酷な薄笑いを浮かべる。

「あら、じゃあ、お世辞でも言うつもり？　まさかね。妖精は嘘がつけないもの」怒りたかったが、いま感じているのは感謝だった。顔はもう熱くないし、目もひりひりしていない。応戦態勢で、そのほうが不安に怯えるよりずっとよかった。本人にはそのつもりがなかったと思うけれど、ロックからわたしを連れ去ったとき、カーダンはわたしを助けてくれたのだ。

彼の手がわたしのヒップまで滑りおりた。目を細めて彼をにらむ。

「本当にぼくが憎いんだな？」カーダンが笑みを広げて言った。

「あなたがわたしを憎んでるのと同じくらいね」そう返しながら、一面にわたしの名前が書き殴られていたページを思い出す。生け垣の迷路で、酔ってわたしを見つめてきたあのまなざし。いまも同じ目でわたしを見ている。

カーダンがわたしの手を放した。「次の手合わせまでお別れだ」そう言って一礼したが、ばかにされているようにしか思えない。
おぼつかない足取りで人込みにまぎれていく彼を見送りながら、わたしはいまの会話の意味を考えていた。

ベルが鳴り響き、式典の始まりを告げた。楽隊がバイオリンとハープの手を止める。丘全体がしんと静まり返り、耳を澄ませた。やがて人々がそれぞれの場所に移動し始める。わたしは人をかき分け、上王に仕える貴族たちが集まる場所に向かった。わたしの家族がいるところへ。オリアナはすでに到着してマドックの一番優秀な騎士に付き添われ、どこか別の場所に行きたいとでも言いたげな表情で立っている。オークはリーシュを外してもらって、タリンに肩車をされていた。タリンが笑っているロックに何かささやいている。

わたしは止まった。群衆が押し寄せてくるけれど、そこに根が生えたかのように動けない。タリンがロックに身を寄せ、彼の耳の後ろではねた髪をそっとつまんだ。
その何気ない仕草に深い意味があった。なんの意味もない、と否定しようとしたけれど、ロックとの奇妙な会話を思い返すと否定することができない。だけどタリンには恋人がいて、その人が今夜プロポーズすることになっているはずだ。それに彼女はわたしとロックのことを知っているのに……わたしたちがどんな関係なのかはわからないけれど。

〝愛しているがゆえに、ぼくをあきらめられる？〟

ヴィヴィが人込みのなかから現れた。猫みたいな目を光らせ、髪がほつれて顔にまとわりついている。彼女がオークを腕に引き取ってくるくるまわり、疲れて座りこむまで遊んでいた。自分もそこに加わるべきだと思うのに、動けない。

いまはタリンに向きあえない。彼女への疑いが頭にあるいまは、まだ無理だ。

わたしは家族のもとへ向かわずにそこにとどまり、王族が玉座に集まるのを見ていた。上王は枝を編んだ玉座に座っている。重々しい王冠をかぶり、深くしわの刻まれた顔にフクロウのような鋭いブロンズ色の目を光らせている。デイン王子は父王の横で慎ましい木製のスツールに腰かけていた。真っ白なローブをはおり、手足には何もつけていない。玉座の奥に、ほかの王族たちが並んで立っている――バレキン王子、エロウィン王女、ライア王女にカエリア王女。デインの母親のタニオットまでいた。きらびやかな金色のドレスに身を包んでいる。そこにいないのはカーダンだけだ。

エルドレッド上王が立ちあがり、丘全体が静まった。「長らく余の統治が続いたが、みなに別れを告げる日が来た」彼の声が丘に響き渡る。このような大観衆の前で上王が話すのは珍しく、わたしはその声に漂う威厳と弱々しい体軀《たいく》の両方に衝撃を受けた。

「約束の地を探せという思いがわき起こったとき、初めはすぐにおさまると考えた。だが、もうその思いに逆らうことができない。今日、余は王でなくなり、旅人となる」

ここに集まった理由を全員が承知していたにもかかわらず、周囲から泣き声が聞こえてきた。スプライトがおいおいと泣きだし、山羊の頭のプーカの毛に顔をうずめている。

宮廷詩人で執事長でもあるヴァル・モレンが玉座の脇から進みでた。猫背の痩せ型で、長い髪に数えきれないくらいのピンを差し、片方の肩にハイイロガラスをのせている。彼はなめらかな木製の杖に全体重をかけるようにして寄りかかっていた。その杖の先端からつぼみが芽吹き始め、まるで生きているみたいだ。噂によると、彼は幼い頃に人間の世界からエルドレッドのベッドへおびき寄せられたらしい。仕えてきた上王がいなくなったら、どうするつもりなのだろう？

「陛下、お見送りするのは遺憾でございます」ヴァル・モレンの口から発せられる言葉には、どこか悲痛な響きがあった。

エルドレッドが両手を組むと、玉座の枝が震えてぐんぐん伸び始めた。緑色の新芽がらせん状に芽を吹き、葉が広がり、枝に沿って花のつぼみがついていく。天井の木の根がまるで蔓のように伸び、丘の地下部分にまで及んだ。リンゴの豊作を約束する、夏のそよ風さながらの香りが空気中に漂う。「余を引き継ぐ者がいる。みなのものに頼む、余を解放せよ」

集まった妖精たちが口をそろえて応じ、わたしは驚いた。「陛下を解放いたします」その言葉が周囲で反響する。

エルドレッドが国王の印であるローブを肩から外し、宝石をはめこんだ石造りの台座にはらりと落とした。続いてオークの葉の冠を額から外す。すでに肩をそびやかし、どこか待ちきれない様子だ。エルドレッドによるエルフェイムの統治は、多くの妖精たちの記憶よりも長く続いてきた。わたしは彼のことを大昔からいるように感じていたが、その長い年月が権威の象徴とともにはがれ落ちていく気がした。

「次期上王にはどなたを任命されますか？」ヴァル・モレンがきく。

「三番目の息子、デインを」エルドレッドが答えた。「息子よ、こちらへ」

デイン王子が慎ましやかなスツールから立ちあがる。彼の母親が息子を包んでいた白い衣を外すと、デインは裸だった。わたしはびっくりして目をぱちくりした。妖精国ではわりと裸体を見慣れているものの、王族のそれは見たことがない。ブロケードや刺繍の絢爛《けんらん》豪華な衣装をまとったほかのきょうだいに比べ、裸のデインは途方もなく無力に見えた。

　寒くないのだろうか。ナイフを突き刺した自分の手のことを考え、寒ければいいのにと思う。

「受諾されますか？」ヴァル・モレンが尋ねた。肩の上のハイイロガラスが黒い羽を持ちあげ、バタバタと空を揺らす。あれも式典の一環なのだろうか？

「その責務を引き受け、冠の栄誉を賜ります」デインがしかつめらしく応える。その瞬間、裸の体に何か変化が起こり、権力の象徴のようなものが現れた。「受諾します」

「夜の番人アンシーリー・コートよ、前へ。王子にお清めを」ヴァル・モレンが言った。

　図体の大きいボガンが玉座に進みでた。体は豊かな金色の毛に覆われ、曲げなければ地につきそうなくらい長い手をしている。彼女はデイン王子をまっぷたつに裂くことができそうなほど屈強に見えた。パッチワークの毛皮でできたスカートを腰に巻き、大きな手にインク入れのようなものを持っている。

　彼女が血糊で王子の左腕に長い渦模様を描き、続いて腹部、左脚へとおりていった。王子は顔色ひとつ変えない。塗り終わると、彼女は一歩さがってその不気味な手作業の成果をうっとりと眺め、エルドレッドに軽く会釈した。

「黄昏の民シーリー・コートよ、前へ。王子にお清めを」またヴァル・モレンが言った。

カバノキの樹皮のようなものに身を包んだ小柄な少年が進みでた。ぼさぼさの髪が四方八方に突きでている。背中には小さな淡緑色の羽。彼はデイン王子の右側に、バターみたいに黄色い花粉を分厚く塗っていった。

「はぐれ妖精の民シャイ・フォークよ、前へ。王子にお清めを」

次に歩みでたのは、仕立てのいい小粋なスーツを着たホブだった。彼は手にしていた泥を王子の胸の真ん中に塗りたくった。ちょうど心臓の上あたりに。

わたしは人込みのなかにカーダンの姿をようやく見つけた。おぼつかない足取りで、ワイン用の革袋を手にしている。泥酔しているようだ。彼の顔にあった銀色のペイントの筋模様を思い出し、彼の手がわたしのヒップに滑りおりたことを考える。あのときには、すでにかなり酔っていたのかもしれない。何百年に一度あるかないかの、宮廷でもっとも重要な瞬間に、カーダンが王族の一員として台座に立っていないことに、わたしは意地悪くも大きな満足感を覚えた。

彼はあとでこっぴどく叱責されるはずだ。

「装いの儀はどなたが？」ヴァル・モレンがきくと、デイン王子の姉妹と母親が順番に革の白いチュニックとズボンを着せた。襟の部分は黄金で、ハイブーツは子山羊の革だ。物語に出てくる王さまみたい。思慮深く、公明正大な統治者。垂木のところにいるゴーストと仮面をかぶったローチのことを考える。ふたりとも、誇らしい思いで見物しているだろう。わたしも彼らと同じような誇りを、デイン王子に忠誠を誓った名誉を感じていた。

　でも、彼に言われた言葉を忘れられない。〝おまえはわたしの支配下にあるんだ、ジュード・デュアルテ〟

　わたしは傷があるほうの手で銀の剣の柄に触れた。父さんが作った剣。自分は今夜から上王のスパイ、彼の宮廷の本物の一員になる。彼の敵には嘘をつき、それがうまくいかなければ、もっとひどい対処法を見つける。彼に裏切られたら……そのときはまた対処法を考えよう。

　ヴァル・モレンが杖の先で床を強く打ち、わたしは歯がガタガタ鳴るほどの振動を感じた。「戴冠の儀はどなたが？」

　エルドレッドが誇らしげな表情を浮かべた。その筋くれ立った手のなかで王冠がきらめき、まるで自ら太陽光を放つかのように輝いている。「余が戴冠させよう」

警備隊が少し配置を変えた。エルドレッドの退廷準備のためだろう。式典が始まったときよりも多くの騎士が周囲に集まっている。

上王が口を開いた。「デインよ、こちらへ。父の前にひざまずきなさい」

デイン王子が父王の前で腰を低くした。

わたしは視線をさっとタリンのほうに向けた。まだロックと並んでいる。オリアナは守るようにオークに腕をまわしていた。マドックの部下のひとりが彼女の耳に何かささやき、出入り口を示した。オリアナがヴィヴィに何か言って出入り口へ向かう。タリンとロックもついていった。わたしは歯を食いしばり、彼らのもとへ行こうと人をかき分け始めた。いるべき場所にいないだなんて、カーダンみたいな不始末をしでかしたくない。

そのとき、ヴァル・モレンの声がわたしの思考を邪魔した。「ではエルフェイムの民よ、あなた方はデイン王子を上王として迎えますか？」

群衆が叫び声をあげ、口々に言う。「迎えます」

わたしの視線が玉座を囲む騎士たちに向かった。過去生では、わたしもあの騎士のひとりだったのかもしれない。そんなことを考えながら彼らを見ていると、数人の見知った顔に気づいた。マドックの右腕である指揮官たちがいる。忠実な戦士たちだ。

いつもの軍服姿ではない。輝く甲冑《かっちゅう》の上にグリーンブライア家のお仕着せを着ている。たぶんマドックは用心しているだけだろう。自分の一番の部下たちを念のために置いているだけだ。でも、わたしは自分が殺したスパイのことを思い出した。人をばかにするようなメッセージを運んでいたあのスパイも、マドックに仕えていた。それにオリアナとオーク、姉さんたちの姿がない。玉座の警備が厚くなると同時に、マドックの部下に連れられて退出してしまった。

〝われわれ家族の将来については、ちゃんと計画がある〟

ローチを見つけないと。ゴーストはどこ？　何かがおかしいことをふたりに伝えるべきだ。

〝百戦錬磨の戦略家は虎視眈々と好機を狙うものだからな〟

ゴブリンの三人組とトロル、妖精スティル・フォークをかき分ける。妖精スプリガンに怒鳴られたけれど、気にしていられない。戴冠式が終わろうとしている。ゴブレットと大ジョッキに祝い酒が注がれていた。

玉座では、バレキンがほかのきょうだいから離れていった。一瞬、それも式典の一環かと思った――彼が長く薄い剣を抜くまでは。あのむごい打ちあいでカーダンが使っていた剣だ。わたしは動きを止めた。

「兄上」デイン王子が牽制《けんせい》する。

「わたしは認めない」バレキンが言った。「王冠を賭けて決闘を申しこむ」玉座の周囲で騎士たちが剣を抜くのが見えた。

けれどエロウィンも、エルドレッドも……ほかの誰も、ヴァル・モレンもタニオットもライアも剣など持っていない。カエリア王女だけが胴着《ボディス》からナイフを取りだしたが、あまりに小さくて役に立ちそうもなかった。

わたしは自分の剣を抜きたかった。でも、人に押されて身動きできない。

「バレキンよ」エルドレッドが険しい声で言った。「息子よ、この上宮廷で下宮廷のようなふるまいをするでない。われわれは血で血を洗う一族ではないぞ。兄弟で決闘したところで、ふさわしくない額に王冠を授けるつもりはない。父の決断を受け入れなさい。この国の民の前でぶざまな姿をさらすでない」

「これは兄弟の問題だ」バレキンはデインに向かって言った。父王が口を開いたことさえ認めるつもりはないらしい。「ここにはもう上王はいない。われわれと王冠だけだ」

「わたしには争う必要などない」デインは、玉座に隙間なく集まって指令を待つ騎士たちに身ぶりで促した。マドックもそのなかにいるはずだが、ここからは遠くてよく見えない。「それに兄上など相手にする価値さえない」

「では、これでも気はとがめぬか」バレキンが二歩進んで片腕を突きだした。腕を出した先には目もくれず、剣の切っ先をエロウィンの喉元に突きつける。誰かが絶叫し、全員があとに続いた。一瞬、傷は肌をかすめた程度に見えたが、すぐに血が噴きだし、赤い川のように流れた。エロウィンが前によろめき、手で、そして膝で自分を支えようとする。金色の衣装もきらめく宝石も緋色に沈んだ。

バレキンの剣は無造作にも見える所作でひと振りされただけなのに、あまりにもあっけなかった。

エルドレッドが手をあげた。根を伸ばし、玉座の小枝に花を開かせたみたいに魔法で制止するつもりだったのだろう。でも、彼の力は失われていた。王位とともに手放したのだ。魔法は起こらず、玉座に芽吹いた花が茶色くしおれていく。

ヴァル・モレンの肩にいたカラスが羽ばたき、カアカア鳴きながら、垂木からさがる木の根のほうに飛んでいった。

「警護につけ」デインが、当然従われるものと信じている口調で命じた。けれど、騎士の誰ひとりとして玉座に向かわない。彼らはいっせいに王族に背を向け、群衆に剣を示した。この騒動が起こるのを容認しているのだ。バレキンが謀反を起こすのを。

これがマドックの計画だったなんて信じられない。デインは彼の友人なのに。デインは彼と戦略を練ってきたのに。上王に即位したあかつきには、デインはマドックに報酬を与えるはずだった。

群衆が押し寄せてきて、わたしは流されていった。全員が動き、その地獄絵図を近くで見ようとする者と、そこから離れようとする者で押しあっている。ターマイトの国の君主の塩頭が争いの現場に向かおうとしているのが見えたが、従者の騎士たちに引きとめられている。わたしの家族の姿はない。カーダンを探したけれど、彼も人込みにまぎれてしまった。

すべてがめまぐるしく展開している。カエリア王女が上王のもとに駆けつけた。武器にもならない小型のナイフを勇敢にも掲げている。タニオットがエロウィン王女の体に覆いかぶさるようにして、ドレスのスカートで止血を試みていた。

「父上、どうされますか？」バレキンが促した。「弟よ、言いたいことは？」

物陰から二本の矢が放たれ、バレキンの脇腹に命中した。彼が前によろめく。ダブレットの生地が破れたが、その下で金属がきらりと光った。甲冑だ。わたしはゴーストを探して垂木を見あげた。

わたしも彼と同じくデインの手下。デインのもとに駆けつけるのが任務だ。わたしはまた人込みを押し分けて進んだ。まるで自分に物語を読み聞かせるように、現状の混乱とは正反対の輝かしい物語を作りあげ、未来の自分を頭のなかで描くことができた。未来の自分はどうにかデインのもとに駆けつけ、彼の忠実な護衛が到着するまで、バレキンの謀反に対抗してデインを守るのだ。わたしはわが王と裏切り者たちのあいだに立ちはだかる英雄になる。

でも、マドックのほうがわたしより先にそこに駆けつけた。

ほんの一瞬、安堵の息をつく。彼の指揮官たちは買収されたのかもしれないが、マドックだけは絶対に――。

ところがマドックは剣を思いきりデインの胸に突き刺した。あまりの勢いに、剣先が背中から突きでている。マドックはそれをぐいと引きあげ、胸郭を割いて心臓を貫いた。

わたしは固まり、また群衆に囲まれた。体が石のように動かない。

白い骨と濡れた赤い筋肉がちらりと見えた。デイン王子が……もう少しで上王に即位するはずだったデイン王子が、宝石をちりばめた赤いマントの上に倒れた。噴きだした血が宝石とごちゃまぜになって、見分けがつかなくなる。

「反逆者どもめ」エルドレッドがつぶやいたが、その声は広間に大きく反響した。広間を駆け抜けて響き渡ったかのように。

マドックが動きを止め、まるで気の進まない任務を果たしていると言わんばかりに口元を引き結んだ。彼はあの赤い頭巾をかぶっていた――ここに来るとき、ポケットに突っこまれていた頭巾、わたしが武器庫でよく眺めていた頭巾だ。今夜また新しい血に浸すのだろう。また新たな血が染み渡るのだ。マドックがこれを誰かの指令に従って実行しているとは思えない。

マドックはバレキンと組み、デインのスパイたちを惑わせていたのだ。自身の指揮官たちを配備し、王族を孤立させて、彼らに味方しそうな者から引き離した。マドックは誰も予期せぬタイミングで反逆に出るようバレキンに勧めたのだろう。王冠にかけられた死の呪いを成就させない唯一の方法まで考え抜いて、それが誰の頭にもないときを狙えとそそのかした。マドックのことだ、彼がこの反逆を計画したに違いない。マドックはエルドレッドを裏切り、デインは死に、わたしの希望やデインとの計画はことごとく消えうせた。

〝戴冠式では何が起こってもおかしくない〟

バレキンは憎たらしいほどに満足して見えた。「王冠をよこせ」

エルドレッドが手にしていた王冠を落とした。王冠が床を少し転がる。「それが望みなら自分で取るがいい」

カエリア王女がすさまじい声をあげている。ライア王女は慄然として群衆を見つめていた。ヴァル・モレンはエルドレッドの横で、その詩人らしい細面を蒼白にしている。玉座は騎士たちに取り囲まれ、修羅の舞台と化していた。演者が全員、血みどろの結末を迎える運命にある舞台。

マドックは血に染まった手袋をしていた。わたしはそこから視線をそらせなかった。

バレキンが王冠を取りあげた。黄金のオークの葉がろうそくに照らされてきらりと光る。「父上、あなたは長らく王座をおりようとしなかった。あなたは衰えた。裏切り者たちが小さな領地を制覇するのを、そして下宮廷が権力をはせるのを見逃し、はぐれ妖精が好き勝手するのを放置してきた。デインとて、同じだったはずだ。陰謀の裏でおどおど隠れる臆病者だからな。だが、わたしは流血を恐れない」

エルドレッドは何も言わなかった。王冠に手を伸ばすことも、武器を取ることもしない。彼はただ待っていた。

バレキンがタニオットを連れてこいと騎士に命じた。鎧をつけた女騎士が玉座にのぼり、いやがるタニオットをつかむ。彼女は頭を振ってもがき、その黒く長い角が騎士の肩を傷つけた。それでも騎士は動じない。抵抗などものともしない。騎士はたくさんいる。さらにふたりの騎士が歩みでると、抵抗はやんだ。

バレキンが父王の前で仁王立ちになった。「わたしが上王だと宣言してください。わたしの頭に王冠を授けてくだされば、もうここから立ちのいてもらってかまわない。あなたは無傷で自由になれる。わたしの姉妹も保護される。あなたの愛人――タニオットも生かしておきましょう。断れば、彼女を殺す。みなの目の前で殺し、彼らはあなたがそれを容認したと考えます」

マドックを見ると、階段のところで指揮官のひとりに小声で話していた。わたしたちと食事をともにし、オークをからかって笑わせていたトロルの指揮官だ。あのときはわたしも一緒に笑った。けれどもいまは手が震え、全身がぐらぐら揺れている。

「バレキンよ、おまえが誰の血を流そうと、決してエルフェイムは治めさせない」エルドレッドが言った。「おまえは王冠にふさわしくない」

わたしは目を閉じ、オリアナの言葉を思い出した。〝上王の愛人になるのは大変なことよ。常に危険にさらされることになる。ずっと人質でいるようなものよ〟

タニオットは潔く死と向きあった。微動だにしない。まるでもう物語の世界に旅立ったかのように、彼女の物腰には威厳とあきらめがあった。手はぎゅっと組まれている。騎士のひとり――肩を傷つけられた女騎士――が残酷な刃をひと振りして首を切り落としたときも、タニオットは声ひとつあげなかった。彼女の角の生えた頭が少し転がって、デインの屍《しかばね》にぶつかる。

わたしは顔に何か濡れたものが当たるのを感じた。雨みたいな何かが。

妖精のなかには殺しを喜ぶ者がたくさんいるし、騒ぎを喜ぶ者はもっとたくさんいる。人を酔わせる狂気のようなもの、さらなる虐殺への渇望のようなものが群衆を襲っている気がした。彼らが充分すぎる満足を覚えることになるかもしれない、と不安になった。ふたりの騎士がエルドレッドを取り押さえた。

「同じことは言わない」バレキンが口にした。

けれどもエルドレッドは笑っただけで、バレキンに突き刺されたときも笑っていた。エルドレッドはほかの者たちみたいに倒れなかった。傷口から血が噴きだすのではなく、赤い蛾の一群が流れるように空へ飛び立った。蛾は一瞬で飛び立ち、気がつくとエルドレッドの体は消えていた。赤い蛾の一群は、まるで柔らかなそよ風が起こす竜巻のように大きなかたまりとなって、空を旋回している。

どのような魔法で蛾が現れたのかは謎だが、その姿は長くとどまらなかった。蛾は次々と落下し始め、茶色い枯れ葉みたいに玉座に散らばった。エルドレッド上王は異様な死をとげた。

玉座は死体と血で埋もれていた。ヴァル・モレンが膝をついている。

「妹たちよ」バレキンが大股で王女たちに近づいた。声の傲慢さはやや薄れ、気味悪い猫撫で声になっている。目覚めたくない悪夢のさなかにいる男のような声音だ。

「どちらが戴冠の役を引き受ける？　生き延びたい者は？」

　わたしは母さんに逃げるなと言ったマドックのことを考える。

　カエリア王女が歩みでて、握っていたナイフを落とした。黄金のストマッカーと青いスカートをまとい、ふんわりした髪にベリーの冠をつけている。

「わたしが引き受けるわ。もう充分です。あなたを上王にするけれど、あなたが残した汚点は永遠にあなたの統治につきまとうでしょう」

〝絶対《ネバー》に〟と〝永遠《フォーエバー》に〟は似ている――カーダンがそう言っていた。よりにもよってこんなときにカーダンの言葉を思い出した自分に腹が立つ。残虐なバレキンではあるけれど、そして彼の統治による避けがたい恐怖は目に見えているけれど、カエリア王女が折れたことを、わたしは心のどこかで喜んでいた。少なくとも、この惨劇が終わるから。

　そこへ一本の矢が垂木の陰から――バレキンを狙った矢とはまったく別の方向から放たれた。矢がカエリア王女の胸を射る。彼女は目を見開き、両手を胸の上で震わせた。まるで傷口を見せるのは慎みがないことで、それを隠そうとでもするかのように。そして彼女は白目をむき、息をつくこともなく倒れた。失望の声をあげたのはバレキンだった。マドックが部下に命じながら天井を指さしている。部下たちがわらわらと階段をあがっていった。淡緑色の羽を持った部下が何人か、剣を抜いて舞いあがっていく。

彼が殺したのだ。ゴーストがカエリアを。

わたしはもっと血を流せと叫ぶ妖精スルーアの横をすり抜け、やみくもに玉座へ向かった。そこに行って何をするつもりか自分でもわからない。

ライアがカエリアのナイフを拾い、震える片手でそれを握った。青いドレスのせいで、飛び立つ前に捕まってしまった小鳥みたいに見える。ライアは、妖精の世界ではヴィヴィの唯一の本当の友人だ。

「わたしと本気で争うつもりか?」バレキンがきいた。「おまえは剣も甲冑もつけていない。来なさい、争うには遅すぎる」

「ええ、遅すぎるわ」そう言うと、彼女はナイフを自分の喉元に向け、先端を耳の下に押し当てた。

「やめて!」わたしは叫んだが、その声は群衆のざわめきに、そしてバレキンの叫び声にかき消された。もうこれ以上の死を直視できなくなり、ぎゅっと目を閉じる。何か重たくて毛の生えたものがぶつかってきた。バレキンが叫びだす。誰かカーダンを探して連れてこい——その叫び声に思わず目を開いた。でも、視界にカーダンはいない。見えたのはライア王女の崩れ落ちた体と、さらなる惨事だけだ。

羽の生えた射手が、ゴーストが隠れている木の根のかたまりに狙いを定めた。次の瞬間、彼が群衆のなかに落ちてきた。わたしはゴーストが射抜かれたと思って息をのんだ。けれども彼は転がって立ちあがると、階段を駆けのぼっていった。そのあとを警備隊が追う。

逃げきれないだろう。敵の数が多すぎるし、ここは人がひしめいていて隠れる場所もない。ゴーストを助けたかったが、自分も人にもまれている状態では何もできない。誰も助けることができない。

バレキンがヴァル・モレンのほうを向いた。「おまえがわたしに戴冠すればいい。宣明の辞を述べろ」

「できません」ヴァル・モレンが返す。「わたしは血縁ではありません。血縁の者以外が戴冠することはできないのです」

「やるんだ」

「閣下、ではやってみましょう」ヴァル・モレンが震える声で言った。彼がつっかえながら略式の儀式を行うあいだ、丘全体が静まり返った。ところが群衆にバレキンを新しい上王として迎え入れるかときいたとき、誰も何も言わなかった。王冠はバレキンの手にあるけれど、まだその頭にはかぶされていない。

　バレキンが人々を見まわし、その視線が自分にとまらないことはわかっていたが、思わず身をすくめた。彼の声がとどろく。「わたしに忠誠を誓え」

　わたしたちは応じなかった。君主たちもひざまずかない。貴族たちも押し黙っている。はぐれ妖精たちは様子をうかがっていた。最南端のアンシーリー・コート、蛾《モス》の国を統べるアネット女王が広間から出ようと従者に合図した。彼女は冷笑を浮かべて玉座に背を向けた。

「おまえたちは上王に忠誠を誓ったではないか」バレキンが声を張りあげる。「いまはわたしが上王だ」そう言うと、王冠を持ちあげて自らの頭にかぶせた。ところが次の瞬間、彼はうなり声をあげてそれを払った。額に焼き跡がついている。王冠の赤い跡。

「われわれは上王に忠誠を誓うのではなく、王冠に誓うのだ」誰かが声をあげた。ターマイトの国のロイベン卿だ。彼は群衆をかき分け、騎士たちの前に立っていた。

ロイベンとバレキンのあいだには十人以上の騎士がいたにもかかわらず、ロイベンは意に介していないようだ。「身内殺しよ、その頭に冠をかぶるまでに三日間の猶予を与えよう。わたしがここを発《た》つまでにあと三日。忠誠を誓わず、王が不在のまま、あきれて立ち去ることになりそうだがな。そう考えるのは、わたしだけではあるまい」

その言葉が伝わると、小さな笑い声とささやき声が起こった。ここにまだ残っているのは多種多様な妖精たちだ。きらびやかなシーリー・コートに恐ろしげなアンシーリー・コート。丘や川や墓地に住みつくはぐれ妖精。ゴブリンにピクシーにプーカ。全員、王族のほとんどがひと晩で虐殺されるのを目撃した。新しい君主が民衆を戒めなければ、さらなる狼藉《ろうぜき》が繰り広げられるのではないだろうか。そんな事態を誰が歓迎するだろう。

スプライトが飛び散った新鮮な血の匂いが漂う空気中にきらめいた。饗宴は続くのだ、とわたしは気づいた。すべてが続行する。

でも、自分自身はこのまま続けていけるのかわからない。

第二部

この世の夢を捨て、心を空っぽにしてみるといい
風が呼び起こされ、木の葉が舞う
わたしたちの頬は青白く、髪はほつれ
胸は脈打ち、目は輝いている
腕を振り、唇を開いたまま
躍りあがるわたしたち一団を見た者があるのなら
その手を止めさせ
心の願いを邪魔してやろう

ウィリアム・バトラー・イェイツ『群れなす妖精たち』

21

わたしは子どもに戻っていた。テーブルの下に隠れ、頭上で盛りあがる酒宴をうかがっている。

胸に手を当てると、心臓がどくどくと脈打っていた。何も考えられない。考えられない。考えられない。

青い空に沈む小さな点々みたいに、ドレスに血が飛び散っている。

自分が死にひるむことはないと思っていた。けれども、あまりにたくさんの死があった。情けないほどに愚かな死が大量に起こった。デイン王子の白い骨、エロウィン王女の喉から散った血しぶき、そして息絶えながらバレキンを何度も否定した上王のことが繰り返し脳裏によぎる。哀れなタニオット、カエリア、ライア――彼女たちは妖精国の王冠が自分たちの生命よりも重要であることを順番に思い知らされた。

マドックのことを考える。長年のあいだ、デイン王子の右腕だったマドック。妖精はあからさまには嘘をつけないかもしれないが、マドックは笑いながら、肩を叩きあいながら、そしてワインで乾杯しながら嘘をついていたのだ。まるで本当に楽しいパーティーへ向かうみたいにわたしたちを着飾らせ、今夜のためにと美しい剣をくれたマドック。

〝あの人がどんな男か知っていたはずよ〟わたしは自分にそう言って聞かせた。〝血がこびりついたあの頭巾を何度も見たでしょう。それを忘れていたのなら、わたしはもっと愚かだわ〟

せめてもの救いは、虐殺が起こる前に騎士たちがわたしの家族を退出させたことだ。わたし以外は誰もあの惨劇を見ずにすんだ。そう遠く離れていなければ、叫び声くらいは聞いてしまったかもしれないが。でも、オークはわたしみたいに死を幼少期の思い出にして育つことはないだろう。

わたしは激しい鼓動が落ち着くまで、そこにしゃがんでいた。この丘から出ていかないといけない。酒宴はどんどん無軌道になっているうえに、新王が玉座にいないいま、彼らが生みだす享楽を節制するものはほとんどない。人間である自分がここにいるのは危険だ。

ゴーストと一緒に梁に座って見おろした、謁見の間の間取りを思い出そうとした。

王宮の大広間の入り口はどのあたりだった？

守衛を見つけて、わたしがマドックの家に属する人間だと信じてもらえれば、家族のもとへ連れていってもらえるかもしれない。でも、行きたくない。血を浴びてバレキンの横に座るマドックに会いたくない。起こった出来事を惨劇でもなんでもないようなふりなどしたくない。この嫌悪感をごまかすことなどできない。

ほかにも出ていく方法はある。テーブルの下を這っていき、階段をあがってマドックの戦略室近くにある岩棚にたどりつけるだろう。そこからなら、岩棚をよじのぼって王宮内のひとけのなさそうな場所――秘密の地下道につながる場所――に行けるはず。そこを通れば、騎士や守衛やほかの者を気にすることなく出ていける。早く動きたくて全身がアドレナリンでざわついていたが、この計画ではまだ完全とは言えない。王宮から出ることはできても、そのあと行くあてがないからだ。

〝それはあとで考えればいい〟本能がけしかける。

よし、半分までの計画でも、ないよりましだ。

四つん這いになり、ドレスのことも、踏み固められた土の床を引きずる剣の鞘のことも、手の痛みのことも気にせずに前進した。頭上では音楽が鳴り響いている。ほかの音も聞こえる――人がぶつかる音、泣き声、叫び声。でも、そんなものにかまっていられない。

突然、テーブルクロスが持ちあげられた。ろうそくの明かりに目が慣れたそのとき、仮面をつけた何者かに腕をつかまれた。テーブルの下でしゃがんだ状態では剣を抜くこともできず、わたしはボディスのなかから剣をつかみだした。相手を刺そうとして、あの滑稽なほどに爪先が尖ったブーツに気づく。

カーダンだ。バレキンに正式に戴冠できる唯一の人物。グリーンブライア一族で生き残ったふたりのうちのひとり。妖精国のみんなが探しているであろう彼が目の前にいて、銀色のキツネの薄っぺらい半仮面をかぶってうろついている。足元をふらつかせ、酔って前後不覚な状態でわたしを見て、目をしばたたいている。思わず笑いそうになった。彼の第一発見者になるなんて、どれだけ幸運なのか。

「おまえは人間だ」カーダンがわざわざ教えてくれた。持っていること自体を忘れたみたいに、空になったゴブレットをおぼつかない手つきで握っている。「ここはおまえにとって安全じゃない。誰彼かまわず刺してまわろうとしてるなら、ことさら危険だ」

「わたしにとって、安全じゃない？」その言葉のばからしさはさておき、なぜカーダンがわたしの安全を気にするのかわからなかった。彼がわたしの安全を脅かすのならともかく、意味がわからない。きっとショック状態にあるか、悲しみに沈んでいるのだろう。だからおかしな言動を取るのだ。そう納得しようとしたが、家族が死んだからって彼が嘆き悲しむような人だとは思えない。それにいまも彼は自分自身のことさえ気にしていないように見えた。「誰かに気づかれる前にしゃがみなさい」

「テーブルの下で隠れんぼをしようというのか？　床に這いつくばれと？　まったく人間のやりそうなことだが、ぼくの品位にふさわしくないな」わたしも一緒に笑うのを期待するかのように、へらへら笑う。

　わたしは笑わなかった。こぶしを作ってカーダンの腹を殴りつけた。そこが急所なのはわかっている。彼はよろめいて膝をついた。ゴブレットが床に転がり、からからと音を立てる。「痛いじゃないか！」彼は声をあげたが、わたしがテーブルの下に引っ張りこむと抵抗はしなかった。

「誰にも気づかれずにここを出るわよ。しばらくテーブルの下で様子をうかがって、王宮の上部まで階段であがるわ。這いつくばるのは品が悪いだなんて口答えはなし。どのみち酔っててちゃんと立てやしないんだから」

　カーダンがふんと鼻を鳴らすのが聞こえた。「どうしてもとおっしゃるのなら」彼が言ったが、暗すぎて表情は見えない。たとえ明るくても、仮面をつけているからわからないだろうけれど。

わたしたちはテーブルの下を移動した。頭上からはバラッドや酒宴の歌が聞こえ、嬌声《きょうせい》やひそひそ話で場はざわめき、軽やかに踊る足音が雨のように響いている。わたしの心臓が早鐘を打っているのは流血沙汰を見たショックと、すぐ近くにいるカーダンと、見境なく彼を殴ったことが原因だ。わたしは後ろからついてくる彼に集中した。どこを向いても踏み固められた土とこぼれたワインと血の匂いがする。考えがまとまらず、自分が震えだしているのがわかる。唇の内側を噛みしめ、その痛みに意識を向けようとした。

気をたしかに持たなくては。自制心を失うわけにはいかない。カーダンに見られているいまは絶対に。

それに頭のなかで計画がまとまり始めているいまは集中すべきだ。この生き残った王子を必要とする計画ができつつある。

振り返るとカーダンが動きを止めていた。床に座りこみ、自分の手を見つめている。正確には指輪を。「彼はぼくを憎んでいた」軽い口調だった。自分がどこにいるのか忘れたのだろうか？

「バレキンのこと？」〈虚ろの館〉で目撃したことを考えながらきいた。

「父のことだ」カーダンがふんと笑う。「父以外のことはよく知らない。兄や姉のことは。おかしいだろう？　デインは……ぼくを王宮に置きたくなかったから追いだした」

なんと返せばいいのかわからなかった。こんなカーダンを見ると胸がざわつく。まるで彼にも感情があるみたいに思えて、どうしていいかわからない。

少しすると、彼はわれに返ったようだった。暗闇のなかで目をきらりと光らせ、わたしに視線を定める。「もう全員死んだけどね。マドックのおかげで。われらが尊敬すべき将軍のおかげだ。彼らはマドックを信頼すべきじゃなかった。でもおまえの母親はマドックがどういうやつか、とっくの昔に知っていたんだろう？」

わたしは目を細めてにらんだ。「這いなさい」

カーダンが口の片端をあげる。「おまえが先だ」

わたしたちはテーブルからテーブルへと移り、とうとう階段までたどりつけそうな位置に来た。カーダンがテーブルクロスを持ちあげ、まるで密会相手に手を貸す紳士みたいな仕草でわたしのほうに手を差しだす。まわりに怪しまれないようにしているだけだとカーダンは言うだろうけれど、彼がからかってそうしていることをふたりとも承知していた。わたしは彼の手に触れずに自分で立ちあがった。

大切なのは、酒宴が狂宴になる前にこの広間から出ることだけだ。おかしな生き物がわたしをなぶりものにしようと考える前に、そして君主に権力を握らせたくない何者かがカーダンを殺してしまう前に、ここを出なければいけない。

階段に向かいかけると、カーダンに止められた。「そのままではだめだ。おまえの父親の騎士どもに気づかれる」

「あの人たちが探しているのはわたしじゃないわ」遠まわしに言った。

彼が顔をしかめたが、その表情は半分以上、仮面に隠れている。それでも口を曲げた様子から、仏頂面をしているのはわかった。「おまえの顔を見られたら、一緒にいるやつまで注目されてしまうだろう」

気に食わないが、カーダンの言うとおりだ。「わたしのことを知ってる人だったら、わたしがあなたといるなんてありえないって思うでしょうけどね」実際には彼といるのだから、こんなふうに言い返すのはばかげているけれど、言ってしまうとすっきりした。ため息をつき、編んでいた髪をほどいて、顔にかかるよう手ぐしでくしゃくしゃにかきまわす。

「おい、まるで……」カーダンが言葉を濁し、何度かまばたきをした。きっと予想以上にすさまじいありさまなのだろう。

「ちょっと待って」わたしは人込みのなかに飛びこんだ。こんな危険を冒すのはいやだけれど、顔は隠したほうが安全だ。わたしは焼き串に刺さったスズメの心臓を食べている黒いベルベットの仮面のピクシーに目をつけた。彼女の後ろに忍び寄り、リボンを切って、仮面が床に落ちる前に奪い取る。どこに落ちたか探そうと彼女が振り向いたときには、わたしはもういなかった。すぐに探すのはやめて、ごちそうに戻るだろう――そうでありますように。だって、ただの仮面だもの。

戻ると、カーダンがワインをがぶ飲みしながら燃えるようなまなざしでわたしを見つめた。何を見ているのか、何を見ようとしているのかはわからない。緑色の液体が頬をすっと伝った。彼はもう一杯注ごうとして、重厚な銀製のピッチャーに手を伸ばした。

「行くわよ」手袋をはめた彼の手をつかむ。

広間を出て階段をのぼろうとしたそのとき、三人の騎士が立ちはだかった。「お楽しみは別の場所を探すんだな」ひとりが言った。「この先は王宮だ。庶民は入れない」

隣でカーダンが体をこわばらせるのがわかった。彼はばかだから、人の安全よりも、さらには悲しいことに彼自身の安全よりも、庶民と呼ばれることのほうが気になるのだ。「仰せのとおりに」わたしは騎士に言い、ふたりそろって後悔するような真似をカーダンがしでかす前に、彼の腕をつかんでその場から引き離そうとした。ところが彼は頑として動かなかった。「われわれのことを誤解している」

　黙って。黙って。黙って。

「バレキン上王はわがレディの宮廷《コート》と親しくてね」カーダンが銀色のキツネの仮面の下で言葉巧みに話し始めた。気さくな笑みまで浮かべている。特権階級らしいゆったりした口調で、手足にも緊張はなく、まるで目に触れるものすべてを手中におさめているかのようだ。酔っていても説得力があった。「北西領土のグリトン女王のことを聞いたことがあるでしょう？　行方不明の王子についてバレキン上王が伝言を送り、返事を待っているんです」

「証拠は？」騎士のひとりが尋ねた。

「ありますよ」カーダンが握った手を差しだして開くと、てのひらに王族の指輪がきらめいていた。いつそれを外したのだろう、彼がそんなに手先が器用だなんて知らなかった。しかも酔っ払っているのに。「あなた方におわかりいただけるように、この証拠を渡されました」

　指輪を見ると、騎士たちは引きさがった。

　カーダンは鼻持ちならない魅力的すぎる笑顔でわたしの腕を取り、引っ張るようにして彼らの横を通った。わたしは悔しかったけれど、カーダンに従った。階段までたどりつけたのは彼のおかげだ。

「だが、その人間は？」騎士のひとりが後ろから呼びかけた。カーダンが振り返る。

「ああ、完全な誤解というわけでもないかな。ぼくも酒宴のお楽しみを逃したくはないんでね」彼がそう返すと、三人はにやにやした。

カーダンを蹴り倒さないようこらえるのが精一杯だったけれど、彼の言葉巧みなごまかしに異論はなかった。彼は嘘をつけないという妖精のルールに従い、言葉だけを見れば一応真実として通ることしか言っていない。たしかにバレキンはマドックと親しいし、わたしはマドックの屋敷《コート》の一員。つまり、わたしはカーダンが言った〝レディ〟なのだ。それに騎士たちがグリトン女王のことを〝聞いたことがある〟のも、たぶん間違いないだろう。彼女はそこそこ有名だから。行方不明の王子についてバレキンが〝情報を待っている〟のもたしかだ。待っているどころか必死になっているに違いない。それにカーダンの指輪が、その身分をわからせる証拠になるのは誰も否定できない。

酒宴のお楽しみに関しては、なんだって当てはまる。

カーダンは賢いけれど、いい意味での賢さではない。しかも自分に都合がいいように嘘をつくわたしの性格と似すぎている。ともかく、わたしたちは自由の身になった。背後では新王即位の祝賀となるはずだったお祭り騒ぎが続いている——悲鳴、饗宴、延々と続くダンス。わたしは階段の途中で最後にもう一度振り返り、体と羽をひしめかせている、インクみたいな目と尖った歯の集団を眺めた。

ぞっとする。

ふたりして階段をあがりながら、わたしはカーダンにわがもの顔で腕をつかまれ、誘導されるがままにした。彼が自分の鍵でドアを開けるときも口を挟まなかった。したいようにさせた。そしてようやく王宮の上部の誰もいない廊下に着くと、剣の先端を彼の顎の下に押しつけた。

「ジュード？」カーダンが背中を壁にぶつけ、まわらない舌を律するようにわたしの名前を慎重に発音する。彼がわたしの名前をちゃんと口にするのを初めて聞いた気がした。

「驚いた？」にやりとしてきいた。妖精国で一番重要な少年、そしてわたしの敵を、とうとう意のままに操れるときが来たのだ。想像していた以上に気分がいい。「驚くなんておかしいわ」

22

わたしは剣の切っ先をカーダンの皮膚に押し当て、その鋭さをわからせるように力を入れた。黒い目が、新たにわいた緊張感をたたえてわたしを見つめる。「なんだよ？」彼が言った。それしか言葉が出てこない。

これほどの勝利を感じることなどめったにない。ワインよりも強烈な高揚感に酔いしれないよう、集中しなければならなかった。「あなたは悲運で、わたしは幸運だってことよ。わたしの言うとおりにすれば、あなたを傷つけるお楽しみを先延ばしにしてあげる」

「今夜はもう少し王族の血を流してやろうってつもりだったのか？」カーダンは剣をあしらうように身じろぎをして、せせら笑った。わたしは剣を喉元から外さないよう、彼に合わせて動いた。彼が話し続ける。「虐殺の仲間入りをしたかったのか？」

「あなたは酔ってる」

「ああ、たしかに」カーダンは目を閉じて石壁に頭を預けた。近くの松明が黒髪をブロンズ色に照らしている。「だけどぼくがおとなしく従って、将軍の前に突きだされると本気で思ってるのか？　そこまで身を落とすつもりは――」

剣をさらに強く押し当てた。彼がはっと息をのみ、言葉が途切れる。「そうだよな」少しして、自嘲するように言った。「家族が殺されてるときに酔いつぶれていたんだから、それ以上に身を落とすのは無理な話だ」

「黙って」同情心を抱いてはいけない。彼は一度もわたしに同情なんてしてくれなかった。「行くわよ」

「従わなかったら？」カーダンがまだ目を開けずにきいた。「本気で刺すつもりじゃないだろう」

「お友だちのヴァレリアンを最後に見たのはいつ？」わたしはささやいた。「今日は会っていないでしょ？　参列しないなんて失礼よね？　おかしいと思わなかった？」

彼が目を開ける。まるで叩き起こされたみたいな表情だ。「思ったさ。あいつはどこにいるんだ？」

「マドックの厩で腐りかけてるでしょうよ。わたしが殺して埋めたの。だからわたしに脅されたら、おとなしく従ったほうがいいってわけ。どれだけ信じがたくても、あなたは妖精国で一番重要な人物なんだから。あなたを人質にしている者が権力を握る。わたしは権力がほしいの」

「じゃあ、結局おまえが正しかったってわけか」カーダンは自分の感情はいっさい見せずに、わたしの顔を観察した。「ぼくはおまえの実力を甘く見てたんだな」

彼の落ち着きぶりがどれだけ癪《しゃく》にさわっているかは悟られまいとした。剣を手にしているこちらのほうが優位なはずなのに、それだけでは足りない気がしてくる。カーダンだって怖がることがあるのだと自分を納得させるためだけに、彼を傷つけたくなってくる。家族のほぼ全員を亡くしたばかりの彼に対して、こんなふうに考えるべきではないにもかかわらず。

　でもわたしが同情心を、弱みを見せれば、カーダンはそれにつけこむだろう。

「行くわよ」険しい口調で言った。「手前のドアまで行って開けなさい。なかに入ったら収納室に向かって。そこから地下通路に出るの」

「ああ、了解」彼がむっとした表情で剣を払おうとする。

わたしは剣がカーダンの皮膚に食いこむようしっかりと握った。彼が悪態をつき、血が出る指を口に持っていく。「なんでそんなことするんだ？」

「楽しいから」そう言ったあと、喉に押し当てた剣をわざとゆっくり離した。唇をゆがませながらも、それ以外は仮面みたいに無表情を装う。悪夢に何度も現れる、あの冷酷無比な表情。その表情を作ってみて、初めて自分が誰を真似しているのかに気づいた。怖いと思っていたのに、いつのまにか自分も真似したいと思うようになっていたその顔が誰のものかに気づいたのだ。

カーダンの顔だ。

心臓が早鐘のように打ち、気分が悪くなる。

「せめてどこに向かっているのか教えてくれないか？」カーダンが尋ね、わたしは空いたほうの手で彼を押しながら答えた。

「教えない。さあ、行きなさいよ」このうなり声はわたしのものだ。

意外にも、彼はその言葉に従ってふらつきながら廊下を進み、わたしが示した部屋に入っていった。秘密の通路に着くと、カーダンはいぶかしげな視線をちらりとわたしに向けただけで、おとなしくしゃがんだ。思っていた以上に酔っているのかもしれない。

まあ、だとしても関係ない。すぐに酔いが覚めることになるのだから。

〈影の臣下〉の隠れ家に着いて最初にしたことは、自分の汚れたドレスを引き裂いてカーダンを椅子に縛りつけることだった。それからふたりの仮面を外した。彼は妙な顔つきで、されるがままだった。ほかには誰もおらず、わたしは誰か戻ってくることがあるとしたら、それはいつだろうと思った。

　でも、そんなことはどうでもいい。彼らがいなくても、ひとりでなんとかできる。

　ここまで自分ひとりでやってきたのだ。カーダンに見つかったとき、わたしは彼を支配することが、自分の世界の運命をいくらかでも支配する唯一の方法だと確信した。

　デインへの誓いのひとつひとつを思い返し、そのなかでも声に出さなかった誓い――〝恐れる立場ではなく、恐れられる立場になる〟――を思い浮かべる。デインが力を与えてくれないのなら、自分で力を手にしてやると誓ったのだ。

〈影の臣下〉でのわたしの活動は短かったので、それにまつわる秘密をあまり知らなかった。わたしは重厚な木製の扉やキャビネットを開けて各部屋を歩きまわり、必要なものを集めた。チーズやソーセージと同じくらいたくさんの毒物を取りそろえた貯蔵室がある。床におがくずが散らばる特訓部屋もあり、壁には武器がずらりと並んでいて、部屋の真ん中には新しい木の人形が置かれ、顔は不気味な緑色でぞんざいに塗られていた。奥の部屋に行くと、床には四組のわら布団、数個のマグカップ、その近くにぼろ布が広げられていた。それらには触れず、机と地図のある部屋に入る。机はデインのもので、巻物やペンや封蠟が詰まっていた。

一瞬、わたしは起こったことの重大さに打ちのめされた。デイン王子はいなくなり、永遠に戻ってこないのだ。それに彼の父親と姉妹までも逝ってしまった。

わたしは最初の部屋に戻ると、カーダンと椅子をデインの執務室まで引きずっていった。椅子をつっかえ棒代わりにしてドアを開いたままにし、彼を見張れるようにしておく。特訓部屋の壁から小型のクロスボウをおろし、数本の矢も準備した。武器を携え、万事抜かりなく整えたところで、デインの椅子に座って両手に頭をうずめて休める。

「自分の満足のいくまでぼくを縛りつけたんだから、ここがどこなのか教えてくれないか？」その気取った表情がはがれ落ちるまで、カーダンを何度も殴ってやりたかった。でもそんなことをすれば、わたしが彼のことをどれだけ怖がっているか悟られてしまう。

「ここはデイン王子のスパイたちの会合場所よ」恐れを振り払いながら答える。集中力が必要だ。カーダンなんて手段でしかない。単なるギャンブルの駒だ。

彼は驚きと困惑の表情でわたしを見つめた。「なぜそんなことを知ってるんだ？なんのためにぼくを連れてきた？」

「次の作戦を考え中なの」気まずいけれど正直に言う。

「でも、スパイの誰かが戻ってきたら？」どうやら酩酊状態からわれに返り、ちゃんと心配し始めたらしい。「そいつらの隠れ家におまえがいるのが見つかったら……」

わたしの薄ら笑いを見てカーダンは言葉を失い、ショックのあまり沈黙した。わたしもスパイのひとりであることに気づいたのだ。わたしもここの一員だと。

カーダンは押し黙っている。

やっとだ。やっと彼をひるませることができた。

わたしは以前なら考えもしなかった行動に出た。デイン王子の机をあさったのだ。手紙や文書が大量にある。リストも。デインが受取人でも差出人でもない書状はたぶん、盗んだものだろう。彼の筆跡のものもある――組織図、謎かけ、法の改正案。公式の招待状。非公式のどうでもいい手紙のなかには、マドックからのものも数通あった。自分でも何を探しているのかわからない。とりあえずどんなものでもいい、デインが裏切られた理由のヒントになりそうなものはないかと手当たり次第に調べた。

わたしはいままでずっと、エルドレッド上王とデイン王子のことを疑う余地のない支配者だと思って育ってきた。マドックのことも、完全に彼らに忠実だと信じていた。わたしだって忠実だった。わたしはマドックの残虐さを知っていた。彼がさらなる征服、争い、戦闘を欲していたことも知っていたと思う。でも、戦《いくさ》を欲するのは将軍としての役目の一環だとマドックが考えているのだと思っていたし、そんな彼を抑制するのが上王の役目の一環だと思っていた。マドックは名誉や義務についてよく話していた。タリンとわたしにも、そうしたことを重んじるよう教育したのだ。だから彼が、そのほかの不愉快なことには目をつぶろうとするのも当然に思えた。

　マドックはバレキンに好感すら抱いていないと、わたしは思っていた。

　殺した使者のことを思い返す。メモには〝このメッセージを運ぶ者を殺せ〟と書いてあった。あれはデインのスパイを惑わすための罠のひとつでしかなく、そのあいだにバレキンとマドックは誰も疑いを向けていない場所——つまり、あの公衆の面前で謀反を起こす計画を立てていたのだ。

「あなた、知ってたの？」カーダンにきいた。「バレキンのたくらみを知ってたの？だからあなただけ家族から離れていたの？」

　彼が笑いだす。「もしそうなら、どうしてぼくは愛する兄の腕にすぐさま飛びこまなかったんだと思う？」

「質問に答えて」

「知らなかったさ」カーダンは言った。「おまえは知ってたのか？　マドックは一応おまえの父親だからな」

わたしはデインの机からシーリングスタンプ用の蠟を取りだした。片方の先だけ黒くなっている。「わたしの返答に意味がある？　嘘をつけるのよ」

「質問に答えて」彼がそう言ってあくびをした。

本当に殴ってやりたい。

「わたしも知らなかった」カーダンから目をそらして認めた。その視線の先に便箋と封蠟印がある。逆さ文字の沈み彫り《インタリオ》。「知っておくべきだったわ」

わたしは視線をカーダンに向けた。彼のところに行ってかがみ、王家の指輪を奪おうとした。彼は手を引いて逃れようとしたものの、縛られているので動けない。わたしはそれを指から抜き取った。

カーダンのそばにいると、彼の肌に触れると、おかしなパニックに襲われる自分が不愉快でならない。

「このふざけた指輪をちょっと借りるわね」その印章指輪は便箋に押された封蠟印にぴたりと合った。王子と王女の指輪はすべて同一のものに違いない。ということは、そのうちの誰かの指輪で封をした手紙は、別の誰かの指輪で封をした手紙と同じに見えるということだ。わたしは新しい便箋を一枚取りだし、手紙を書き始めた。

「ここには飲み物はないんだろうな？」カーダンがきいた。「次に起こることがなんであれ、ぼくにとっては気分のいいものではないだろうから、どうせなら酔っ払った状態で迎えたいんだが」

「わたしがあなたの気分に配慮するとでも思うの？」強い口調で返した。

　そこへ足音が聞こえ、わたしは机から立ちあがった。休憩室からガラスを割る音が聞こえる。カーダンの指輪をボディスに隠し、廊下に出た。肌に指輪の重みを感じる。ローチが棚に並んだ瓶を払い落とし、キャビネットの板を蹴っていた。ぎざぎざに割れた瓶とその中身が石造りの床に散乱する。マンドレーク。ヒロハセネガ。ヒエンソウ。ゴーストがローチの腕をつかみ、さらに破壊しようとする彼を取り押さえていた。ゴーストは脚から血を流し、動きもぎこちない。戦って逃れてきたのだろう。

「ねえ」わたしは声をかけた。

　ふたりとも、わたしを見てぎょっとしたようだった。執務室の入り口で椅子に縛られているカーダン王子を見て、彼らの驚きが倍増する。

「おまえは父親とお祝いしているはずじゃないのか？」ゴーストが軽蔑をこめて言った。わたしはあとずさりした。これまでの彼は、ずっと不自然なくらい冷静な人だったのに。いまはふたりとも冷静とは思えない。「ボムはまだあっちにいる。ふたりは命がけでバレキンの地下牢にいるおれを助けだしてくれた。それなのに戻ってみれば、ひとりでご満悦のおまえに会うとはな」

「違うわ！」自分の立場を説明しようと声をあげる。「よく考えて。もしわたしが何が起こるか知っていたら、もしマドックの味方だったなら、騎士に付き添われてここに来るはずよ。それであなたたちは戸口で撃ち殺されていたでしょうね。父が手に入れたがっている人質を連れて、わたしがここにひとりで来るなんてありえない」

「よせ、ふたりとも。おれたち全員、頭がまわっていないからな」ローチが自分の破壊の成果を見ながら言った。頭を振り、カーダンに視線を向ける。ローチはカーダンのところに行って、顔をしげしげと観察した。険しい表情で黒い唇を引き結んでいる。わたしのほうを向いたとき、ローチは明らかに感心していた。「おれたちのうち、ひとりは頭がまわっているようだ」

「やあ」まるでわたしたちがお茶会に集まったみたいに、カーダンが眉をあげてローチを見ながら挨拶する。

テーブルの下を這いまわり、とらわれて縛られたせいで、カーダンの服は乱れていた。噂に聞いていた彼の尻尾が、白いローン地のシャツの下からのぞいている。それは細く、ほとんど毛がなくて、先端にだけ黒い毛がふさふさと生えていた。尻尾はくねくねと波打つように揺れている。冷静な表情とは裏腹に、尻尾が彼の不安と恐怖を訴えていた。

だから彼はそれを隠しているのだろう。

「こいつは殺すべきだ」ゴーストがぐったりした姿勢で言った。明るい砂色の髪が乱れて額にかかっている。「こいつはバレキンに戴冠できる唯一の王族だ。こいつがいなければ王座につく者は永遠にいなくなり、デイン王子の復讐ができる」

カーダンがはっと息をのみ、ゆっくりと吐きだした。「ぼくは生き残りたい」

「おれたちはもう、デインに仕えているわけじゃない」ローチが緑色の長いナイフみたいな鼻の穴をふくらませてゴーストに言った。「デインは死んで、もう王座のことも王冠のことも気にしてないだろうよ。この王子をバレキンに売って、可能な限りのものを要求してから逃げることもできるぜ。下宮廷に行ってもいいし、はぐれ妖精の仲間入りもできる。楽しい人生を手に入れられるさ、あと財宝も。おまえも一緒にどうだ、ジュード。そうしたいなら、ついてくるといい」

その誘いには心をそそられた。すべてを壊して逃げる。ゴーストとローチ以外、誰もわたしのことを知らない場所で人生をやり直す。

「バレキンの金なんかほしくない」ゴーストが唾を吐いて言った。「それにこいつは売る以外、なんの役にも立たない。若すぎるし、弱すぎる。もうデインはいないんだ、妖精みんなのためにこいつを殺してしまおう」

「若すぎるし、弱すぎるし、性悪すぎるわ」わたしはつけ加えた。

「待て」カーダンが言った。怯える彼を何度も想像したことがあったけれど、現実は想像を凌駕《りょうが》する。カーダンの呼吸が荒くなり、わたしが厳重に結んだ即席のひもを解こうとするさまを見ていると、うれしくてたまらなかった。「待ってくれ！　ぼくが知ってることならなんでも話す、バレキンのことでもなんでも。財宝がほしいなら、ぼくが盗ってくる。バレキンの宝の隠し場所も知ってるんだ。王宮に十ある錠前の鍵も全部持っている。ぼくは役に立つぞ」

　こんなカーダンは夢でしか見たことなかった。頭をさげ、みじめで、無力なカーダン。

「兄貴のたくらみについて、おまえは何を知ってたんだ？」ゴーストがもたれていた壁から身を起こしてきいた。足を引きずっている。

　カーダンが首を横に振った。「バレキンがデインを憎んでいることしか知らなかった。ぼくもデインを憎んでいた。あいつは卑劣だった。その卑劣さをマドックにまで知られているとは思わなかったけどね」

「卑劣って、どういうことよ？」まだ手の傷が癒えていないにもかかわらず、その傷を負わせたデインを侮辱されて気を悪くした。デインへの恨みは、その死によって流れ去っていたのだ。

カーダンが不可解な表情をわたしに向けた。「デインはまだ胎内にいる自分の子を毒殺したんだ。それから父に取り入って、あいつのことしか信じないように仕向けた。このふたりにきくといい――デインのスパイなら、エロウィンが反逆をくわだてていると父に信じさせ、バレキンは愚か者だと父に思わせたのもデインだと知っているだろうよ。デインはぼくが王宮から追いだされるよう画策し、ぼくはバレキンのところに引き取られるか、王宮での居場所を失って家なしになるかしかなかった。しかもデインは父のワインに毒を仕込んで体調を崩させてから、退位を勧めたんだ。王冠にかかる呪いでも、そこまでは防げないから」

「そんなの嘘よ」リリオペのこと、あの手紙のこと、誰が毒を入手したのかバレキンが知りたがったことを考える。でも、エルドレッドがブラッシャー・マッシュルームを仕込まれたというのはありえない。

「こいつらにきけよ」カーダンがローチとゴーストのほうを顎で示す。「胎児とその母親に毒を盛ったのは、ふたりのうちのどっちかだろう」

わたしは首を横に振ったが、ゴーストはわたしと目を合わせなかった。「どうしてデインがそんなことを？」

「デインは父の愛人と密通して子どもができた。それを父に知られて、父がデイン以外を後継者に選ぶのを恐れたんだ」カーダンはわたしを驚かせることができて満足しているように見えた。わたしだけではない、ローチとゴーストの表情から、ふたりも驚いているのがわかる。ふたりがカーダンのことを、やっぱり利用価値があるかのように見直しているのが気に入らない。「いくら妖精国の王でも、愛人を息子に寝取られたとあっては不愉快だからな」

宮廷が堕落し、醜聞まみれだったと知っても驚くには当たらない。マドックが自分の愛する者にさえひどい仕打ちができると知っているし、それと同じくらい宮廷の腐り具合も知っている。デインが決して親切ではないことも。だって彼はわたしに手を突き刺すよう命じたのだから。彼はわたしが便利だから臣下に引き入れただけで、それは親切心からではない。

妖精は美しいかもしれないが、それは黄金の牡鹿の死骸みたいな美しさだ。皮の下ではウジ虫がうごめいている。

わたしは血の匂いに気分が悪くなった。その匂いはわたしのドレスにも、指にも、鼻にも染みついている。どうしてわたしが妖精以下の存在だと言われなければいけないのだろう？

〝この王子をバレキンに売って、可能な限りのものを要求してから逃げることもできるぜ〟そのアイデアを頭のなかで考えてみる。そうすればバレキンに貸しができる。バレキンはわたしを宮廷の一員にしてくれるだろう。かつての希望がかなう。わたしが要求するものはなんでも、デインの申し出以上のものをバレキンは与えてくれるはずだ――土地も、騎士の位も、例の額の印も、あらゆる矢を退ける魔法がかかった剣も、全部。

そう考えても、どれひとつとして以前ほど価値があるように思えない。どれも本当の力ではない。真の力は人から与えられるものではないのだ。真の力は人に取りあげられるものでもない。

バレキンが上王に即位したら、どうなるだろう？　彼のクロムクドリモドキ団は、ほかの派閥をすべて破滅させるに違いない。バレキンの痩せこけた召使いたちのことを考える。バレキンは訓練と称して、カーダンに召使いのひとりを殺させようとした。家族への愛を語りながら、召使いにベルトでカーダンを打たせた。

無理だ。バレキンに仕える自分を想像できない。

「カーダン王子はわたしの人質よ」歩きまわりながら、ふたりに念を押した。わたしはいろいろなことが苦手だけれど、短い期間とはいえスパイとしてはよくやった。まだスパイをやめるつもりはない。「彼をどうするかはわたしが決める」

ローチとゴーストが目配せをした。

「仲間割れするつもりなら、話は変わってくるけど」彼らは友人ではないのだから、そのことを忘れてはならない。「でも、わたしはマドックと交渉できる。バレキンともね。仲介役にはわたしが最適でしょう」

「ジュード」カーダンが戒めるように声をかけてきたが気にしなかった。特に彼からの戒めなど不要だ。

一瞬その場が緊張したものの、ローチがにやりとした。「いや、ジュード、仲間割れするつもりはないよ。何か計画があるのなら喜んで聞こう。おれは計画を立てるタイプじゃない。宝石を台座からくり抜く計画なら立てられるけどね。おまえは王子をさらってきた。これはおまえのゲームだ、うまくいくと思うなら話を聞くぜ」

ゴーストは顔をしかめつつも反論はしなかった。

わたしがすべきことは、パズルのピースを合わせること。よくわからないのは、なぜマドックがバレキン側についたのかということだ。バレキンは冷酷で移り気だ。こならもたらしてくれると思ったのだとしても、マドックならほかの方法で戦いを起こせるではないか。
の二点は君主として好ましくない。たとえマドックが自分の大好きな戦闘をバレキン

バレキンの机にあった手紙、ニカシアの母親が書いた手紙のことを考える。〝あなたがお探しのブラッシャー・マッシュルームの出所を知っています〟どうしてバレキンは、デインがリリオペの殺害を画策した証拠をほしがったのだろう？　それに証拠を手にしたというのに、なぜバレキンはそれをエルドレッドに示さなかったの？　いいえ、バレキンは示したのに、エルドレッドが信じなかった……あるいは気にとめなかったのかもしれない。それとも……証拠はほかの誰かに示すためのものだったのだろうか？

「リリオペが毒殺されたのはいつ？」

「七年前だ、嵐の時期だった」ゴーストが唇をゆがめて言う。「その子について予兆があったとデインから聞いた。でも、この話は重要か？　単なる好奇心できいているだけか？」

「どんな予兆があったの？」

ゴーストは思い出したくなさそうに頭を振ったが、答えてくれた。「その男の子が

生まれたら、デイン王子は決して王座につけない、と」

なんと典型的な、妖精らしい予言だろう――失われるものを予言しておきながら、なんの約束もしないのだから。男の子は死んだのに、デイン王子も決して王座につけない。

　謎かけを当てにして戦略を練るような愚か者になるべきではない。

「じゃあ、本当だったんだな」ローチが静かに言った。「彼女を殺したのはおまえだったのか」ゴーストの眉間のしわが深くなる。彼らが互いの任務を知らなかったことを、わたしはいまやっと気づいた。

　ふたりとも気まずそうだ。ローチなら殺っただろうか？　それをゴーストが実行したことに、どんな意味があるのだろう？　彼を見ても、そこにはわたしの知らない人がいた。

「家に帰るわ」わたしは言った。「戴冠式の酒宴で人込みにまぎれてしまったことにする。あの人たちにとってカーダンがどれだけ価値があるのか、考えつけると思うの。明日戻ってくるから、一緒に詳細を詰めましょう。ボムが戻ってきていたら、四人でね。どうすべきか考えるのにあと一日、それと明日まで何も決定しないと誓ってちょうだい」

「ボムがおれたちより分別があるなら、とっくに姿を消してるだろうよ」ローチがキャビネットを指さした。ゴーストが無言で応じて瓶を取りに行き、木製のテーブルに置いた。「おまえが裏切らないという保証がないじゃないか。いまはおれたち側の人間だと思っていたとしても、マドックの要塞に戻れば気が変わるかもしれないだろう？」

考えをめぐらせながら、ローチとゴーストを見つめる。「あなたたちにカーダンを残していくのよ。それはあなたたちを信頼してるってことでしょ？　裏切らないと約束するから、わたしが戻ったときに王子がここにいることを、ふたりとも約束してほしいの」

カーダンは自分の処遇の決定が先延ばしになって安心したようだ。いえ、瓶を目にしてほっとしているだけかもしれない。

「おまえが王を決定できるというわけだな」ゴーストが言った。「おもしろいじゃないか。バレキンにいま以上の借りをおまえの父親に作らせることもできる」

「あの人はわたしの父親じゃない」ぴしゃりと言う。「それにわたしがマドックと組むことにしたとしても、あなたたちは報酬をもらえれば問題ないんでしょう？」

「まあ、そうだな」ゴーストが不満そうに答えた。「でもおまえがマドックかほかの者と戻ってきたら、カーダンを殺すぞ。それからおまえも。わかったか?」

わたしはうなずいた。デインのゲシュがなければ、ふたりはわたしに魔法をかけていたかもしれない。もちろん、デインの死後もゲシュの効き目があるとしたらの話だけれど、それを確かめる勇気はなかった。

「約束の一日を過ぎても戻ってこなければ、彼を殺してこれ以上の損失を防ぐ」ゴーストが続けて言った。「人質はダムソンの実みたいなもんで、保管が長引けば価値は薄れる。そのうち腐ってしまうってわけだ。あと一日だけだ。遅れるなよ」

「了解」わたしは応じた。

カーダンが身じろぎをしてこちらと目を合わせようとしたが、わたしは無視した。断るような愚か者ではない。いまは全員が疑心暗鬼になっている。「明日わたしがひとりで戻ってきたとき、カーダンが無事でここにいると誓ってくれるなら、すべて了解よ」

わたしと同じく愚か者ではないふたりは、そのとおりにした。

23

屋敷に帰ってどんなことを探りだせるだろうか。戴冠式のために野営している妖精国の人々を避けて、いつもより長い道のりを歩いて森を抜ける。ドレスは泥で汚れて裾はぼろぼろ、両足はずきずきと痛み、凍えそうだ。ようやくたどりついたマドックの領地は、いつもと変わらず勝手知ったところに見えた。

ふと、自分のクローゼットにしまってあるドレスが頭に浮かぶ。着られる日を待つドレスたち。履いて踊ってもらえる日を待つダンスシューズたち。そして、思い描いていた未来のことに——まるで深い溝のように眼前でぱっくりと裂けてしまった未来のことに思いをはせる。

広間に入ると、いつもよりたくさんの騎士たちがマドックの応接室に出入りしていた。召使いたちは、ジョッキやらインク壺やら地図やらを持って右往左往している。わたしに目をくれる者はほとんどいない。

広間の向こうから叫び声がした。ヴィヴィだ。オリアナと応接室にいた彼女はこちらに駆け寄ってきて、わたしを抱きしめた。

「あいつを殺すところだったわ」ヴィヴィは言った。「あのばかげた計画のせいであんたが怪我でもしたら、殺してやる気だったんだから」

自分の動きが止まっていたことにようやく気づく。片手をあげてヴィヴィの髪に触れ、そのまま肩まで指を滑らせた。「わたしなら大丈夫よ。人込みに埋もれちゃっただけ。大丈夫。何も問題ないわ」

もちろん、何も問題ないなんてことはない。でも、ふたりとも言い返そうとしない。

「ほかのみんなは？」

「オークはもう寝ているわ」オリアナが言った。「タリンはマドックの書斎の外にいる。すぐに来るでしょう」

その言葉にヴィヴィの表情が一変して見えたものの、それをどう理解すればいいかわからなかった。

階段をあがって自分の部屋へ行き、顔のペイントと足についた泥を落とした。ヴィヴィもついてきて、スツールに腰かける。バルコニーから差しこむ日の光のなか、彼女の猫のような目が金色に輝いていた。わたしがもつれた髪をくしでとかしているあいだ、ヴィヴィは話しかけてこなかった。わたしは襟が高く袖のきつく絞られた藍色のチュニックと、光沢のある黒のブーツといった暗い色合いに身を包み、新しい手袋で両手を覆った。それからナイトフェルをずっしりと重たいベルトに固定すると、王家の印章指輪をこっそりポケットに忍ばせた。

　部屋のなかにいると、現実からひどくかけ離れている感じがした。ぬいぐるみや本、それに集めた毒薬。ベッド脇のテーブルにはカーダンの『不思議の国のアリス』と『鏡の国のアリス』が一冊になった本も置いてある。新たなパニックの波が襲ってきた。いまわたしは、行方知れずの妖精国の王子を捕虜にして、それを自分の有利に働かせるにはどうしたらいいかを探ろうとしているのだ。この幼い頃から育ってきた家で。大胆不敵さにわれながら笑いがこみあげる。いったい自分はどういう人間なのだろう？

「その喉、何があったの？」ヴィヴィが顔をしかめながら尋ねた。「それに左手もどうしたのよ？」

あんなに慎重に隠していた傷のことを忘れてしまっていた。「たいしたことじゃないわ。今日の出来事とは関係ない。あの人はなんでこんなことをしたの？」

「つまり、どうしてマドックはバレキン王子に手を貸したかってこと？」ヴィヴィが声をひそめる。「さあね。政治ってやつでしょ。彼にとって、殺しはなんでもないことだもの。自分のせいでライア王女が死んだって気にもとめない。どうでもいいのよ、ジュード。彼は一度だって気にしたためしがない。そういうところが残忍な怪物なの」

「マドックが本気でバレキンにエルフェイムを統治させようと思っているはずがないわ」きっとバレキンは、これから何世紀にもわたる妖精国と人間の世界との関わり方を変えてしまう。どれだけの血が、誰の血が流されるかも彼次第になる。妖精国のすべてが〈虚ろの館〉のようになってしまうのだ。

　そのとき、階段の吹き抜けを通ってタリンの声があがってきた。「ロックはずっとマドックと一緒にいたじゃない。カーダンの隠れ場所なんて知るわけない」

　ヴィヴィが身を固くしたまま、わたしの顔を見つめる。「ジュード――」ほとんど息と言っていいほどの小さな声だ。

「マドックはきっと、彼に脅しをきかせているだけよ」オリアナが返している。「こんな混乱のさなかに結婚の準備なんてする気にならないのは、あなたもわかるでしょう」

　ヴィヴィが何か言ったり止めたりする間もなく、わたしは階段に走っていった。

競技会で戦ってカーダンを怒らせたあとに、ロックから言われたことを思い出す。〝なぜならきみは、これから始まる物語みたいだから。きみが何をするのか見ていたい。ぼくも話の一部になりたいんだ〟わたしが何をするのか見ていたいというのは、自分にこっぴどく振られたときのわたしが何をしでかすか見てみたいという意味だったのだろうか？

〝おもしろい物語が見つからなければ、自分で物語を生みだすまでだ〟

わたしがロックにふさわしくないと思っているんじゃないかと、カーダンに尋ねたときの返事が頭にこだまする。〝とんでもない〟ゆっくりとほほえみながら、カーダンは言った。〝最高にお似合いだ〟それから戴冠式のときも。〝お相手を替える時間だ。ああ、きみのせりふを奪ってしまったかな？〟

カーダンは知っていたのだ。大笑いしていたに違いない。みんなして、どれだけ笑ったことか。

「あんたの恋人が誰なのか、ようやくわかったみたい」わたしは双子の姉に呼びかけた。

タリンが上を向き、その顔から血の気が引いた。わたしはゆっくりと慎重に階段をおりた。

ロックと仲間たちが笑っていたとき、タリンも一緒に笑っていたのだろうか。わたしがロックの話をしたときのタリンの奇妙な目つきや声に潜んだ緊張、厩や彼の家でわたしたちが何をしていたのかとしきりに気にしていたこと、何もかもが突然、恐ろしいくらい腑《ふ》に落ちた。裏切りの鋭い刃に突き刺された気分だ。

わたしはナイトフェルを引き抜いた。

「決闘を申しこむわ」タリンに告げた。「ずたずたに裏切られた、わたしの名誉にかけて」

タリンの目が大きく見開かれる。「わたしだって、あんたに打ち明けたかったわよ」彼女は言った。「言いかけたことは何度もあったわ。だけど無理だった。ロックが言ったの。言わずに耐えられるかどうか、それが愛の試験だって」

酒宴のときのロックの言葉がよみがえる。〝愛しているがゆえに、ぼくをあきらめられる？　これって、愛の試験というやつじゃないか？〟

きっとタリンは試験に合格し、わたしは失敗したのだろう。

「それであんたにプロポーズしたってわけね」わたしは言った。「王族が虐殺されたってときに。なんてロマンティックだこと」

オリアナが小さく息をのんだ。マドックが聞いていて、わたしの表現に異議を唱えに来ることを恐れたのかもしれない。タリンの顔も、やや青ざめている。彼女たちの誰ひとり実際には現場を見ていないから、マドックはどうとでも説明できたのだろう。嘘をつかなくてもだませるってわけだ。

　ナイトフェルの柄をきつく握りしめる。「人間の世界から戻ってきた翌日にあんたが泣いたのは、カーダンに何を言われたからだったの？」わたしは思い出した。突き飛ばされて木にぶつかった彼のダブレットをつかんだこと。そのあと、タリンがわたしには関係ないと言い張ったこと。何を言われたのかきいても、かたくなに明かそうとしなかったこと。

　しばらくのあいだ、タリンは答えなかった。その表情から、真実を言いたくないのがわかる。

「このことだったんでしょう？　カーダンは知っていた。みんな知っていたのね」ふと、ロックの家のダイニングテーブルにいたニカシアが頭に浮かんでくる。あのとき彼女はほんの少しだけ、わたしに秘密をもらしてしまったようだ。〝彼は物事をめちゃくちゃにするの。それが好きなのよ。物事をめちゃくちゃにするのが〟

　あのときは、カーダンのことを言っているのだと思っていた。

「カーダンに、わたしのせいであんたの食べ物に泥を蹴りかけることになったんだって言われた」タリンが小さな声で言った。「ロックがみんなをだまして、ニカシアから彼を奪ったのはあんただと思わせた。だから、あんたが懲らしめられたの。わたしの代わりにあんたが苦しんでいるんだって、理由を知ればあんたも引きさがるだろうってカーダンは言ったわ。でも、打ち明けられなかった」

長いこと、タリンの言葉を理解しようとする以外に何もできなかった。それからふたりのあいだにナイトフェルを投げた。剣が床の上で音を立てる。「拾って」わたしは命じた。

タリンが首を横に振る。「あんたとは戦いたくない」

「本当？」タリンの目の前に立った。わずらわしいほど顔の近くに。彼女がわたしの肩をつかんで押しのけてやりたいとうずうずしているのが伝わってくる。ロックとキスしたり、彼のベッドで寝たりしたわたしを腹立たしく思っていたに違いない。「そんなことないと思うけど。わたしを叩きのめしたくてしかたないんじゃない？　もちろん、こっちはあんたを叩きのめしてやりたい」

暖炉の上高く、マドックの短剣と三日月の紋章が入ったシルクの旗のすぐ下の壁に、一本の剣がかけられている。近くの椅子によじのぼって炉棚にあがり、フックから剣を持ちあげた。これなら使えそうだ。

わたしは飛びおりると、タリンのほうへ歩いていって、彼女の心臓に剣を向けた。

「もう稽古してないのよ」タリンが言う。

「わたしはしてる」そう言いながら、ふたりのあいだの距離を縮めていく。「でも、そっちのほうがいい剣なんだから、最初の一撃を食らわせられるかもしれないわ。これ以上ないほど公平でしょ」

タリンはしばらくわたしを見つめていたが、やがてナイトフェルを手に取った。そして後ろへ数歩さがり、剣を引く。

部屋の向こうで、オリアナが息をのんで飛びあがった。とはいえ、こちらにはやってこない。止めに入ろうとはしない。

壊れてしまったものがたくさんあるけれど、どう修復したらいいのかわからない。でも、戦い方なら知っている。

「ばかな真似はやめて！」バルコニーから、ヴィヴィが叫ぶ。いまは彼女にあまり注意を払っていられない。床の上を移動するタリンに意識を集中させる。マドックはわたしたちふたりに剣術を教えてくれた。どちらにもしっかりと。

タリンが剣を振りかざした。

その一撃をブロックする。剣同士が激しくぶつかりあった。金属音が鳴り響き、まるで鐘のように部屋じゅうにこだまする。「わたしをだますのは楽しかった？　わたしに優越感を覚えてうれしかった？　わたしがロックにたぶらかされてキスされてるあいだ、あんたは妻の座を約束されてずっとご満悦だったってわけ？」

「違う！」タリンはわたしの一連の攻撃をかわすのにいくらか手こずった。とはいえ、筋肉は技を忘れていない。タリンは歯をむきだした。「そんなのはいやだった。でも、わたしはあんたとは違う。わたしはここの一員になりたいの。彼らに歯向かっても、何もかも悪くなるだけよ。カーダン王子に逆らう前、あんたは一度だってわたしの意見を聞いてくれなかった。彼がいじめを始めたのはわたしのせいだったかもしれないけど、続けさせたのはあんたよ。それがどんな事態を招くかなんて、あんたは気にかけなかった。わたしは違うんだって、ロックに示すほかなかったの」

　何人かの召使いたちが見物に集まってきていた。

　わたしは彼らを無視した。前の晩に墓を掘ったせいで痛む両腕も、てのひらの傷の刺すような痛みも、気づかないふりをする。わたしの刃がタリンのスカートを裂き、その下の皮膚まで切りそうになる。タリンは目を見開いて、よろよろと後ろにさがった。

　それからすばやい剣の応酬がしばらく続いた。タリンの息が荒くなっている。こんなふうに攻撃されることには慣れていないのに、それでも引きさがらない。

わたしはタリンの剣を打ちつけた。彼女に身を守る以外の時間を与えない。「復讐だったってわけ？」幼いときはよく、稽古用の棒を使ってふたりで打ちあいをしたものだ。その頃から、ほかにも髪の毛を引っ張りあったり、怒鳴りあいのけんかをしたり、無視しあったりしてきた。けれど、こんなふうに本物の剣で戦うのは初めてだ。

「タリン！　ジュード！」ヴィヴィがらせん階段に向かいながら叫んだ。「やめなさい。さもないと、わたしがやめさせるわよ」

「あんたはここの妖精たちを憎んでる！」なめらかに剣をまわして一撃を繰りだすタリンの目がきらりと光る。「あんたはロックのことなんてなんとも思ってなかった。カーダンから奪えるもののひとつにすぎなかったのよ」

その言葉にわたしが動揺した隙に、タリンはこちらの防御の下に入りこんだ。回転して逃げるより早く、タリンの刃が脇腹をかすめる。

タリンは話し続けた。「わたしを弱いと思っているでしょう」

「実際そうじゃない」わたしは言った。「あんたは弱くて、同情を誘う子で、わたしは――」

「わたしは鏡」タリンが叫ぶ。「あんたがのぞきたくない鏡よ」

もう一度、彼女に向かって剣を振りかざした。その一撃に全体重をかける。すごく腹が立っていた。いろいろなことに腹が立ってしかたない。自分の愚かさが憎い。だまされた自分が憎い。頭のなかで、怒りがほかの思考をすべてかき消すほどのうなり声をあげる。

　わたしはタリンの脇腹めがけて、きらきらとした弧を描くように剣を振った。

「やめろと言ったでしょう」ヴィヴィが叫ぶ。その声に宿った魔力が、まるでクモの巣のようにきらめく。「さあ、やめなさい！」

　タリンは戦意喪失したようだった。両腕の力が抜け、急にゆるめた指からナイトフェルがだらりと垂れさがる。顔には、まるで遠くで流れている音楽を聴いているかのような、ぼんやりとした笑みが浮かんでいた。わたしは振りかざしていた剣を阻止しようとしたけれど、もう手遅れだった。代わりに剣を手から放す。剣は勢いよく部屋の反対側まで飛んで本棚に激突し、牡羊の頭蓋骨を床に叩き落とした。そのはずみでわたしも床に倒れこむ。

　驚いてヴィヴィに向き直る。「なんてことするの」真っ先に口をついて出たのは、その言葉だった。タリンをまっぷたつにできていたかもしれないのに——なんてもっと肝心な言葉より先に。

ヴィヴィもわたしに負けじと驚いたようだった。「魔よけをつけてるの？　着替えるところを見たけど、何もつけてなかったわ」

デイン王子のゲシュだ。彼が死んだあとも効力は続いていたのだ。

両膝にひりつく痛みを感じ、片手がずきずきする。ナイトフェルが触れた脇腹にも刺すような痛みが走った。戦いを止めたヴィヴィに猛烈な怒りがわく。彼女がわたしたちに魔法を使おうとしたことが許せない。わたしは立ちあがった。息が荒くなる。額に汗が噴きだし、手足が震える。

次の瞬間、後ろから複数の手に取り押さえられた。さらに三人の召使いがあいだに入ってきて、両腕をつかまれる。タリンは召使いのふたりに連れられ、わたしから引き離された。顔にヴィヴィが息を吹きつけると、タリンは咳きこみながらわれに返った。

そのとき、応接室から出てくるマドックの姿が見えた。部下や騎士たちがまわりを囲んでいる。それからロックも。

わたしはびくりとした。

「おまえたち、何事だ？」マドックは大声を張りあげた。見たこともないほどに激怒している。「今日はすでに多すぎるほどの死を目にしたはずだろう？」

それはまるで矛盾したことを言っているように聞こえた。だって、その死のほとんどの原因はマドック自身だったのだから。

「ふたりとも、娯楽室で待っていなさい」わたしの頭に浮かぶのは、玉座にあがったマドックが剣でデインの胸を突き刺したことだけだ。マドックとは目を合わせられなかった。体じゅうが震える。叫んでやりたい。この男に飛びかかってやりたい。自分がまた子どもに戻ってしまったように感じた。死の家の無力な子どもに。

何かしたい。でも、何もできない。

マドックはナーボーンのほうに向き直った。「ふたりを連れていけ。くれぐれも互いを近づけないように」

娯楽室に連れていかれ、床に腰をおろして両手に顔をうずめた。その手を離すと、涙に濡れていた。タリンに見られる前に、さっとズボンで指をぬぐった。

少なくとも一時間は待った。タリンにはひと言も話しかけず、向こうも話しかけてこなかった。タリンも少し洟《はな》をすすっていたけれど、そのあと鼻をこすって泣くのをやめた。

気分を晴らそうと、椅子に縛られたカーダンのことを考える。それから、カラスのように黒々とした髪越しにわたしを見あげてきた仕草や、酔いどれの笑みであがった口角を思い出した。ちっとも慰めにならない。

　わたしは疲れ果て、すっかりまいってしまった。

　タリンが憎い。マドックも憎い。ロックも。カーダンも。ひとり残らずみんな憎い。ただ、誰のことも憎みきれない自分がいる。

「あの人から何をもらったの?」とうとう沈黙にうんざりして、タリンにきいた。

「マドックはわたしに、父さんが作った剣をくれた。さっきの決闘で使ったあれよ。そっちにも何かあげるものがあると言ってたわ」

　答える気がないのかと思うほど、タリンは長いこと押し黙っていた。「テーブルナイフ一式よ。たぶん骨ごと切れるやつ。剣のほうがいいわ。名前もついてるし」

「ステーキナイフにも名前をつければいいじゃない。たとえば〝肉長老《ミート・ザ・エルダー》〟とか、〝すじ肉の破壊者《グリッソルベーン》〟とか」わたしがそう言うと、タリンは笑いをこらえるかのように少しだけ鼻を鳴らした。

　けれどもそのあとは、また沈黙に戻った。

　ようやくマドックが娯楽室に入ってきた。彼の前を行く影が、カーペットのように床に広がる。マドックは鞘におさめたナイトフェルをわたしの目の前の床に放り投げてから、脚の部分が鳥の足の形をした長椅子に腰をおろした。これほどの重みに慣れていない長椅子が、みしみしと音を立てる。ナーボーンはマドックに会釈をして出ていった。

「タリン、ロックのことでおまえに話がある」マドックが言った。

「彼を傷つけたの？」タリンの声には、かろうじて抑えたすすり泣きが交じっていた。マドックへの当てつけでわざとやっているのだろうかと、意地の悪いことを考える。

マドックも同じことを思ったのか、鼻を鳴らして笑った。「あの男がおまえに結婚を申しこんだとき、わたしにこう言った。知ってのとおり妖精国の民は移り気な性格だが、それでもおまえを妻にめとりたい、と。つまり、いずれおまえも、やつがたいして誠実ではないと気づくことになるだろう。やつはそのとき、ジュードとのたわむれについて何も口にしなかったが、先ほどわたしから尋ねると、〝人間の感情はとてもはかないから、少しばかりもてあそばずにはいられなくなるんですよ〟と言ったのだ。それからこうも言った。タリンは自分たち妖精のようになれると証明してみせてくれた、と。証明するために何をしたにせよ、それがおまえたち姉妹のいさかいの原因になったことは疑う余地がない」

タリンのドレスが彼女をふんわりと包みこんでいた。脇腹には浅く切り傷ができ、スカートも裂けているにもかかわらず、彼女に動じた様子はない。丸くカーブした耳さえ、よくよく見なければ、まるで貴族の淑女みたいに見える。正直、ロックがタリンを選んだことを責められない。わたしは凶暴だから。何週間も自分に毒を盛っている、人殺しで嘘つきでスパイなのだ。

ロックがタリンを選んだことは納得できる。ただ、タリンにはわたしを選んでほしかった。

「彼になんて言ったの？」タリンがきいた。

「わたしは自分を特に移り気だと思ったことはないと言ってやった」マドックが返す。「それから、おまえはふたりのどちらにもふさわしくないと」

タリンは体の脇で両手を握りしめた。とはいえ、それ以外に怒っているとわかる仕草はない。わたしとは違って、彼女はある種の上品で落ち着いた物腰を身につけている。わたしがマドックのもとで学んでいるあいだ、タリンの先生はオリアナだった。

「彼の求婚に応じることを許してもらえないの？」

「うまくはいくまい」マドックは言った。「だが、おまえの幸せの前に立ちはだかるつもりはない。おまえ自身が選ぶ不幸の前にも、立ちはだかるつもりはない」

タリンは何も言わなかった。でも、息の吐き方から安堵しているのがわかる。

「行きなさい」マドックがタリンに命じる。「それから、もう二度と血族と決闘をしてはならん。ロックと一緒にいることにどんな喜びを見いだそうと、おまえの忠誠心は家族に向けなければならない」

マドックの言う忠誠心とはなんだろう、とふと思う。彼の忠誠の相手はデイン王子だと考えていた。王子に忠誠を誓ったのだと。

「でも、ジュードのほうが――」タリンが言いかけると、マドックは恐ろしい黒い巻き爪のついた片手をあげた。

「決闘を申しこんできた、か？　ジュードがおまえの手に剣を押しつけ、振りまわさせたか？　自分の姉妹がなんの敬意も持ちあわせていないと、丸腰で突っ立っているおまえを切り刻もうとしていると、本気で思ったのか？」

タリンが顎をあげてにらみつける。「戦いたくなんてなかったわ」

「ならば今後もするな」とマドックが言い放つ。「勝つ気がないなら、戦っても意味はない。もう行っていい。ジュードと話をさせてくれ」

タリンは立ちあがり、ドアへと歩いていった。重厚な真鍮製《しんちゅうせい》の掛け金に手をかけたまま、ほかにも何か言おうとするかのように振り返る。マドックが入ってくる前に感じた姉妹の友情はもう、消え去っていた。タリンの顔からは、マドックにわたしを罰してほしいと思っていることが、でも彼はそうしないとわかっていることが伝わってくる。

「カーダン王子の行方なら、ジュードにきいてみればいいわ」タリンが目を細めて言った。「最後に彼を見たとき、ジュードと踊っていたもの」

そこまで言うと、タリンはそそくさとドアの外へ出ていった。わたしの心臓が雷鳴のようにとどろく。ポケットのなかで王家の印章が燃えたぎる。タリンは知らない。ただのいやがらせだ。去り際の捨てぜりふで、わたしを困らせてやろうとしただけ。もし本当に知っていたら、そんなことを言うとは思えない。

「さあ、今晩のおまえの行いについて話そう」マドックが身を乗りだした。

「今晩のあなたの行いについて話しましょう」そう言い返す。

マドックはため息をついてから、大きな手で顔をこすった。「あそこにいたのだろう？　見なくてすむように、おまえたち全員を外に出そうとしたのだが」

「デイン王子を敬愛していると思ってた。あなたは彼の友人なんだと思っていたのに」

「とても敬愛していたよ」マドックが応じる。「今後、バレキンをそこまで敬愛するようにはならないだろう。だが、わたしの忠誠心を要求できる者がほかにもいてね」

パズルのピースのことをふたたび考える。ここへ戻ってきて手に入れようとしている答えのことを。デインに背くようマドックを説得するのに、バレキンは彼にいったい何を授けたのだろう？　あるいはどんな約束をしたの？

「誰のことよ？」わたしは問いただした。「これほどの死に値するものって何？」

「そこまでだ」マドックの声が怒りを帯びた。「おまえはまだ、わたしの軍事会議の一員ではない。時が満ちれば、知るべきことがおまえにもわかるだろう。それまでは、いろいろと混乱はあっても、わたしの計画は覆らないと断言する。いま必要なのは末の王子だ。カーダン王子の居場所を知っているなら、わたしからバレキンに頼んで、おまえにすばらしい報酬を用意させてやってもいい。彼の宮廷での地位と、望んでいた者との結婚でどうだ？　それとも愛想を尽かした者の、まだ動いている心臓か」

驚いてマドックを見た。「わたしがタリンからロックを奪うと思っているの？」

マドックが肩をすくめる。「タリンの肩から頭をはねたいと思っているように見えたものでね。あの子はおまえを裏切った。ふさわしい罰として、おまえがどんなことを考えるかはわからないが」

ほんの一瞬、わたしたちは互いに見つめあった。マドックは残忍な怪物だ。だから、わたしがとんでもなくひどいことをしたいと思ったとしても、それでわたしを裁きはしない。そうこっぴどくは。

「もし、わたしに助言を求めるなら」マドックはゆっくりと言った。「恋とはうまく育たぬものだ。苦痛を餌にする。少なくともそれだけは知っている。わたしはおまえを愛している。タリンも愛している。だが、あの子がロックにふさわしいとは思わない」

「わたしも？」マドックの考える愛が、あまり安全なものではないような気がしてならない。彼は母さんを愛していた。デイン王子を愛していた。わたしたち姉妹に対するマドックの愛は、きっと母さんやデインに与えたのと同じ程度の庇護しか与えてくれそうにない。

「ロックがおまえにふさわしいとは思わない」そう言うと、マドックは歯を見せて笑った。「もしタリンの言うようにカーダン王子の居場所を知っているのなら、わたしに引き渡しなさい。彼はまだ粋がった子どもみたいなもので、剣も苦手だ。ある意味では魅力的で賢くもあるが、守る価値はいっさいない」

〝若すぎるし、弱すぎるし、性悪すぎるわ〟

マドックがバレキンと計画していた謀反についてふたたび考える。本当はどうなるはずだったのだろう？　影響力のあるふたりの年長のきょうだいを殺す。そうすれば間違いなくエルドレッド上王は折れて、もっとも力のある王子、つまり脇に軍隊を従えた王子の頭上に冠をかぶせるだろう。おそらくしぶしぶだけれど、ひとたび脅されればバレキンを王位につかせるはず、といったところか。ただ、エルドレッドはそうしなかった。バレキンは無理じいした。そしてみんな死んだ。

　カーダン以外みんな。ゲームボード上のプレイヤーはほとんどいなくなった。

　こんなふうになるとは、マドックも思っていなかったに違いない。でも、わたしは彼の戦術の授業を思い出す。計画がどう転がろうと、勝利に導かなければならない、とマドックは言っていた。

　けれど、すべての可能性を実際に計画できる人なんていない。そんなのばかげている。

「家のなかで剣を使って決闘するなと説教されるのかと思った」カーダンの居場所から話題をそらそうとして言った。〈影の臣下〉に約束したもの——つまりマドックからの申し出は引きだせた。あとはそれでどうするかを決めるだけだ。

「わたしから言わなくてはいけないのか？　もしおまえの剣が本当に突き刺さってタリンが傷ついていたら、一生後悔していただろうと？　おまえに授けた教えのなかでも、それを一番よく言って聞かせたと思っていたんだがな」マドックはじっとわたしを見据えた。彼は母さんのことを言っているのだ。自分が母さんを殺したことを。

それについて、わたしは何も言えなかった。

「もっとふさわしい相手にその怒りをぶつけなかったことが残念でならない。こういうとき、妖精国の民は行方不明になるものだ」そう言って、マドックはわたしに意味ありげな視線を投げた。

彼が言っているのは、ロックを殺してもいいってことなのだろうか？　わたしが貴族のひとりをすでに殺していると知ったら、どんな言葉が返ってくるだろう？　その死体を見せたら？　ひょっとすると、〝おめでとう〟かもしれない。

「罪悪感はないわけ？」ひどい質問なのはわかっている。ただそれでも言ってしまうのは、軽蔑してきたマドックにどれだけ自分が似てきたかを突きつけられているからだ。

マドックは眉間にしわを寄せ、どう答えたものか吟味しているみたいにこちらを見つめた。彼に見えているはずの自分を想像してみる。彼を一方的に非難している、不機嫌な少女の姿を。「バグパイプや絵画に秀でた者もいる。色恋に長《た》けた者も」ようやくマドックが口を開いた。「わたしが長けているのは戦争だ。わたしが夜も眠れぬほど罪悪感を覚えるのは、長く戦争をせずにいたことだけだ」

わたしはゆっくりとうなずいた。

マドックが立ちあがる。「わたしの話をよく考えるんだな。そして、おまえ自身の天分が何かを」

それがどういう意味かは、お互いにわかっていた。わたしが何に長けているかなんて、どんな人間かなんて、ふたりとも百も承知だ。さっき剣を片手に、自分の姉妹を追いかけまわしたばかりなのだから。でも、その天分をどう使えばいいのかがわからない。

娯楽室から出ると、バレキン王子が家臣たちを連れてやってきている気配がした。彼のお仕着せ――ダブレットに三羽の黒い笑う鳥が鮮やかに描かれている――をまとった騎士たちが、広間に直立不動の姿勢で立っている。彼らの横をこそこそと通り過ぎ、剣を背後に引きずりながら階段をあがった。疲れ果てていて、もうそうするしかなかったのだ。

ふと、おなかがすいていることに気づいた。けれど、食べようにも気分が悪い。失恋するとはこういうことなのだろうか？　この気分の悪さがロックのせいなのかは、いまひとつよくわからない。いっそのこと、戴冠式が始まる前までの世界に戻れればいいのに。でも、もしこの数日の時間の経過をなかったことにできるのなら、ヴァレリアンを殺す前まで、両親が生きていた頃まで、すべての始まりまで時を巻き戻して何が悪いというのだろう？

ドアをノックする音がしたかと思うと、わたしがなんの合図をする間もなく開いた。ヴィヴィがサンドイッチをのせた木製の皿と、コルク栓付きの琥珀色のガラス瓶を持って入ってくる。

「わたしは最低のばかよ」わたしは言った。「それは認める。だからお説教はやめて」

「わたしこそ、魔法のことで責められると思ってた」ヴィヴィが言う。「ほら、あんたにかからなかったやつ」

「自分の妹たちに魔法をかけるなんて、やっちゃいけないわ」瓶のコルク栓を抜いて、水をがぶ飲みした。どれだけ喉が渇いていたか、自分で気づいていなかった。さらにごくごくと飲み続け、一気に中身をすべて飲み干しそうになる。

「自分の姉妹をまっぷたつに切ろうとするのもだめよ」そう言って、ヴィヴィはわたしの枕や古ぼけたぬいぐるみに身を沈めた。無造作に蛇のぬいぐるみを持ちあげて、フェルトでできた舌のふたまた部分を指ではじく。「剣術とか、騎士の位とか、そんなの全部お遊びだと思ってた」

タリンとわたしが妖精国を受け入れて楽しみ始めたときに、ヴィヴィがものすごく怒っていたのを覚えている。頭に花冠をのせて、空に向かって弓矢を射ったり、砂糖漬けにしたスミレを食べたり、丸太を枕にして眠ったり。わたしたちは子どもだった。子どもは一日じゅう笑うことができて、それでいて夜には泣き疲れて眠る。けれどもわたしが剣を、両親を殺したような剣を手にして、それを遊び道具だと思うようになったとき、ヴィヴィはわたしを冷酷だと信じざるをえなくなった。

「遊びじゃなかったわ」ようやくわたしは言った。

「そうみたいね」ヴィヴィは猫のぬいぐるみに蛇を巻きつけた。

「彼のことは聞いていたの？」尋ねながら、ベッドのヴィヴィの隣によじのぼる。横になると気持ちがよかった。少し気持ちよすぎたのか、すぐに眠くなってしまった。

「タリンがロックとつきあってたなんて、知らなかったわ」ごまかそうとしているんじゃないかとわたしが不審に思うことのないように、ヴィヴィはわざと文章を省略せずに言った。「だけどロックの話はしたくない。あんなやつのことは忘れなさいよ。わたしはあんたと妖精国を離れたいの。今夜のうちに」

その言葉に上体を起こした。「なんですって？」

ヴィヴィはわたしの反応に声をあげて笑った。それがごくごく普通の笑い声に聞こえて、この二日間の劇的なドラマとはまったく不釣りあいだった。「驚くと思ったわ。考えてもみて、次にここで何が起こるにしても、いいことではないわよ。バレキンはろくでなし。それに何より大ばか者じゃない。ここへ帰ってくる途中でお父さんが悪態をついていたのを、あんたも聞けばよかったのよ。とにかく行きましょう」

「タリンは？」

「もう言ってある。でも、あの子がついてくることに賛成したかどうかは教えない。あんたには自分のためを思って返事してほしいから。ジュード、聞いて。あんたに秘密があるのは知ってる。何かがあんたを蝕《むしば》んでるわ。顔色もどんどん悪くなるし、痩せてきてるし、目がおかしな輝き方をしてる」

「平気よ」

「嘘つき」ヴィヴィはそう言ったけれど、その非難はちっとも激しくなかった。「わたしのせいで、あんたがこの妖精国で身動きが取れなくなっているのはわかってるわ。あんたの人生で起こった最悪の出来事は、みんなわたしのせいだって。そんなこと、あんたは絶対に言わないし、そういうところが優しいんだけど、ちゃんとわかってるのよ。あんたは自分自身を別の何かに変えなきゃいけなくて、実際にそうしてきた。あんたを見ていると、もう人間でいる方法もわからなくなっているんじゃないかと思うときがあるの」

どうしたらいいかわからなかった――褒め言葉と侮辱的な言葉をいっぺんに言われて。けれどもその言葉の裏に、ある種のお告げみたいなものを感じた。

「あんたはわたしより、ここになじんでる」ヴィヴィが続ける。「でも、そのために何かを犠牲にしているような気がしてならないのよ」

いつもは、自分が送っていたかもしれない人生を想像したいとはあまり思わない。魔法のない人生を。普通の学校に行って、普通のことを学ぶ。両親が生きていて、変わり者の姉がいる。あまり怒らず、両手を血に染めることのない、そんな人生を。でもいま、思い描いてみた。奇妙な感じがして、全身がこわばり、胃がむかむかする。

わたしがいま感じているのはパニックだ。

もし、その人生のジュードに向かって狼がやってきたら、あっという間に彼女は食べられてしまうだろう。狼はいくらでも寄ってくるのだ。これほどに弱い自分を想像するのも恐ろしい。一方、いまの実際のわたしは、狼のほうの一員になる道を着々と歩んでいる。もうひとりのジュードの本質がなんであれ、彼女のなかでは無傷で、わたしのなかでは壊れてしまっている部分がなんであれ、それはもうわたしには取り返せないものなのかもしれない。ヴィヴィの言うとおりだ。いまの自分であるために、わたしは何かを犠牲にしている。でも、それが何かはわからない。取り戻せるかもわからない。それを自分が望んでいるかどうかも。

とはいえ、試してみることはできるかもしれない。

「人間の世界で何をするの？」わたしはきいた。

ヴィヴィはほほえみ、サンドイッチの皿をわたしのほうへ押しだした。「映画を観に行くでしょ。いろんな街にも行く。車の運転も習う。王国には住まず、政治に興味のない妖精もたくさんいるわ。わたしたちはきっと好きなように暮らせる。屋根裏部屋でも、木の上でも。望むがままに」

「ヘザーと一緒に？」サンドイッチを手に取り、大きくかぶりつく。薄切りの羊肉と、酢漬けにしたタンポポの若葉。おなかがグーグーと鳴りだした。

「できればね」ヴィヴィが答える。「ヘザーに説明するのを手伝ってくれてもいいのよ」

ここで初めて気づいた。意識的かどうかはわからないが、ヴィヴィは逃げて人間になろうとは言っていない。はぐれ妖精のように暮らそうと提案しているのだ。人間に属するのではなく、彼らに交じって。わたしたちはきっと、人間のマグカップからクリームをかすめ取ったり、ポケットから小銭を盗んだりする。でも、定住して退屈な仕事につくことはきっとない。少なくともヴィヴィは。

　それについて、ヘザーはどう思うだろう？

　カーダン王子のことが何かしら解決したとして、そのあとはどうなる？　たとえバレキンの手紙の謎が解けたとしても、わたしの居場所はやっぱりどこにもない。〈影の臣下〉はきっと解散になる。タリンは結婚するだろうし、ヴィヴィもここから去る。わたしはヴィヴィについていくのがいいのかもしれない。それで自分のどこが壊れているのかを解き明かして、やり直せばいい。

　ふと、下宮廷に行かないかというローチの提案を思い出す。妖精国でやり直そうという提案を。どちらにしてもあきらめている感じはするものの、ほかにどうする道がある？　屋敷に帰れば何か策を思いつくかもしれないと思ったが、いまのところ何も浮かんできていない。

「今夜は行けないかも」わたしはためらいがちに言った。

　ヴィヴィが息をのみ、胸に手を当てる。「真剣に考えて」

「片づけなきゃいけないことがいくつかあるの。一日ちょうだい」同じものについて、何度も何度も交渉してばかりいる。そう、時間。だけどあと一日のうちに、〈影の臣下〉との件はけりがついて、カーダンの処遇が決まる。どんな形であれ、すべての決着がつく。妖精国からできるだけの報酬を絞り取るつもりだ。この一日でもし計画が立たなければ、もう手遅れになる。「永遠に果てしなく続く一生のうちの、たかが一日が何よ？」

「決断するための一日？　それとも荷物をまとめるための一日？」

サンドイッチをもうひと口かじる。「どっちも」

ヴィヴィが目をぐるりとまわしてみせた。「くれぐれも覚えておいて。人間の世界はこことは違うわ」ドアへと歩きながら言う。「ここでのあんたでいる必要はないのよ」

廊下からヴィヴィの足音が聞こえてくる。サンドイッチをさらにもうひと口かじった。よく嚙んでからのみこむが、なんの味もしない。

もし、いまのわたしが、ありのままのわたしだったらどうしよう？　ほかは何もかも変わるのに、わたしだけが変わらなかったら？

ポケットからカーダンの指輪を取りだし、てのひらの真ん中にのせた。わたしがこれを持っているべきではない。人間の手にあってはいけない。近くで見ることすらしてはいけない気がするのに、なんだかんだで見てしまう。深い豊かな赤みに満ちた金でできていて、縁は絶えず擦れていたせいでつるつるしている。模様のところにほんの少し蠟がこびりついていたので、爪の先でなんとか取ろうとした。この世界の外では、この指輪はどれくらいの価値があるのだろう？だめよと自分に言い聞かせるより早く、わたしはその指輪を価値のない自分の指にはめた。

24

次の日の午後、口のなかに毒の味を感じて目を覚ました。服のまま、ナイトフェルの鞘に巻きつくようにして寝てしまっていた。

正直あまり乗り気ではないけれど、タリンの部屋まで行ってドアをノックする。世界がまたひっくり返る前に、何か言っておかないといけない気がしたのだ。ふたりのあいだの仲を正さないと。けれど何も応答がない。そこでノブをまわしてなかに入ると、部屋は空っぽだった。

オリアナならタリンがどこにいるか知っているかもしれないと思い、今度は彼女の部屋へ向かった。開いたドアからなかをのぞいてみると、オリアナがバルコニーに出て、木々やその先の湖を眺めているのが見えた。風が彼女の髪を青白い旗のように後ろへたなびかせ、薄地のドレスをふくらませている。

「何してるの？」部屋に入りながら尋ねた。

オリアナが驚いたように振り向いた。それも当然かもしれない。いままでわたしが彼女を探したことなんて、一度でもあっただろうか。「わたしたちの種族は、かつて翼を持っていたの」その声には憧れがはっきりと表れていた。「わたし自身に翼があったことはないのに、それが欠けているように感じるときがあるのよ」

翼のある自分を想像するとき、彼女はあらゆるものから離れて空に舞いあがっていく姿を思い描くのだろうか。

「タリンを見なかった？」オリアナのベッドの支柱には、鮮やかな緑色の茎をした蔓植物が巻きついている。寝床の上からは青い花が房状に垂れさがり、ベッドを香り豊かな東屋《あずまや》のように仕立てていた。植物が這っていないところなんてないように見え、座る場所もなかった。マドックがここでくつろぐ姿は、なかなか想像がつかない。

「婚約者の家へ行ったわ。でも明日、バレキン上王の館にふたりで来るはずよ。あなたもね。お父さまや、シーリー・コートとアンシーリー・コートの統治者たちを何人か招いて祝宴を開くことになっているの。お互い、あまりいがみあわずにいてもらわないと困るわ」

想像すらできない。その恐ろしさも、居心地の悪さも。紗織《しゃお》りのドレスを着て宴に出る自分も。妖精の実の香りが強烈に漂う室内も。そのあいだ、わたしはバレキンが殺戮を犯した怪物だとは知らないふりをしなければならないのだ。

「オークも行くの？」オリアナにきいたとたん、初めて心残りの本当の痛みに襲われる。もしここを去れば、オークが成長していく姿を見ることはかなわないのだ。

　オリアナは両手を握りしめて、化粧台のほうへ歩いていった。そこには宝石がいくつもかけられている。薄くカットした瑪瑙《めのう》がついた、未加工の水晶ビーズの長いチェーン。月長石や、深緑色のブラッドストーンをつなげて作った襟飾り。太陽の光のなかで炎のように輝くオパールのペンダント。それから銀のトレイには星形のルビーのイヤリングと、その横に黄金でできたドングリがあった。

　黄金のドングリ。ロックに借りたドレスのポケットに入っていたものと同じだ。彼の母親のものだったドレス。リリオペ。ロックの母親。彼女の奇抜で明るいドレスのことを、ほこりまみれだった寝室のことを思い出す。そして、ポケットのなかにあったドングリが開いて、一羽の小鳥が出てきたときの記憶がよみがえる。

「オークは幼すぎるから、晩餐なんてひどく退屈に違いないとマドックを説得しようとしたのだけど、彼はオークを連れていくと言って聞かなくて。あなたがオークの隣に座って、楽しませてやってくれないかしら」

　わたしはリリオペの話について考える。わたしがデイン王子と親密になりすぎていると思いこんだオリアナが話してくれたこと。オリアナがマドックの妻になる前に、エルドレッド上王の愛人だったこと。彼女はなぜ急いで結婚する必要があったのか。何を隠さなければいけなかったのか。

続けて、バレキンの机にあったメモについて考える。デイン王子の手書きのメモ。〝朝焼けのような髪色〟と〝星明かりのような瞳〟をした女性に宛てた十四行詩《ソネット》。

そしてドングリの小鳥のメッセージについて考える。〝親愛なる友へ、これはリリオペからの最後の言葉です。わたしは三羽の金の小鳥を放ちます。三羽試みて、どれか一羽でもあなたの手に届くように。わたしはもう手遅れで、解毒剤をのんでも間に合いません。だから、もしあなたがこのメッセージを聞けたなら、わたしの秘密の責任と最後の願いをあなたに託します。彼を守ってください。この宮廷の危険からはるか遠くに、彼を連れだしてください。どうか彼の安全を守って。そしてわたしの身に起こったことを、絶対に本人に教えないで〟

もう一度、ここで陰謀のことを、デインやオリアナやマドックのことを考える。オリアナが初めてわたしたちの屋敷にやってきたときのことを思い出す。あっという間にオークが生まれたけれど、とても病弱だからと、数カ月も会わせてもらえなかった。オリアナはわたしたちと一緒にいるオークを常に守っていた。わたしはそれを別の理由のせいだと思いこんでいたが、きっとそこにはある本当の理由があったのだ。

同じように、リリオペが友人に連れだしてほしいと願った子とは、てっきりロックのことだと思いこんでいた。だけど、もしリリオペが身ごもっていた赤ん坊が、彼女と一緒に死んでいなかったら？

まるで呼吸を奪われたみたいに感じる。言葉を発するという行為が、肺のなかの空気との苦闘であるかのようだ。いまから自分が言おうとしている内容が、いまひとつ信じられない。たとえ、この結論ならつじつまが合うとわかっていても。「オークはマドックの子じゃないのね？　少なくとも、わたしがマドックの子じゃないというのと同じ意味では」

〝その男の子が生まれたら、デイン王子は決して王座につけない〟

オリアナが、わたしの口にぴしゃりと手を押し当てた。彼女の肌は雪が降ったあとの大気のような匂いがする。「言ってはだめ」わたしの顔の近くでオリアナは言った。声が震えている。「二度と口にしないで。オークを愛しているなら、言わないで」

わたしはオリアナの手を押しのけた。「デイン王子が父親で、リリオペが母親だったってことね。オークこそ、マドックがバレキン側についた理由、デインに死んでほしかった理由なんだわ。そしていま、王位の鍵を握っているはあの子」

オリアナが大きく目を見開き、両手でわたしの冷たい手を取った。彼女はおとぎばなしに出てくる想像上の生き物みたいで、幽霊のように青白く、いつまで経っても見慣れない。「どうしてそれを？　なぜ人間のあなたが知っているの？」

妖精国のなかでもっとも重要な存在はカーダン王子だと思っていた。なんにもわかっていなかったのだ。

わたしはすばやくドアを閉めて、バルコニーへの出入り口もふさいだ。それを見てもオリアナは何も言わなかった。「彼はいまどこ？」わたしはきいた。

「オーク？　子守と一緒よ」ひそひそ声で言い、オリアナはわたしを部屋の角にある小さな寝椅子へ引っ張っていった。ブロケード織りの蛇模様が描かれた椅子で、毛皮がかかっている。「急いで話しましょう」

「まず、七年前に何があったか教えて」

オリアナが深呼吸する。「わたしがリリオペに嫉妬していたと思うかもしれないわね。彼女もまたエルドレッドの愛人だったから。でも、違うの。わたしはリリオペを愛していた。いつも笑っていて、愛さずにはいられない女性だった。息子のロックがあなたとタリンの関係を壊すようなことをしても、それでもリリオペを思うとロックを愛さずにはいられないの」

母親が上王の愛人というのは、ロックにしてみればどんなものだったのだろう？同情と、彼の人生が少しでも悲惨であったことを願う気持ちとの狭間で心が揺れ動く。

「わたしたちは親友だった」オリアナが続ける。「リリオペがデイン王子との密会を始めた頃、話を聞いたの。何も深刻に考えていないようだったわ。彼女はロックの父親をとても愛していたと思う。デインとエルドレッドは、いっときの気まぐれで気晴らしにすぎなかった。わたしたちの種族が子どものことであまり心配しないのは、あなたも知っているでしょう。妖精の血は薄いから。ロックを産んでわずか十年後に次男を身ごもるかもしれないだなんて、きっと考えてもいなかったんでしょうね。なかには出産の間隔が何世紀も空く場合もあれば、一度も妊娠しない場合もあるくらいだもの」

　わたしはうなずいた。だから人間の男女が人知れず必要なのだ。人間が血筋を増強しなければ、永遠の命であるにもかかわらず、妖精たちは絶滅してしまうだろう。

「ブラッシャー・マッシュルームは死ぬには最悪の方法よ」オリアナは喉に手を当てて言った。「まず動きが鈍くなってくる。手足が震えて、そのあとまったく動けなくなるの。でも、体のなかのすべてが動きを止めるまでは意識はちゃんとある。まるで凍ったぜんまい仕掛けのように。その恐怖を想像してみて。まだ動けるかもしれないと希望を持ったり、動かそうと必死に力んだりするのを想像してみてごらんなさい。わたしが伝言を受け取ったときにはもう、リリオペは死んでいたわ。わたしは切って……」オリアナの声が揺らいだ。その先がどう続くかはわかった。きっとリリオペのおなかを切って、子どもを取りだしたに違いない。この取り澄ましたオリアナが、そんな野蛮で勇敢なことをするなんて信じられない。ナイフの切っ先を皮膚に押し当て、正確に狙いを定めて切っただなんて。子宮から赤ん坊を取りあげて、その濡れた体を抱きかかえただなんて。でもだからといって、そんなこと、彼女のほかに誰がやってのけられただろう？

「あなたはオークを救ったのよ」わたしは言った。この部分について本人が話したくないなら、それでいい。

「リリオペのドングリにちなんで、あの子の名前をつけたの」オリアナの声は、ほとんどささやきにすらなっていなかった。「わたしの小さな輝かしいオーク（ドングリはオークの実）」

わたしは何がなんでも信じたかったのだ。デインに仕えるのは名誉なことで、彼こそついていく価値のある人物だと。何かに飢えていると、こういうことになる。がっつく前に、それが腐っているかどうかを確認し忘れてしまう。「リリオペに毒を盛ったのがデインだと知っていたの？」

オリアナが首を横に振る。「いいえ、しばらくは知らなかったわ。エルドレッドのまた別の愛人の可能性もあった。それかバレキンの可能性も。彼がやらせたという噂があったのよ。エルドレッドかもしれないとも考えたし。リリオペが息子とも浮気していたからという理由で、毒を盛ったのかもしれないと。けれど、そのあとデインがブラッシャー・マッシュルームを手に入れていたことにマドックが気づいたの。マドックはオークをデインに決して近づけるなとわたしに命じた。怒り狂っていたわ。それまで見たこともないほどの恐ろしい怒りようだった」

マドックがデインに激怒する理由なら、わからなくもない。かつて自分の妻と子が死んだと思っていたことのあるマドックだから。オークを愛したマドックだから。ほかの何よりも家族が大事なのだと、わたしたちに何度も何度も言っていたマドックだから。

「それでマドックと結婚したの？　あなたを守ってくれるから？」マドックがオリアナに求婚したときのことは、おぼろげにしか記憶にない。それから彼らは生まれてくる子どもとともに、誓いを立てた。たしかに妙だと思った気がするけれど、誰にだって幸運は訪れるものだ。でもその一方で、当時の自分には不運なことのように感じられた。というのも、タリンもわたしも、新たな赤ん坊が自分たちにとってどういう意味を持つのか不安だったからだ。マドックに愛想を尽かされて、どこかに捨てられるのではないかと思いこんでいた。そういう不運は往々にして起こると、誰もが考えてしまうものだ。

オリアナはガラスのドアから、外で風に吹かれる木々を見つめた。「マドックとわたしのあいだには理解があるの。お互いに偽ったりはしないわ」

どういう意味かはわからなかった。ただ、それが冷たくて慎重な結婚という形になっているような気がした。

「それで、彼は何をするつもりなの？」わたしはきいた。「マドックが長いことバレキンを王座につかせておくつもりだとは思えない。こんな露骨な動きを野放しにしておくなんて、戦略に対する冒瀆《ぼうとく》だと思うはずよ」

「どういうこと？」オリアナは本当にわからないようだ。お互いに偽ったりはしないって？　まったく、冗談じゃない。

「マドックはオークを王座につかせるつもりなのよ」あたかもわかりきったことのように言う。だって、実際にわかりきったことだから。マドックがどういう方法で――いつやるつもりかはわからない。だけど間違いない。あの人は絶対にやる。

「オークを？」オリアナが繰り返す。「だめ、だめよ。ジュード、そんなのだめ。あの子はただの子どもなのよ」

〝この宮廷の危険からはるか遠くに、彼を連れだしてください〟リリオペのメッセージはそう言っていた。それをオリアナはちゃんと聞き入れておくべきだったのかもしれない。

ずっと昔、マドックが夕食の席でわたしたちに語ったことを思い出す。権力の変わり目には、いかに王座が不安定になるかという話だった。マドックがバレキンと組んで何をしようとしていたにしろ――彼が思い描いていたのは、デインだけでなくバレキンも死んで、エルドレッド上王が戴冠式をいったん中止する、そして自分が別の手を打つというシナリオだったのではないかといまでは思う――マドックはいま残された三人の王族を駒に、チャンスをうかがわなくてはならなくなった。もしオークが上王になれば、マドックは摂政になれる。オークが成人するまで、彼が妖精国を支配するのだ。

そうなったら、何が起こるかなんて誰にもわからない。もしオークをずっと抑えこんでおければ、マドックが妖精国を永遠に支配することになるかもしれない。

「わたしも昔は、ただの子どもにすぎなかった」わたしは言った。「マドックはその頃のわたしに何ができるかなんて、たいして心配していなかったと思う。だから今回も、オークのことをそんなに気にかけるとは思えないわ」

マドックがオークを愛していないと考えているわけではない。もちろん彼はオークを愛している。わたしのことも。母さんのことも愛していた。でも、マドックはああいう人だ。あれが本性なのだ。

オリアナがわたしの手を取り、爪が肌に食いこむほど強く握りしめた。「あなたはわかっていないわ。子どもの王は長くは生きられない。ただでさえ病弱な子よ。この世に生まれたとき、あの子はあまりに小さかった。どの国の王も女王も、きっとオークには頭をさげないでしょう。こんな重荷を背負うために、あの子は育てられたわけじゃないの。あなたが止めてくれなきゃ」

それほどの絶対的な権力を持ったら、マドックはいったい何をするだろう？　弟が王になったら、わたしはいったい何をする？　実際、わたしにはオークを王座につかせることができる。ゲームの勝ち札を持っているのはわたしだ。なぜなら、バレキンはオークへの戴冠を拒否するだろうけれど、一方のカーダンは絶対に拒否しないから。わたしは弟を上王にして、自分も王女になることができるのだ。すべての権力はすぐそこにある。ただ手を伸ばすだけでいい。

野心というものの奇妙なところとは、熱風邪みたいにかかりやすいのに、なかなか治らないということだ。以前は、騎士の位を得て、カーダンたちにちょっかいを出させないほどの力を持てればいいと思っていた。この妖精国にどこか居場所を見つけることだけが、わたしの望みだった。

それがいまでは、次の王を選ぶとはどんな感じなのだろうかと考えている。石造りの玉座の上を流れる血が、丘の土の床にまでしたたり落ちていったあのときの様子が脳裏に浮かぶ。血は王冠の底の端にまで流れていったので、バレキンがそれを持ちあげたとき、彼の両手が赤く染まった。オークの額に戴かれたその王冠を想像して、恐ろしくなる。

わたしはまた、オークに魔法をかけられたときのことを思い出した。頬が赤くひりひりと痛くなるまで、何度も何度も自分を叩いた。翌朝には痣ができて、一週間も消えなかった。子どもが力を持つとは、そういうことだ。

「どうしてわたしに止められると思うの？」わたしはきいた。

オリアナはわたしの手を放さなかった。「わたしはあなたのことを誤解していた、そうよね？　あなたはオークを傷つけたことなどない。教えて。あなたはなんとかしてくれるの？　チャンスはあるの？」

〝わたしは怪物じゃないのよ！〟あのとき、わたしはオリアナにそう言った。けれどもしかすると、怪物になることがわたしの使命だったのかもしれない。「たぶん」そう返したものの、ちっとも答えになっていなかった。

出かける途中、幼い弟を見かけた。庭に出て、ジキタリスの花束を摘んでいる。けらけらと笑っているオークの茶色の髪が、日の光で金色に見えた。子守がやってくると、オークは彼女から走って逃げた。

きっとあの子は、摘んでいる花が毒だということも知らないのだろう。

25

〈影の臣下〉の隠れ家に戻ると、笑い声に迎えられた。カーダンはここに残されたときのまま怯えて静かにしていると、むしろ前よりみじめな状態になっているかもしれないと期待していた。けれども彼は手のいましめを解かれ、テーブルについてローチやゴースト、ボムと一緒にトランプをしていた。その真ん中には山積みの宝石とワインの大瓶が置いてある。テーブルの下にはすでに空になった二本の瓶が並べられていて、緑色のガラスがろうそくの光を受けて輝いていた。

「ジュード」うれしそうにボムが呼ぶ。「座って！　仲間に入れてあげる」

この場所で、無傷の彼女を見られてほっとした。でもそれ以外、この光景にいいところはひとつもない。

カーダンがわたしにほほえむ。まるで、わたしたちが生まれてからずっと大親友であるかのように。彼がどれだけ魅力のある人かを忘れていた——そして、それがどん

なに危険なことかを。

「何してるの？」わたしは声をあげた。「縛っておかなきゃだめじゃない！　この人は捕虜なのよ」

「心配ご無用。どこに行くっていうんだ？」ローチが言う。「彼がおれたち三人から逃げられると本気で思うかい？」

「片手なら別にいい」カーダンが割って入った。「でも両手とも拘束するなら、ぼくの口に直接ワインを注いでもらわないと」

「彼、前王のとびきり上等なお酒の保管場所を教えてくれたの」白い髪を後ろにかきあげながら、ボムが言う。「もちろんエロウィン王女の宝石の隠し場所もね。この混乱のさなかなら、盗んでも誰も気づかないだろうって。実際、いまのところ誰にも気づかれてないわ。ローチのこれまでで一番楽な仕事だったわね」

　思わず叫びたくなった。みんな、カーダンを好きになってはいけなかったのに。でも、好きにならない理由なんてある？　王子である彼は、敬意を持ってみんなに接している。デイン王子の弟で、妖精国の民で、彼らと気も合う。

「とにかく何もかもが混乱してるだろう」カーダンが言った。「なら、いっそのこと楽しんでしまえばいい。そう思わないか、ジュード？」

わたしは深呼吸をした。もしカーダンのせいでここでのわたしの立場が弱くなったら、のけ者にされてしまったら、まだ頭のなかで雑然としている計画に〈影の臣下〉のみんなを協力させるなんて絶対にできなくなる。これでは人助けの方法を見つけられそうにない。カーダンにすべてを悪い方向へ持っていかれることだけは、なんとしても避けたい。

「この人にどんな餌を差しだされたの？」みんなの陽気な雰囲気に合わせるように、軽い口調できいた。そう、これは賭けだ。きっとカーダンは何も提案などしていない。息を凝らしていると思われないよう、カーダンのせいで自分をちっぽけに感じているとは悟られないよう、必死になる。

ゴーストが珍しく笑顔を見せた。「黄金と、あと権力も。地位ってやつだ」

「彼が持っていないものばかりをね」ボムが言う。

「なんだよ、ぼくたちは友だちだと思ってたんだけどな」カーダンが不本意そうに言った。

「彼を奥へ連れていくわ」いかにもわがもの顔を装いながら、椅子のてっぺんに手をかける。カーダンを部屋から出さなくては。みんながいるところで出し抜かれる前に。いますぐ連れていかないと。

「で、何をするんだ？」ローチがきいてきた。

「この人はわたしの捕虜よ」そう彼らに念を押す。それからしゃがみこみ、いまだカーダンの両脚を椅子に縛りつけているドレスの切れ端を切った。そこでふと気づく。彼は背筋を伸ばしたこのままの状態で眠ったに違いない。仮に眠ったとすればだが。なのに疲れているようには見えない。カーダンがこちらを見おろしてほほえんだ。まるで、わたしがお辞儀をするためにひざまずいているのだと言わんばかりに。

その笑みを顔から消し去ってやりたい。でも、きっと無理。ひょっとすると彼は、墓場までその笑顔を続けるかもしれない。

「ここじゃだめなのか？」カーダンが尋ねた。「ここならワインがある」

その言葉にローチが忍び笑いをした。「何かいやなことでも、小君主さま？ジュードとはやはり仲が悪いのかな？」

カーダンの表情が心配に似た何かに変わった。いい兆候だ。

わたしはカーダンをデインの執務室に連れていった。なぜかその部屋を自分の戦利品のように感じる。カーダンの足取りはふらふらしていた。縛られていたせいで、両脚がこわばっているのだ。それだけではなく、わたしの仲間たちと一緒に、ワインを数本飲み干したせいもあるかもしれない。にもかかわらず、彼を連れていくわたしを誰も止めなかった。わたしはドアを閉めて鍵をかけた。

「座って」そう命じて椅子を指さす。

カーダンは言われたとおりにした。

わたしは机の反対側にまわり、腰を落ち着けた。

もしいまカーダンを殺してしまえば、ついに彼について考えるのをやめられるかもしれない。もし殺せば、こんな気持ちにもならずにすむ。ふと、そんな考えが心に浮かんでくる。

でもカーダンがいなければ、オークを王座につける確実な道はなくなる。バレキンの手から無理やりオークに戴冠させるなんらかの方法がマドックにはあると、信じるほかなくなるのだ。カーダンがいなければ、わたしにゲームをする持ち札はない。計画も立てられない。弟も助けられない。何もできない。

それでも殺してしまったほうがいいのかも。

クロスボウはわたしがしまったところにちゃんとあった。デインの机の引き出しのなかに。それを取りだし、弓を引いてカーダンに向ける。彼の呼吸が乱れた。

「ぼくを射るつもりか？」彼は目をしばたたいた。「いますぐに？」

指が引き金を撫でる。心はいたって落ち着いていた。これは弱さだ。野心よりも、家族よりも、愛よりも恐怖を優先させてしまったのだから。でも、気分は悪くない。権力を手にしたような気になる。

「おまえがそうしたい理由はわかる」まるでこちらの表情を読んで、何かを決心したかのようにカーダンは言った。「でも正直、できればやめてほしい」

「だったら、絶えずわたしに感じの悪いにやにや笑いを向けなければよかったのに。この期に及んで、ここでもわたしが笑い物になってやると思ってるの？　いまでも自分のほうが上だと自信満々のようね？」声がわずかに震えた。そのせいで、カーダンのことがもっと憎くなる。危険な人間になるために毎日訓練を重ねてきて、いま彼を完全に意のままにしているというのに、それでも怯えているのはわたしのほうだ。

　カーダンに怯えるのが癖になっているのだろう。その癖も、彼の心臓に一矢を放てば断ち切れるかもしれない。

　カーダンが抗議するように両手をあげた。広がった長い指には何もはめられていない。王家の指輪ならわたしが持っている。「不安なんだ」彼は言った。「不安を感じるとやたら笑ってしまう。どうしようもないんだよ」

　まったく予想外の答えだ。思わずクロスボウを一瞬おろしてしまった。

　考える時間をあまりこちらに与えたくないのか、カーダンは話し続けた。「おまえが怖いんだ。ぼくの家族のほとんどは死んでしまった。彼らにたいして愛されたことはないんだから、あとを追いたくはない。おまえが何をするつもりかと、ひと晩じゅう気が気じゃなかった。でも、自分が何をされてもしょうがないのはちゃんとわかってる。ぼくには不安になる理由があるってわけさ」まるで敵ではなく友だち同士かのように語りかけてくる。これもまた効果を発揮し、わたしの緊張が少しゆるんだ。そんな自分に気づいて、すぐにでも矢を放ってしまいそうになるほどあわてた。

「お望みのことはなんでも話してやるよ」カーダンは言った。「どんなことでも」

「あいまいな返事はなし？」強烈な誘惑だった。タリンに言われたいろいろなことがいまだに頭のなかをぐるぐるしていて、自分がいかに何も知らないかを痛感していたからだ。

カーダンは心臓のあたりに片手を当てた。「誓うよ」

「どっちにしてもあなたを殺すとしたら？」

「まあ、ごもっともだな」苦々しい顔で言う。「だけど、そんなことはしないと約束してほしい」

「わたしのする約束にたいした価値なんてないわ」そう釘《くぎ》を刺した。

「まだ言うか」カーダンは眉をひそめた。「はっきり言って、それじゃ困る」

　驚きのあまり、わたしは笑いをもらした。手のなかにあるクロスボウが震える。カーダンの視線がじっとそこに注がれていた。わざとゆっくり、クロスボウを机の上に置く。「こっちが知りたいことを全部教えて。そしたらあなたを射ったりしない」

「そのあとバレキンとマドックにぼくを引き渡さないよう、どうしたらおまえを説得できる？」カーダンは片方の眉をつりあげた。こんなふうに彼から力強い視線を向けられるのには慣れていない。鼓動が激しくなる。

ただにらみ返すことしかできなかった。「いまは生き延びることに集中したら？」

　カーダンが肩をすくめる。「何が知りたいんだ？」

「わたしの名前が書かれた紙切れを見つけたわ。何度も何度も書いてあった。わたしの名前ばっかり」

　彼は少したじろいだものの、何も答えなかった。

「どうなの？」わたしは促す。

「それは質問じゃない」カーダンはいらだったように低い声で言った。「ちゃんとした質問をしてくれ。そしたら答える」

「こっちが知りたいことを全部教えてと言ったはずよ」クロスボウに手を伸ばした。でも、持ちあげはしない。

カーダンはため息をついた。「何か質問してくれよ。ぼくの尻尾のこととか。見たいと思わないか？」そう言って眉をあげる。

尻尾ならもう見た。だけど、それを白状して彼を満足させるつもりはない。「質問してほしいの？　わかったわ。タリンとロックの関係が、どういうものにしろ始まったのはいつから？」

カーダンがうれしそうに笑い声をあげる。避けたい話題ではないらしい。やっぱり。

「ああ、いつきいてくるのかと思ってたよ。あれは何カ月か前のことだった。ロックから何もかも聞いたんだ。あいつはタリンの部屋の窓に石を投げて、森で落ちあおうってメモを残した。そして月明かりのなか、口説き落としたそうだ。あいつはぼくたちに黙っているよう誓わせて、全部お遊びに見せかけた。実際初めのうちは、ニカシアを嫉妬させるためにやっただけだったんだろう。でも、そのあと……」

「どうしてロックはタリンの部屋を知っていたの？」眉をひそめて尋ねる。

その質問にカーダンの笑みが大きくなった。「知らなかったはずさ。たぶん、あいつの人間の恋人第一号に、おまえとタリンのどちらがなっていてもおかしくなかったんだ。いずれ両方をものにするのが目的だったと思うね」

ここまでの話のすべてが気に入らない。「あなたは？」

カーダンはけげんそうな目でちらりとこちらを見た。「ぼくはまだロックに口説かれていないよ、それがおまえの質問なら。もしかして侮辱されているのかな」

「そういう意味じゃないわ。あなたとニカシアは……」なんと呼べばいいのだろう。人を破滅させて、それを楽しむ邪悪で美しいふたりに、恋人同士という言葉はいまひとつしっくりこない。

「ああ、そうだ。ロックはぼくからニカシアを奪った」カーダンは口を引き結んだ。にこやかな笑みも、いやな薄ら笑いもない。どう見ても、この話をするのに何かつらいことがあるようだ。「彼女を使ってまた別の恋人を嫉妬させようと思っていたのか、ぼくを怒らせたかったのか、それとも単にニカシアが魅力的だったからなのかはわからない。ぼくの何が悪くて、彼女がロックを選んだのかも。さあ、これでぼくが約束どおり答えると信じたか？」

カーダンが失恋に傷ついているなんて、ほとんど想像もできなかった。わたしはうなずいた。「彼女を愛していたの？」

「なんだよその質問？」カーダンがきき返してきた。

肩をすくめる。「知りたいの」

「ああ」彼の視線が机の上に、そこに休めているわたしの手に注がれた。ふいに、深爪になるほど噛んだ自分の爪を意識する。「愛してた」

「なぜわたしに死んでほしいの？」質問を変えた。自分にもカーダンにも思い出させたかったからだ。彼をまごつかせるような質問に答えさせるのは意味がないということを。彼がどんなに冗談を言っても、どんなに友好的に見えても、わたしたちは敵同士なのだ。人たらしが魅力的なのは当然。でも、それだけだ。

カーダンは長く息を吐いてから、両手に顔をうずめた。クロスボウにはほとんど注意を向けていない。「ニクシーのことか？　バタバタしたあげく、石を投げようとしたのはそっちだろう。あいつらはのんびりした生き物なのに、おまえが怒らせたせいで本当に噛みつかれるかと思ったよ。ぼくは腐ったやつかもしれないが、ひとつ褒められるべき点がある。それは誰も殺さないってことだ。おまえを怖がらせたかっただけで、死んでほしいと思ったことは一度もない。誰ひとり死んでほしいなんて思ったことはないよ」

あの川での出来事が頭に浮かんでくる。ニクシーがひとりだけほかから離れてやってきたとき、カーダンはそのニクシーが尻込みするのを待ってから立ち去った。おかげでわたしたちは川から出られたのだ。わたしは彼を、宴の名残りで顔についた銀色の跡を、インクのような漆黒の目をじっと見つめた。そして突然、思い出した。わたしが妖精の実を喉に詰まらせたとき、カーダンはわたしからヴァレリアンを引き離してくれた。

〝誰ひとり死んでほしいなんて思ったことはないよ〟

バレキンと書斎にいたときのカーダンの剣の持ち方や、剣さばきのいいかげんさが記憶によみがえる。兄をいらだたせるためにわざとそうしているのだと思っていたが、もしかしてカーダンは剣術があまり好きではないのかもしれない。ちゃんと学んだこともなく、もし戦ったらわたしが勝ってしまうのでは？　これまで自分がやってきたことのすべては、彼にふさわしい敵になるためだったはず。だけどひょっとすると、わたしが戦っていた相手はカーダンではなかったのかも。わたしはずっと、自分自身の影と戦っていたのかもしれない。

「ヴァレリアンはわたしを殺そうとしたわ。二度も。最初は塔で、それから屋敷のわたしの部屋で」

カーダンは頭をあげると、まるで不快な真実を突きつけられたみたいに全身をこわばらせた。「ヴァレリアンを殺したと聞いたとき、おまえがあいつを追いつめたんだと思った……」声が次第に小さくなっていく。彼は改めて言った。「将軍の屋敷に侵入するなんて、ばかなやつしかそんな真似はしないよな」

ヴァレリアンがわたしを絞め殺そうとした証拠が見えるように、シャツの襟を引きさげた。「ほかにも床に叩きつけられたときの跡が肩にあるわ。まだ信じられない？」まるで痣に指を走らせようとするかのように、カーダンがわたしに向かって手を伸ばした。わたしがクロスボウを持ちあげると、彼は動きを止めた。「ヴァレリアンは痛みが好きなんだ。相手は誰だってかまわない。ぼくでも。あいつがおまえを痛めつけたがっているのは知っていた」そこでいったん口をつぐむ。自分の言ったことを思い返しているように見えた。「現に、あいつはおまえを痛めつけた。そこで満足すると思っていたんだ」

ヴァレリアンの友だちでいるのがどんな感じかなんて、考えたこともなかった。聞く限り、敵でいるのと大差ない気がする。

「ヴァレリアンがわたしを痛めつけたがっていたのは問題ないわけ？」わたしはきいた。「殺そうとさえしなければ？」

「生きているだけましだろう」カーダンが答える。声に、かすかにおもしろがっている調子が戻った。

わたしは両手を机の上に置いた。「なぜわたしを憎むのか教えてちょうだい。これで最後よ」

彼は長い指をデインの机に滑らせた。「本当に本音を知りたいのか？」

「クロスボウを持っているのはわたしよ。そっちが答えると約束したから射ってないだけ。さあ、どうしたい？」

「わかったよ」カーダンは悪意に満ちた目つきでわたしを見つめた。「ぼくがおまえを憎むのは、おまえが不貞を働いた妻から生まれた人間の子のくせに、それでも父親に愛されているからだ。一方のぼくは妖精国の王子なのに、父親から一度も気にかけてもらえなかった。おまえが憎いのは、おまえには殴ってくる兄弟がいないから。そしてぼくからニカシアを奪ったロックが、おまえたち姉妹を利用して彼女を泣かせたから。さらには、あの競技会以来、ぼくを負かした人間だと、いつもいつもおまえのことをバレキンに蒸し返されてはなじられた。だからだよ」

　バレキンがわたしのことを知っているとすら、思っていなかった。

　わたしたちは机を挟んで見つめあった。椅子にゆったりと身を沈めるカーダンは、どこからどこまで不敵な王子に見える。本当に殺されると思っているのだろうか？

「それだけ？」わたしは問いつめた。「だって、そんなのばかげてる。あなたがわたしに嫉妬するなんてありえないわ。あなたは自分の両親を殺した人に頼って生活する必要がない。怒りを持たなければ底なしの恐怖の井戸が足元で口を開けて待っているからと、怒り続ける必要もない」ふいに自分自身に驚いて、話すのをやめた。

自分は操られたりしないと言ったのに、いまわたしはカーダンにうまいこと言いくるめられて、心の内を打ち明けているではないか。

そんなことを考えているあいだに、カーダンの笑みがいつもの薄ら笑いに変わった。

「へえ、そうか？　ぼくは怒りを知らない？　恐怖を知らないって？　取引をしてまで生きるのに必死なのは、おまえだけじゃないぞ」

「そんなことがわたしを憎む本当の理由？　それだけ？　もっとまともな理由はないの？」

カーダンはわたしを無視しているのだろうか。いえ、違う。彼が答えないのは、嘘をつけないからだ。真実を言いたくないから。

「どうなの？」クロスボウをふたたび持ちあげる。この場を掌握しているのは自分だと、改めて誇示できるきっかけができてほっとした。「言いなさいよ！」

カーダンは前かがみになって目を閉じた。「ぼくがおまえを憎む一番の理由は、どうしてもおまえのことを考えてしまうからだ。いつもいつも。むかつくのに頭から離れない」

ショックのあまり、わたしは押し黙った。

「どうせ殺すんだろう」カーダンは指の長い手で顔を覆った。

「からかっているのね」彼の言葉が信じられない。彼はわたしを、美しい男にすぐ熱をあげる愚か者だと思っているから、甘言でその気にさせようとしているのだ。そんなばかげた手には引っかかってやらない。もしだまされなどしたら、もう一日だって妖精国にはいられない。受けて立ってやるという覚悟で、椅子から立ちあがった。

至近距離にはクロスボウは向かない。そこでナイフに持ち替えた。

机をまわってカーダンに近づく。彼は下を向いたままだ。昨日も廊下でやったように、彼の顎の下に刃先を当てて顔をこちらへ向けさせる。彼がいやがって視線をそらした。

その顔に浮かぶ恐怖や恥辱は、まったくもって本物のように見えた。ふいに、何を信じていいのかわからなくなる。

わたしは彼のほうへ上体を倒した。キスできるほど近くまで。カーダンの目が大きく見開かれる。その表情にはパニックと欲望が入り混じっていた。なんてめくるめくような感覚だろう、人を意のままにするというのは。なんの感情も抱いていないと思っていたカーダンを。

「わたしがほしくてたまらないのね」彼の乱れた息遣いが感じられるほど近づく。

「そして、そんな自分が憎いんでしょう」ナイフの角度を変えて、彼の首に当てた。

カーダンは思ったほど怯えているようには見えなかった。

わたしが彼の口元へ唇を寄せるまでは。

26

わたしはキスの経験があまりない。ロックとはあるけれど、その前は誰ともしたことがなかった。でもロックとキスしたときは、カーダンとのキスでわき起こったような感覚はいっさいなかった。度胸試しでナイフの上を走るような、稲妻のごとくアドレナリンがほとばしるような、海で遠くまで泳ぎすぎて戻れなくなり、冷たい真っ黒な波に頭からのみこまれる瞬間のような感覚は。

カーダンの冷酷な唇は驚くほど柔らかかった。唇と唇が触れあったあともしばらく、彼は彫像みたいに固まったままだった。目は閉じられ、まつげがわたしの頬をかすめる。まるで誰かが自分の墓の上を歩いているときみたいに、わたしはぞくぞくと身震いした。するとそのときカーダンの両手が、わたしの両腕に沿って滑るように優しくあがってきた。もし自分が無知なら、その触れ方を敬意の表れと思うところだけれど、わたしもそこまでばかではない。カーダンの手の動きがゆっくりなのは、自制しようとしているからだ。彼はこんなことを望んでいない。いえ、望んでしまうことを望んでいない。

カーダンは酸味の強いワインの味がした。

そして彼がついに観念したのがわかった。ナイフという脅威があるにもかかわらず、彼はわたしを引き寄せた。がむしゃらに指をわたしの髪にうずめ、激しくキスをしてくる。ふたりの口が重なって滑り、歯が唇の上へ、舌の上へと動いた。おなかを蹴られるのに似た欲望の衝撃がわたしを襲う。まるで戦いさながらだ。戦いといっても、わたしたちはお互いの皮膚の内側を這うために戦っている。

その瞬間、わたしは恐怖にとらわれた。カーダンの激変に勝ち誇った気分の自分がいる。どういう狂気の復讐だろう？　さらに悪いことに、わたしは楽しんでいた。カーダンとのキスのすべてを——身に染みついた恐怖のざわめきも、彼を罰しているという自覚も、彼に求められているという事実も。

手のなかのナイフはもう用なしだ。それを机に放り投げる。刃先が木に当たったときの音がかろうじて聞こえた。するとその音にびくりとして、カーダンがわたしから離れた。彼の口はピンク色になり、目は闇のように暗い。彼はナイフに目をやると、驚いたように笑った。

わたしはよろよろとあとずさりした。カーダンを軽く茶化してやりたい。こちらの弱みは見せずに彼の弱みだけを突きつけてやりたい。でも、内心を顔に出さずにいられる自信がない。

「これがあなたの想像していたこと？」自分の声が冷たく響いたことにほっとする。

「いや」カーダンが抑揚のない声で答えた。

「言いなさいよ」

彼がどこか悔しそうに首を横に振る。「おまえに本気で刺す気がないなら教えない。たとえ本当に刺されそうになったとしても言わないからな」

ふたりのあいだに距離を取ろうと、机の上にのった。肌がやたらと引きつり、急に部屋がとても狭く感じる。そこからカーダンを見て、なぜか思わず笑いそうになった。

「ひとつ提案したい」カーダンは言った。「バレキンの頭に王冠をのせて、あとはただ死ぬだけなんてごめんだ。おまえが自分や〈影の臣下〉のためにぼくから何を聞きだそうとかまわない。でも、ぼくの望みも聞いてくれ。バレキンに、ここからはるか遠くの土地をぼくに与えさせるんだ。ぼくは彼から遠く離れて、なんの責任も負わずに好きにすると伝えてほしい。バレキンはもう二度とぼくのことを気にかける必要はない。跡継ぎになる自分の子を何人かこしらえて、上王の冠を渡せばいい。もしかしたら、一族の新たな伝統らしく、その子もバレキンの喉を切り裂いて王座を奪うかもしれないが。ぼくにはどうでもいい」

　昨夜の大半は椅子に縛られ、おまけにかなり酔ってもいただろうに、それでもカーダンがこんなまともな取引を考えついたことに不本意ながら感心してしまう。

「立って」わたしは命じた。

「ということは、ぼくが逃げるか心配じゃないのか？」そうきいてから、カーダンは両脚を伸ばした。部屋のなかで彼の先の尖ったブーツが光る。武器になるかもしれないから、没収しておいたほうがいいだろうか？　けれどもそこで、彼がどれだけ剣の扱いが下手かを思い出す。

「キスしちゃってから、自分を抑えられないくらいあなたに夢中なの」できるだけ皮肉たっぷりに言った。「わたしはただ、あなたが幸せになることがしたいだけ。もちろん、もう一度キスしてくれるなら、お望みどおりどんな取引だってするわ。さあ、どうぞ逃げて。絶対に後ろから射ったりしないから」

カーダンが目をしばたたく。「あからさまに嘘をつかれると、ちょっと面食らうな」

「なら本音を言ってあげる。あなたは逃げない。どこにも行く場所なんてないもの」

ドアへ向かい、鍵を外して部屋の外を見た。ボムが休憩室の簡易ベッドで横になっている。ローチはわたしに驚いて眉をひそめた。ゴーストは酔いつぶれて椅子で寝ていたが、わたしたちが入ってくると、ぶるぶると体を振って起きあがった。わたしは顔じゅうが赤くなっているのを感じ、そう見えませんようにと願った。

「小君主さまの取り調べはすんだか？」ローチがきく。

わたしはうなずいた。「何をすべきかわかった気がするわ」

ゴーストはカーダンをゆっくりと見つめた。「で、売っぱらうのか？　取引に使うのか？　それとも天井に飛び散った王子殿の内臓を掃除するのかな？」

「散歩してくる。外の空気に当たりたいの」

ローチがため息をつく。

「考えを整理する必要があるのよ。戻ったら、全部ちゃんと説明するわ」

「本当か？」ゴーストがわたしを見据えた。彼はわたしがいとも簡単に約束を口走ることを察しているのだろうか？　わたしは約束というものを魔法のお金みたいに浪費している。でもそれは、街じゅうのレジに入ると落ち葉に戻ってしまう運命なのだ。

「マドックと話をしたの。彼はカーダンと引き換えに、わたしの望むものをなんでも与えると提案してきた。黄金、魔法、名誉、なんでも。この取引の報酬の部分は成立よ。でも行方不明の王子の居場所を知っていることは、まだ認めてもいないわ」

マドックの話が出たせいでゴーストの唇がねじ曲がったが、彼は黙ったままだった。

「じゃあ、何が問題なんだ？」ローチが尋ねた。「文句なしの話じゃないか」

「細かいところを詰めているの。それで、あなたたちのほしいものが何かを教えてほしいのよ。何がほしいか正確に――黄金をどれくらい、とか。書きだしてちょうだい」

ローチは低いうなり声をあげたものの、逆らう気はないようだった。彼がかぎ爪のついた手で、カーダンにテーブルへ戻るよう合図した。王子はよろよろと、壁を押しながらそこにたどりつく。わたしは尖ったものがすべて自分が置いたところにあるのを確認してから、ドアのほうへ向かった。振り返ると、カーダンの手が器用にトランプのカードを切っているのが見えた。けれども彼の輝く黒い目は、こちらに向けられていた。

仮面の湖まで歩いていき、水面から出ている黒い岩に腰をおろした。夕日が炎のように空を照らし、木々のてっぺんを赤々と染めている。

そこに座ったまま、長いこと湖岸に打ち寄せる波をじっと眺めていた。深呼吸をして、心が落ち着くのを、頭がさえるのを待つ。頭上では夜を過ごすねぐらへと互いに呼びあいながら向かう鳥たちのさえずりが聞こえ、それから目を覚ましたスプライトたちが木の節穴のなかで放つ柔らかな光が見えた。

バレキンは上王にはなれない。もし、わたしが何か手を打つことができれば。彼は残虐な行為を愛し、人間を嫌っている。最悪の支配者になるだろう。いまは人間の世界との交流に定まったルールがある。それが変わってしまうかもしれない。人間をさらってくるのに、もはや取引が必要なくなるとしたら？　誰でも、いつでも連れ去ることができるとしたら？　昔はそういう時代もあって、いまだにいくつかの場所ではそうしているところもある。バレキンが上王になったら、ふたつの世界をいまよりもっとひどいものにしてしまうのではないだろうか。アンシーリー・コートをひいきして、千年も続く不和や恐怖を引き起こしかねない。

では代わりに、わたしがカーダンをマドックに引き渡したら？

きっとマドックはオークを王位につけたあと、横暴で残忍な摂政となって世界を統治するようになる。王への忠誠を拒否した国に戦争を仕掛けるだろう。オークを殺戮のなかで育て、あの子をマドックのように、あるいはデインのようにもっと残酷さを内に秘めた者にしてしまうかもしれない。それでも、バレキンに比べればマドックのほうがまだましだ。マドックなら、わたしのためということであれば、わたしや〈影ヴィヴィと一緒に行くのがいいかもしれない。そうなったら、わたしは――どうする？

あるいは取引をして騎士になるか。そうすればここにとどまって、オークを守る手助けができる。マドックの影響から、あの子を遠ざける手助けが。もちろん、ほんのわずかな力にしかなれないだろうけれど。

もし、この想像からマドックを排除してみたらどうだろう？　それはつまり、〈影の臣下〉への黄金はなし、誰とも取引はなし、ということになる。どうにかして王冠を手に入れて、オークの頭にのせなければいけなくなる。で、どうなる？　それではマドックが摂政になることに変わりはない。彼を止めることはできない。オークは結局マドックの言いなりになってしまう。彼の操り人形になって、やっぱり危険なままだ。

だけど、もし――なんらかの方法でオークが王座についたうえで、妖精国から遠ざかることができればどうだろう。亡命した上王になるのだ。オークが大人になって準備が整ったとき、グリーンブライア家の王冠の力に支えられて戻ってくればいい。それでもオークが帰国するまで、マドックは妖精国に対して多少の権限を主張できるだろう。けれどオークを血に飢えた者に、戦争に傾倒する者に育てることはできないはず。上王のすぐそばに控える摂政ほどの絶対的な権限を持つことはない。そして、もしオークが人間の世界で育てられれば、妖精国に戻ってきても、きっと育った場所やそこで出会った人たちに何かしらの思いやりを示してくれるのではないか。

十年。十年間、オークを妖精国から遠ざけておければ、あの子はきっと本来なるべき大人に成長できる。

もちろん、そのときが来たら、オークは王座を取り戻すために戦わなければならない。誰か――おそらくマドックやバレキン、もしくはどこかの王や女王のうちの誰かが、まるでクモのように勝手にその座に居座っているかもしれないから。

わたしは目を細めて黒い湖水を見つめた。マドックが戦争を起こさず、摂政になることもなく、オークがちゃんとひとり立ちするまでのあいだ王座を奪われずにすむ方法さえあれば。

決心がついて立ちあがる。吉と出るか凶と出るかわからないが、やることは見えた。計画は完成だ。きっとマドックはこの戦略をよく思わないだろう。彼が好きなのは、勝ち方が複数用意されているような戦略だ。でも、これには道がひとつしかない。いちかばちかの戦略なのだ。

立つと、水に反射した自分が視界に入った。見直してみて、それが自分であるはずがないと気づく。仮面の湖は決して本人の顔を映しだすことはないのだ。わたしはおそるおそる近づいた。空に満月が光り輝いていて、わたしを見返している母さんを照らしだす。記憶にある顔より若い。けらけらと笑い、こちらからは見えない誰かを呼んでいる。

やがて、母さんがわたしを指さした。唇の動きが読める。〝見て！　人間の女の子よ〟母さんは喜んでいるようだ。

そこへマドックの姿が加わって、母さんの腰に手をまわす。若くなっている感じはしないが、見たこともない穏やかな表情をしている。マドックがこちらに手を振った。

ふたりとも、わたしが誰だかわかっていない。

〝逃げて！〟そう叫びたくなる。もちろん、母さんには言われるまでもないことだけど。

わたしが入っていくとボムは顔をあげた。彼女は木製のテーブルの席について、灰色がかった粉を量り分けていた。そばにはコルク栓の閉まった糸ガラスの玉がいくつか転がっている。彼女は見事な白い髪を汚れたひものようなものでくくり、鼻には煤《すす》汚れの筋をつけていた。

「あとのふたりは奥にいるわ」ボムは言った。「小君主と一緒にひと眠りするって」

ため息をつき、テーブルの席に腰をおろす。自分の考えを説明しなければと気を張っていたのに、いまやそのエネルギーは行き場を失ってしまった。「何か食べるものはある？」

ボムはにやりとした笑みを向けてから、別のガラス玉に粉を詰めて、足元のバスケットに用心深く入れた。「ライ麦パンとバターはゴーストが持っていっちゃった。ソーセージも食べちゃったし、ワインももうないのよ。でも、チーズならまだあるかもしれない」

戸棚のなかをかきまわして食べるものを取りだし、何も考えずに口へ運んだ。さわやかで苦味のあるフェンネルのお茶を自分でカップに注ぐ。それを飲むと、少し気分が落ち着いた。それからしばらく、ボムの爆弾作りを眺めた。作業をしながら、ボムは調子外れの口笛を軽く吹いている。聞いていて奇妙に感じた。ほとんどの妖精は音楽の才能に恵まれているものなのに。でも完璧ではない分、よけいに彼女の吹く調べが好きになる。こっちのほうが幸せそうで、気楽そうで、さらりと聞き流せる。

「全部すんだら、どこへ行くの？」わたしはきいた。

ボムがけげんそうな目を向ける。「どうしてわたしがどこか行くと思うの？」

眉をひそめ、ほとんど空っぽのカップを見つめた。「だって、デインはもういないから。ほら、ゴーストとローチはそうするつもりなんじゃないの？　彼らと一緒には行かないの？」

　ボムは小さな肩をすくめ、裸足の指先の近くにあるガラス玉のバスケットを指さした。「これが見える？」

　わたしはうなずく。

「旅には不向きなのよ」彼女は言った。「わたしはここに残る。あなたと一緒に。計画があるんでしょ？」

　困惑しすぎて、何を言っていいかわからなくなった。口を開いても、言葉がつっかえて出てこない。ボムが笑う。「カーダンがそう言ってた。それに、ただ取引をするつもりなら、とっくにそうしてるはずだって。わたしたちを裏切るにしても、やっぱりもうそうしてないとおかしいもの」

「でも、あの」言葉が詰まり、言いたいことを見失った。カーダンがそこまでいろいろと気づいていたなんて。「ほかのふたりはどう思っているの？」

　ボムは玉に爆薬を詰める作業に戻った。「特に何も言ってなかったわ。ただ、ふたりともバレキンのことを気に食わないと思ってる。もしあなたに計画があるなら、それはそれでいいけど。わたしたちに味方になってほしいっていうなら、もうちょっと警戒を解いて話してくれないとね」

わたしは深呼吸をした。もし本当にやるなら助けを借りたほうがいいと、心を決める。「王冠を盗むっていうのはどう思う？　妖精国の王や女王たちの目の前で」

ボムが口角をあげてにんまりした。「何を吹っ飛ばせばいいか、さっさと教えて」

二十分後、わたしはろうそくの燃えさしに火を灯して、簡易ベッドのある部屋へ向かった。ボムが言っていたとおり、カーダンはベッドのひとつで大の字になって寝ていた。うんざりするほどハンサムだ。顔は洗ったらしく、脱いだ上着を頭の下にたたんで枕にしていた。わたしが腕をつつくと、カーダンはぱっと目を覚まして、攻撃をかわそうとするみたいに片手をあげた。

「しいっ」小声で言う。「みんなを起こさないで。話があるの」

「あっちに行けよ。質問に答えれば殺さないって言っただろう。もう答えたじゃないか」ほんの数時間前、欲望に負けてわたしにキスをした少年と同一人物とは思えない。眠そうで、偉そうで、不機嫌そうな声。

「殺さないより、もっといい提案があるのよ。ほら、来て」

カーダンは起きあがると上着を肩にかけ、それからデインの執務室までついてきた。なかに入るとすぐに、彼は戸枠にもたれかかった。まぶたは重そうに半ば閉じられ、寝ていたせいで髪がくしゃくしゃになっている。彼を見るだけで、恥ずかしさのあまり体がほてった。「本当に話すためだけに、ぼくをここへ連れてきたのか？」

　誰かとキスをしたあとは、次のキスの気配がそこらじゅうに立ちこめるものらしい。たとえ、一度目はひどい魂胆があってのことだったとしても。重なりあった唇の記憶が、わたしたちのあいだの空中にちらちらと揺らめく。「ここへ連れてきたのは、あなたと取引をするためよ」

　カーダンの眉があがる。「おもしろそうだな」

「もし田舎のどこかに隠れなくてすむとしたらどう？　バレキンが王位につく以外に、ほかの選択肢があるとしたら？」予想外の質問だったに違いない。一瞬、カーダンの無頓着で偉そうな態度が影をひそめた。

「つまり」ゆっくりと言う。「ぼくってことか。ただ、ぼくは最低の王になるだろうし、そんなのは自分でもいやだ。それにバレキンがぼくの頭に王冠をかぶせることは、まずないだろう。兄とは仲がよかったためしがないからな」

「たしかあなたは彼の家に住んでいたんじゃなかった？」わたしは胸をかばうように

両腕を組み、バレキンがカーダンを罰していたときの光景を追い払おうとした。いまは同情している場合ではない。

カーダンは頭を後ろに傾け、黒いまつげの向こうからわたしを見た。「たぶん一緒に住んでいるから、うまくいかないんじゃないか」

「わたしもあなたを好きじゃないわ」そう言ってやった。

「前にも聞いた」カーダンが気だるそうに笑う。「それで、ぼくでもバレキンでもないとすれば誰だよ？」

「わたしの弟のオークよ。詳しい話はしないけど、あの子は正当な血筋なの。あなたと同じ血筋。オークは王冠をかぶれるのよ」

彼が顔をしかめる。「本当か？」

わたしはうなずいた。こちらの願いを口にする前にこの話はしたくなかったけれど、知ったとしてもカーダンにできることはほとんどない。彼をバレキンに渡すつもりはいっさいないから、バレキンに話がもれることもない。あとは話すとしたらマドックだが、彼はすでに知っている。

「なら、マドックが摂政になるのか」カーダンが言った。

首を横に振る。「だからあなたの助けが必要なの。あなたがオークを上王の座につかせてちょうだい。そうしたら、わたしはあの子を人間の世界に送る。オークに子どもらしくいられるチャンスを与えてやりたいのよ。いつか善き王になるチャンスを与えてやりたいの」

「オーク自身が、おまえの望みとは違う選択をするかもしれないぞ。たとえば、おまえよりマドックを選ぶとか」

「わたしはさらわれてきた子だった。今回よりもっと寂しくてひどい理由で、わたしは異国の地で育つ羽目になったの。オークのことはヴィヴィが面倒を見てくれる。もしわたしの計画に同意してくれるなら、あなたが求める以上のものを手に入れてあげるわ。ただし、こっちからもあなたにしてほしいことがある――誓約よ。わたしの言うとおりにすると誓ってほしいの」

カーダンはわたしが机にナイフを放り投げたときと同じく、驚いたように笑った。

「このぼくに、おまえの言いなりになれだと？　自ら進んで？」

「冗談だと思うでしょうけど、本気よ。これ以上ないほどに」神経が高ぶらないように、どんな気配も出さないようにと、組んだ両腕の内側で皮膚をつねった。いまはどこまでも冷静に、自信たっぷりに見えなければいけない。心臓がどきどきする。子どもの頃に、マドックとチェスをしていたときと同じような気分だ。勝ちの手が読めたと思って油断してしまい、予想もしていなかったマドックの一手に勝利を阻まれることがよくあった。しっかり呼吸して集中しなさい、と自分に言い聞かせる。

「利害は一致してるな」カーダンは言った。「なんのために誓約が必要なんだ？」

わたしは深呼吸をした。「あなたが絶対に裏切らないという確証がほしいの。王冠を手にしたあなたは危険すぎる。もし、そのままあなたがバレキンの頭に王冠をかぶせてしまったら？　自分のものにしたくなったら？」

彼はよくよく考えをめぐらせているようだった。「ぼくがほしいものをはっきり教えてやるよ。それは住む館だ。その館にいまあるすべてのものを、仕えるすべての者を、ぼくに与えてくれ。〈虚ろの館〉。それが望みだ」

わたしはうなずいた。「わかったわ」

「王の貯蔵室にある酒も一本残らずもらう。年代物も希少品も関係なく」

「全部あなたのものよ」

「あと、ローチに盗みの技術を教わりたい」カーダンは言った。

驚いて、少しのあいだ応えられなかった。いまのは冗談だろうか？　そうは見えない。「どうして？」ようやく尋ねた。

「役に立つかもしれないだろう。それに彼が好きなんだ」

「いいわ」けげんに思いながらも応える。「なんとかしてみる」

「本当にすべて約束できると思ってるのか？」カーダンは疑わしげな顔をわたしに向けた。

「できる。やってやるわ。そしてバレキンを阻止してみせる。わたしたちで妖精国の王冠を手に入れるのよ」よく考えもせず口走った。実際に責任を取る羽目になるまでに、あとどれだけの約束ができるだろう？ あと少しですめばいいけれど。

　カーダンはデインの椅子に身を投げだした。机越しに、上の立場から冷ややかにわたしを見つめる。おなかのなかで何かがよじれる感じがしたが、無視した。大丈夫。できる。わたしは息を詰めた。

「一年と一日、おまえに仕えてやる」

「それじゃ足りないわ」わたしは訴えた。「そんな——」

彼は鼻で笑った。「その頃までには、おまえの弟は王位について国を去っているはずだろう。もしくは約束とは裏腹に、ぼくたちが負けているか。まあ、それはどうでもいいが。たとえまたぼくを脅したとしても、これ以上は無理だ」

　それだけあれば、少なくとも時間は稼げる。わたしは息を吐いた。「いいわ。決まりね」

　カーダンがこっちに向かって部屋を横切ってきた。何をするつもりなのだろう？もしキスをされたら、初めてのときに感じた飢えや羞恥心にまた自分がのみこまれてしまいそうで怖い。けれども彼はわたしの前にひざまずいた。驚きのあまり、何も考えられなくなる。彼がわたしの手を取った。巻きつく長い指がひんやりと冷たい。

「よし」いらいらした口調でカーダンは言った。女主人に誓いを立てる臣下のようにはちっとも聞こえない。「ジュード・デュアルテ、土より生まれし人間の娘よ。ぼくは誓っておまえに仕える。おまえの手となり、おまえの盾となる。おまえの意志に従ってぼくは動く。そうあるのは一年と一日……一分たりとも延びることはない」

「誓いもずいぶん、さまになってきたわね」そう言ってはみたものの、緊張した声になってしまった。誓いの言葉を受けているあいだも、なぜかカーダンのほうが優位に立っているような、支配権を握っているような気がした。

　彼は流れるような動作で立ちあがると、わたしから離れた。「で、どうする？」

「ベッドに戻りなさい」そう命じた。「少ししたら起こすわ。それからやることを説明する」

「仰せのとおりに」カーダンはあざけるような笑みを浮かべると、簡易ベッドのある部屋へ引き返した。たぶん横になるつもりだろう。彼がここにいるという違和感について、あれこれと考える。あのカーダンが手織りのシーツで寝ている。何日もずっと同じ服を着て、パンとチーズでおなかを満たしている。そして何ひとつ文句を言わない。まるで豪華な自分のベッドよりも、スパイと殺し屋の隠れ家を気に入っているみたいに。

27

シーリー・コートとアンシーリー・コートの君主たちは、戴冠式にやってきたはぐれ妖精たちと一緒に島の最東端で野営していた。まだらの毛織り物や極薄のシルクでできたテントが張ってある。近づくと、焚き火が燃えているのが見えた。蜂蜜酒や腐った肉の匂いが大気中を漂う。

わたしの横にはカーダンが立っていた。つやなしの黒い服を着て、漆黒の髪をきれいさっぱり洗った顔から払うようにとかしつけてある。できるだけ寝かせておいたのに顔色がさえず、疲労がうかがえた。

カーダンが誓いを立てたあと、わたしはゴーストやローチを起こさずに、代わりにボムと一時間近く戦略について話した。カーダンの着替えを用意してくれたのも、彼を連れていけば役に立つかもしれないと言ってくれたのも彼女だ。そんなわけでわたしはここに来て、バレキン以外の統治者につきたいと思っている君主を探そうとして

いる。わたしの計画が成功するとして、それには宴の席で新王の味方をしてくれる誰かが必要だ。できれば、万が一思わぬ事態になったとしても、晩餐会がまた新たな殺戮の場となるのを止められるだけの力を持った人物がいい。

ともかくオークを確実に脱出させるためには、多くの混乱を巻き起こす必要がある。ボムのガラス玉だけではきっと足りないはず。でもそれをやってくれる人にどんな見返りを提案すればいいのか、はっきりとはわかっていない。自分にできる約束はもう尽きてしまったから、ここからは王の名による約束を利用するつもりでいた。

わたしは深呼吸をした。妖精国の諸公たちの前に立ってバレキンに対抗する意志を表明したら、もうあと戻りはできない。自分のベッドカバーの下にもぐりこむことも、逃亡することもできないのだ。やってしまったら、オークが王座につくまで妖精国に縛られることになる。

祝宴までに残された時間は今夜と明日半日。そうしたら〈虚ろの館〉に行かなくてはいけない。それまでにわたしの計画がまとまるか、完全にばらばらになるかのどちらかだ。

いつオークが帰ってきてもいいように、妖精国の体制を整えておく方法はひとつ——わたしがここに残るしかない。マドックや〈影の臣下〉から学んだ知恵を使って、小細工でも殺してもなんでもして、あの子のために王座を用意しておく必要がある。十年と言ったけれど、七年で充分かもしれない。それならたいして長くない。毒をのみ続け、眠らず、厳戒態勢のもと暮らす七年。あと七年すれば、妖精国はきっと安全でよい国になっているはず。そして、わたしにも居場所ができているかもしれない。

〝駆け引きのゲーム〟――ロックはわたしのしていることをそう呼んで非難した。あのときは違ったけれど、いまはまさに駆け引きのゲームのプレイ中だ。それにたぶん、ロックから学んだこともある。わたしは彼の物語に巻きこまれたが、今度はわたしが別の人から物語を編むのだから。

「ぼくはここに座って、おまえに情報を提供するんだな」ヒッコリーの木にもたれながら、カーダンが言った。「で、おまえが王族の気を引きに行くのか？　完全に逆だと思うが」

彼を見据える。「わたしだって気を引けるわ。現にあなたを魅了したでしょう？」

カーダンはあきれて、ぐるりと目をまわしてみせた。「みんながぼくと同じように悪趣味だと思わないほうがいい」

「これからあなたに命令を下すわ。いい？」

彼の顎の筋肉がぴくりと動く。妖精国の王子にとって、特にわたしなんかに主導権を握られるのはなかなか受け入れがたいことのはず。それでも彼はうなずいた。

「わたしがこの森から出られるようになるまで、あるいは差し迫った危険に襲われたり、丸一日が経ってしまったりするまでは、ここにずっと控えていること。待っているあいだは、誰かの注意を引くような物音や合図を出さないこと。もし危険な状況になったり、わたしが戻ることなく丸一日が経ってしまったら、できるだけ身を潜めながら〈影の臣下〉の隠れ家に引き返すこと」

「まあ、いいだろう」なんとか傲慢で威厳のある雰囲気を保とうとしながら、彼が返した。

まったく頭に来る。

「じゃあ、アネット女王について知っていることを教えて」

わたしが知っているのは、アネット女王がほかの諸公たちの誰よりも早く戴冠式から出ていったということ。つまり彼女はバレキンの考え方か、上王のあり方そのもののどちらかに我慢がならないのだ。どっちなのかをはっきりさせる必要がある。

「モスの国はむやみに勢力を広げている、とても古くからあるアンシーリー・コートだ。アネット女王は合理的でまっすぐな性格で、何よりも実力を重視する。あと、飽きた恋人を食べてしまうという話も聞いたことがあるな」そう言って、カーダンは眉間にしわを寄せた。

わたしは思わずほほえんだ。よりによってカーダンと一緒にこんなところにいるなんて、なんとも奇妙な状況だ。彼がこんなふうに、まるでニカシアやロックと話すときみたいにわたしと会話していることも、さらにありえない。

「どうしてアネット女王は戴冠式から出ていったの？　バレキンとの相性はばっちりのように聞こえるけど」

「彼女には跡継ぎがいない。ひとりも授かれないからとあきらめたんだ。だからきっと、一族全体が無意味に虐殺されるのは見たくなかったんじゃないか。それにバレキンがみんなを殺しておきながら王位につけずに玉座を離れたことに、よい印象を持ったとは思えない」

「なるほど」鋭く息を吸いこんだ。

カーダンがわたしの手首をつかんだ。あたたかい手の感触に驚く。「気をつけろよ」彼はほほえんだ。「おまえが出かけていって殺されてしまったからって、丸一日ここで座っていなきゃいけないのはひどく退屈だろうからな」

「きっと死ぬ間際に最後に考えるのは、あなたが退屈してるかしらってことね」そう言い残して、わたしはアネット女王のいるアンシーリー・コートの野営地に向かった。

焚き火はひとつも燃えていなかった。沼地のように緑がかった色のざらざらした布のテントがいくつか張られ、その前でトロルとゴブリンが見張りをしている。トロルが着ている鎧には、何やら黒っぽい色が染みついていた。それが乾いた血の色にすごく似ている気がして不安になる。

「あの、こんにちは」そう言いながら、ふと気づいた。まずはここを突破しなければいけないことに。「使いの者です。女王さまにお会いしたいのですが」

トロルがわたしを見おろす。目の前にいる人間に明らかに驚いているようだ。

「こんなにうまそうな使者をわざわざ送ってよこすとは、いったい誰だ？」褒め言葉なのだろうか？　よくわからない。

「バレキン上王です」わたしは嘘をついた。彼の名前を使うのが、一番手っ取り早くなかに入れる方法に思えたのだ。

その返事にトロルは笑みを浮かべた。ただし親しみはこもっていない。「王冠のない王とはなーんだ？　これじゃなぞなぞだが、答えはみんな知っている。そんなのは王じゃない」

もうひとりの見張り番が声をあげて笑う。「きみを通すわけにはいかないよ、かわい子ちゃん。ご主人さまのところへ戻って、アネット女王はおまえなど認めていないと伝えるんだ。見世物のセンスについては高く評価しておられるがね。どれだけ頼みに来ようが、どんなにおいしい賄賂を添えてメッセージを送ってよこそうが、女王がバレキンと晩餐の席をともにすることはない」

「そういうことではないんです」

「ほう。なら、しばらくおれたちと一緒にいてもらおうか。きみの骨はバリバリとさぞかしいい音がするんだろうな」トロルは鋭く尖った歯をむきだして、軽く脅してみせた。本気でないのはわかっている。もし本気なら、まるきり別のことを言って、わたしをさっさと平らげているはずだ。

とはいえ、わたしは退散した。戴冠式の参列者はみな招待客としての礼儀をわきまえているけれど、妖精たちのあいだの礼儀自体がややおかしなものなので、それで自分が守られるという保証はなかった。

カーダンは森の空き地でわたしを待っていた。まるで星でも数えているみたいに、仰向けに寝そべっている。

彼が問いかけるような表情を向けてきたので、わたしは芝生に座りこむより早く首を横に振った。

「女王と話すこともできなかったわ」

カーダンがわたしに向き直る。月明かりが彼の顔を、くっきりとした頬骨や尖った耳を照らしだした。「じゃあ、おまえのやり方がどこか間違っていたってことだな」

ひっぱたいてやりたい。でも、カーダンの言うとおりだ。わたしは失敗した。もっと仰々しく、君主への謁見が許されて当然、こんなことは慣れっこだと言わんばかりの態度でいなければだめだった。アネット女王に言うべきことはいろいろと練習してあったのに、彼女にどうやって会うかは想定していなかったのだ。そんなのは簡単だと思っていたから。でも、いまなら違うとわかる。

カーダンの隣に仰向けに寝そべり、星を見あげた。もし時間があれば、占星図を作って自分の運勢を占えるのに。「いいわ。もしあなたがわたしなら、誰に打診する？」

「ロイベン卿と、アルダーキングの息子のセヴェリンかな」カーダンの顔が近づく。わたしは彼に向かって眉をひそめた。「でも、彼らは上宮廷に属していないわ。上王に誓いを立てていないでしょう」

「そのとおり」彼は指を伸ばしてわたしの耳の形をなぞった。丸い耳。はっとして身震いし、恥ずかしさに目を閉じる。カーダンは話し続けていたが、自分のしていることにふと気づいたのか、さっと手を引いた。ふたりして気まずくなる。「彼らは反逆とも呼べる計画に加わったところで失うものは少なく、得るものは多い。セヴェリンは人間の騎士に好意的なうえ、人間の恋人がいると言われているから、おまえとも話すだろう。それに父親が亡命してしまったから、自国が認められるとなったら大きな意味を持つ。

ロイベン卿についてはいろんな話があって、それが彼を悲劇の登場人物みたいに見せているんだ。シーリー・コートの騎士だったロイベン卿は、のちに自分が支配するアンシーリー・コートの召使いとして何十年も拷問を受けていたらしい。そんな人物にどんな提案をすべきかはわからない。でも、かなりの大国を治めているロイベン卿をオークの味方につけることができれば、バレキンもひるむはずだ。あとわかっているのは、ロイベン卿にはひいきにしている愛人がいる。身分は低いけどね。その女を怒らせるなよ」

戴冠式から抜けだす途中で騎士たちの制止を突破したとき、カーダンが酔っ払いながら言っていたことを思い出す。彼はこういう人たちをよく知っている。彼らの習慣をよく知っているのだ。カーダンの助言がどれだけ高圧的に聞こえたとしても、どれだけ癪にさわったとしても、彼の言うことを聞かないのは愚かだ。わたしは立ちあがりながら、頬が赤くなっていないことを願った。カーダンも上体を起こして、何か言いかけようとする。

「わかってる」わたしは野営地に向かいながら言った。「死んであなたを退屈させたりはしないわ」

まずはアルダーキングの息子、セヴェリンで運試しだ。セヴェリンの野営地は彼の領地と同じくこぢんまりしていた。その領地はロイベン卿が統治するターマイトの国のすぐ外れの森に広がっていて、事実上シーリー・コートにもアンシーリー・コートにも属していない。

セヴェリンのテントは銀色と緑色に塗られた厚い布で作られていた。その近くで何人かの騎士たちが陽気に焚き火を囲んで腰かけている。誰も鎧はつけておらず、みんな厚手の革のチュニックにブーツという軽装だ。ひとりが、火の上にやかんをつるして湯をわかすための怪しい装置に向かってぶつくさと文句を言っている。戴冠式のときにセヴェリンと一緒にいて、わたしと目が合った赤毛の人間の少年もいた。彼は騎士のひとりと声を低くして話していたかと思うと、次の瞬間ふたりして笑いだした。誰もわたしを気にもとめていない。

わたしは焚き火に向かって歩いた。「失礼いたします」王家の使者にしても、かしこまりすぎだろうか？　でも、もう続けるしかない。「アルダーキングのご子息に伝言を。新上王が同盟を結びたいとお望みです」

「へえ、本当？」人間の少年が真っ先に口を開いたので面食らった。

「本当です、人間よ」猫をかぶって言う。でもこれって、バレキンの召使いの話し方とまったく一緒だ。

　少年はぐるりと目をまわすと、立ちあがりながら別の騎士のひとりに何か言った。その騎士がセヴェリンだと気づくのに、ほんの少し間が空く。紅葉のような色の髪、モスグリーンの瞳、額の後ろから耳のすぐ上にかけてカーブした角。主人が従者たちと一緒に焚き火を囲んでいるとは驚きだった。けれどもすぐに気を取り直して、あわててお辞儀をする。

「あなたとふたりきりでお話がしたいのですが」わたしは言った。

「何かな？」セヴェリンが尋ねる。わたしが答えずにいると、彼の眉間にしわが寄った。「もちろんかまわない」彼が続ける。「こっちへ」

「その子を治してあげないと」後ろから人間の少年が叫んだ。「真面目な話、魔法をかけられた人間の召使いは気味が悪いよ」

　セヴェリンは応えなかった。

　わたしは彼のあとについてテントに入った。ほかの誰もついてこなかったが、なかに入るとロングドレス姿の女性が何人かクッションに腰かけていて、笛吹きがちょっとした小曲を奏でていた。彼女たちのかたわらには女性騎士がひとり。膝に剣をのせている。その刃がとてもきれいで、目を奪われた。

セヴェリンはスツールに囲まれたローテーブルにわたしを案内した。そこには軽食が山積みに用意されていた。角の取っ手がついた銀のカラフに、ブドウやスモモの盛りあわせ、蜂蜜のかかった菓子パン。セヴェリンがわたしに座るよう身ぶりで促す。わたしが座ると、彼も別のスツールに腰かけた。

「好きなものを食べるといい」セヴェリンは言った。命令というより、勧めてくれている感じだ。

「あなたに戴冠式に立ち会ってほしいのです」食べ物を無視して言う。「ですが、王冠を授けられるのはバレキンではありません」

セヴェリンはあまり驚いたように見えない。それより少し怪しんでいるようだった。

「つまり、きみはバレキンの使者じゃないと？」

「わたしは次の上王の使者です」王家とつながりがある証拠として、ポケットからカーダンの指輪を取りだす。根も葉もない話をでっちあげているわけではない証拠として。「バレキンは次の上王にはなりません」

「なるほど」彼の反応は冷静なものの、視線はしっかりと指輪に注がれていた。

「わたしたちに手を貸してくれたら、あなたの国が独立国として認められることを約束します。新しい上王に征服される恐れはありません。むしろ同盟を提案します」恐怖が喉元にこみあげてきて、最後の言葉が出なくなりそうになる。もしセヴェリンに手を貸すつもりがなければ、わたしを裏切ってバレキンにつく可能性もある。そうなったら事態はもっと難しくなるだろう。

自分の手でコントロールできることもたくさんあるけれど、こればかりは無理だ。

セヴェリンの表情からは何も読み取れなかった。「きみが誰の代理かと問いつめて、ののしるつもりはない。考えられるのは、若きカーダン王子しかいないからな。彼のことはいろいろと聞いている。とはいえ、ぼくはきみを手助けする者として適任とは言えない。きみの提案はあまりに話がうますぎる。わが国は取るに足りない小国だ。それにぼくは裏切り者の息子だから、そんなやつの名誉が重んじられるとは考えにくい」

「あなたはバレキンの宴に行くことになっています。そこで決定的な瞬間に助け船を出してくれるだけでいいのです」セヴェリンは誘いに引かれている。ほとんど承諾したも同然だ。たぶん、あともうひと押しが必要なだけ。「カーダン王子について何を耳にしたにしても、兄のバレキンよりは優れた王になるはずです」

それは少なくとも嘘ではない。

誰かに立ち聞きされていないかと疑うように、セヴェリンはテントの端のほうを見やった。「ぼくひとりではないのなら、きみに加勢しよう。これはきみのためでもあり、ぼくのためでもある」彼は立ちあがった。「きみと王子の無事を祈る。必要とあらば、できるだけのことをするよ」

わたしはスツールから立ちあがり、もう一度お辞儀をした。「あなたはとても寛大な方です」

セヴェリンの野営地をあとにしながら、いろいろな考えが心のなかで渦巻いていた。まず、自分はやってのけた。笑い物になることなく、妖精国の支配者のひとりと話ができたのだ。さらにこちらの計画に協力するよう説得までした。でも、まだほかにも賛同してくれる君主が必要だ。もっと影響力のある君主が。

ずっと避けてきた場所がある。そのどこよりも大きな野営地に、ターマイトの国のロイベン卿はいる。血に飢えた王として悪名高く、彼自身も戦いを征して二国の王座についたのだから、バレキンの血まみれの謀反に彼が反対する理由はない。とはいえロイベン卿も、モスの国のアネット女王と同じように、王冠のないバレキンなど取るに足りないと感じているようだ。

きっとロイベン卿も、バレキンの使者に会いたいとは思わないはず。それに野営地の大きさを考えると、彼と話をするために何人の警備を突破しなければならないのか想像もつかない。

それでも忍びこめる可能性はある。こんなにたくさんの妖精がいるなかに、人間がひとりくらい増えたってどうということはない。

わたしは焚き火に使えそうな充分な大きさの枝を拾い集めると、頭をさげてターマイトの国の野営地に向かった。周囲にはぐるりと騎士たちが配置されていたが、思ったとおり、わたしが通り過ぎても誰もほとんど気にかけなかった。

作戦がうまくいったことに気分が高揚するものの、ふと思い出した。子どもの頃にナイン・メンズ・モリスをしていると、マドックに用ができてしょっちゅう中断になった。ゲーム盤はそのまま残され、再開のときを待っていた。わたしは自分の手やマドックの出方を、昼も夜も考え続けた。そしていざ座ってゲームを再開すると、もはやわたしたちがしているのは元のゲームではなかった。わたしはマドックの次の手を正確に予想することに失敗してばかりだった。自分のなかではすごい戦略を立てていたが、それは実際のゲームでは役に立たなかったのだ。

まさにそんな気持ちで、野営地に向かって歩いていた。自分はいま、マドックを相手にゲームをしているのだ。計画や策略を作りだせても、彼のことを正確に推測できなければ沈むのはこっちだ。

焚き火のそばに枝を置く。黒い歯をした青い肌の女性が一瞬こちらを見たけれど、すぐにまた山羊の足をした男との会話に戻った。わたしは服についた木の皮を払うと、一番大きなテントに向かった。足取りを軽やかに、歩幅もゆったりと一定のリズムを保つ。やがて陰になっているところを見つけ、そこからテントの布の端にもぐりこんだ。少しのあいだ、テントの内と外と両側に半分隠れた状態でそこに横たわる。

大テントのなかは錬金術によって生成された緑の炎が燃えるランタンに照らしだされ、すべてが淡く病的な色合いに染まっていた。とはいえ、その点をのぞけば室内は豪華絢爛だった。カーペットが何層にも重ねられていて、重厚な木製のテーブルや椅子がいくつも置いてある。ベッドには毛皮や、ザクロ模様の刺繍の入った錦織りのカバーがかかっていた。

でも驚いたことに、テーブルの上には場違いなテイクアウトフードの紙容器が散乱していた。戴冠式のときにロイベン卿と一緒にいた緑色の肌のピクシーが、箸を使って麺を口に運んでいる。ロイベンは彼女のそばに座り、慎重にフォーチュンクッキーを割っていた。

「なんて書いてあった？」ピクシーの少女が尋ねる。「〝ガールフレンドに話していた旅行は、いつものように流血に終わって楽しめるでしょう〟とか？」

「〝あなたの靴が今日という日を幸せにするでしょう〟だそうだ」ロイベンは素っ気ない声で返し、彼女にも見えるように小さな紙片をテーブルに置いた。

ピクシーがロイベンの革のブーツに視線を落とす。彼は口元に小さな笑みを浮かべながら肩をすくめた。

そのときだった。わたしは身を隠していた場所から乱暴に引きずりだされた。テントの外へ仰向けに転がりでると、騎士が剣を抜いて立ちはだかっているのが見えた。こうなったのは誰のせいでもなく自分のせいだ。あのまま移動して、テントのなかに隠れる方法を探すべきだった。どんなに驚いたからといって、会話を聞くためにとどまったりしなければよかった。

「立て」騎士が言った。ドゥルカマラだ。でも彼女の表情からすると、わたしに気づいていないようだった。

立ちあがると、ドゥルカマラにテントへ連行された。なかに入るやいなや、両脚を蹴られて敷物の上に倒れこむ。ふかふかのフラシ天だったことに感謝すべきだろう。

わたしは少しのあいだ、そこにそのまま横たわっていた。ドゥルカマラが、まるで倒れた獲物みたいにわたしのウエストのくびれにブーツを押しつけた。

「スパイを捕まえました」彼女が報告する。「首をへし折りましょうか？」

ひっくり返ってドゥルカマラの足首をつかむこともできた。それで向こうがバランスを崩している隙に立ちあがればいい。もし彼女の脚をひねって走れば、ここから逃げることもできるかもしれない。最悪の場合、立ちあがってから武器をつかんで戦えばいい。

でも、ここへはロイベン卿に会うために来たのだ。そしていま、それが実現している。わたしはじっと動かず、ドゥルカマラに侮られるがままにしておいた。

ロイベンがテーブルをまわってやってきて、わたしの上にかがみこんだ。顔のまわりに白髪がはらりと落ちる。銀色の目が無慈悲にわたしを見つめた。「どこの国の者だ？」

「上王です」わたしは答えた。「真の上王、息子に倒されたエルドレッドです」

「信じがたいな」その穏やかな物言いにも、わたしが嘘をついているとわかりきった様子にも驚かされた。「さあ、われわれとともに食べるがいい。おまえの話をもう少し聞きたい。ドゥルカマラ、おまえはさがっていいぞ」

「そいつをお食べになるおつもりですか？」ドゥルカマラが仏頂面で尋ねる。

ロイベンは答えなかった。石のような沈黙が続いたあと、ドゥルカマラはどうやらわれに返ったらしく、お辞儀をして立ち去った。

わたしはテーブルまで行った。ピクシーが、タターフェルに似たインクの滴みたいな黒い瞳でこちらを見つめる。彼女が春巻きに手を伸ばした拍子に、指の関節がひとつ多いことに気づいた。「どうぞ」彼女は勧めた。「いっぱいあるわよ。小分けのマスタードはほとんど使っちゃったけど」

ロイベン卿はわたしをじっと見つめて待っている。

「人間の世界の食べ物だわ」さりげなく聞こえることを願いながら言った。

「われわれは人間とともに生きている、そうではないか？」ロイベンがわたしにきいた。

「彼女の場合、人間とともに生きてるどころじゃないと思うけど」わたしのほうを見ながら、ピクシーが反論する。

「これは失敬」ロイベンはそう言って、また待った。

彼らはわたしが何か食べるのを本気で期待しているようだ。わたしは一本の箸で餃子《ギョウザ》を突き刺して口に入れた。「おいしい」

ピクシーはまた麵を食べ始めた。

ロイベンが彼女を指し示す。「これはケイだ。わたしのことは、野営地に忍びこんだくらいだから知っているだろう。おまえの名はなんとする？」

こんなに丁重に接してもらうことには慣れていない。ロイベンは礼儀上、わたしの本当の名前をきかずにいてくれているのだ。「ジュードです」素直に答えた。人間は名前に支配されたりしないから。「わたしはバレキンではない別の者を王位につけることができます。ですが、それにはあなたの助けが必要なのです。だから、あなたに会いに来ました」

「バレキンより優れた者か？　それとも単に別の者か？」

どう答えればいいかわからず、眉をひそめる。「台座の上で家族のほとんどを殺したりはしない者です。それって、必然的に優れていることになりませんか？」

ピクシーのケイが鼻で笑う。

ロイベンは木製のテーブルに置かれた自分の手に視線を落とし、それからもう一度わたしを見た。その険しい顔からは何も読み取れない。「バレキンは駆け引きのできぬ男だが、学ぶことはできるかもしれない。彼は明らかに野心家で、残忍な謀反も成功させた。それを誰もがよく思っているわけではないが」

「わたしはほとんど見る気になれなかったわ」ケイが口を挟む。

「成功したのはごく一部です」そう言い返した。「それに戴冠式でのあなたの発言を考えると、彼を好いているとは思えませんでしたが」

　ロイベンの口角があがった。ごくわずかな動きで、ほとんどわからないほどだ。

「そうだ。バレキンは腹立ちまぎれに姉妹や父親を殺すような臆病者。そのうえ自分は味方の後ろに隠れたまま、将軍に上王の選んだ後継者を始末させた。それは弱さの表れであり、いずれ必ずや悪用されるだろう」

　悪い予感に背筋がぞっとする。「わたしが必要としているのは戴冠式に立ち会える人物、その立ち会いが重要な意味を持つほど強大な力のある人物。つまり、あなたです。明日の晩、バレキンの祝宴でそれは起こります。もしあなたがそのまま戴冠式を実行させて、そこで新たな上王に誓いを立ててくれたら――」

「悪く受け取らないでほしいんだけど」ケイが言った。「あなたになんの関係があるの？　王位を手にするのが誰かなんて、どうしてあなたが気にかけるわけ？」

「ここがわたしの暮らすところだからです」わたしは返した。「ここがわたしの育ったところだから。大嫌いなときのほうが多いけれど、それでもわたしの国なんです」

ロイベンがゆっくりとうなずく。「それで、上王になりうる者が誰なのかも、その者の頭にどうやって王冠をかぶせるのかも、わたしに教えるつもりはないと？」

「言わないほうがいいと思います」

「ドゥルカマラを呼んで、何もかも話すから許してくれと懇願するまで、おまえを痛めつけてやってもよいのだぞ」ロイベンは穏やかに言った。単なる事実を述べているだけというように。でもそれは、彼の評判がどれだけ恐ろしいものかをわたしに思い出させた。いくらテイクアウトの中華料理を食べていても、いくら礼儀正しくても、自分がいったい誰と何を取引しようとしているのかを忘れるわけにはいかない。

「それでは、あなたもバレキンとたいして変わらない臆病者になってしまうのでは？」わたしは〈影の臣下〉にいたときと同じような自信を、カーダンとやりあったときと同じような自信を見せようとした。こっちが怯えていることに気づかれてはいけない。少なくとも、これほどまでに怯えていることには。

　わたしはロイベンと長いあいだ見つめあった。ピクシーがそれを見守る。ようやく彼が長い息を吐きだした。「まあ、どちらかといえば臆病かもしれない。よかろう、ジュード、王の擁立者よ。われわれはおまえに賭けよう。バレキンではない者の頭に王冠をかぶせるのだ。そうしたら、わたしがそれを守る手助けをしてやろう」そこでひと呼吸置く。「だが代わりに、わたしのためにやってもらいたいことがある」

わたしは緊張しながら待った。

ロイベンは長い指を尖塔の形に重ねあわせた。「いつか、おまえの王に頼み事を聞いてもらおう」

「どんな頼みかもわからずに同意しろと？」思わず口走る。

彼の平然とした顔からは、ほとんど何も伝わってこない。「われわれは互いのことをよく理解したはずだ」

わたしはうなずいた。ほかにどんな選択肢がある？「同等の価値のものなら」そこははっきりさせておく。「そして、わたしたちの力が及ぶ範囲のものなら」

「とても興味深い話しあいだった」ロイベンは謎めいた笑みを浮かべて言った。

わたしが席を立って出ていこうとすると、ケイがインクの滴のような目でウインクした。「うまくいきますように、人間ちゃん」

背後に彼女の言葉の余韻を感じつつ、わたしは野営地を出てカーダンのもとへ向かった。

28

わたしたちが戻ると、ゴーストはすでに起きていた。一度出かけて、小さなリンゴを数個、乾燥鹿肉、新鮮なバター、それからワインをさらに数十本ほど持って戻ってきていた。ほかにも、王宮で見た覚えのある家具もいくつか運びこまれている――シルクの刺繍がほどこされた寝椅子、サテンのクッション、ちらちら光るクモの糸でできた掛け布、玉髄《カルセドニー》のティーセット。

ゴーストは座っていた寝椅子からこちらを見あげた。気が張って疲れきっているように見える。きっと多くの死を悼んでいたのだろう。ただ、そのやり方は人間とは違う。「それで？　黄金を約束してもらったはずだが」

「復讐を約束できるとしたらどう？」すでに肩にのしかかっている責務の重さを改めて感じながら、わたしはきいた。

ゴーストはボムと視線を交わした。「本当に計画があるってわけか」

ボムがクッションの上に座った。「すごい秘密があるのよ。計画よりずっとすごいこと」

わたしはリンゴをひとつ手に取ると、テーブルへ行ってその上に腰かけた。「みんなでバレキンの祝宴に乗りこんで、あいつから王権を奪うの。これこそ復讐じゃない？」

わたしにいま必要なのは大胆さだ。この場を牛耳っているのは自分だというようにふるまわなくてはいけない。将軍の娘らしく、この計画を成功させる自信があるという態度で。

ゴーストの口角があがった。彼は食器棚から銀杯を四つ取りだすと、わたしの前に並べた。「飲むかい？」

わたしは首を横に振り、ゴーストがワインを注ぐのを眺めた。彼はまた寝椅子に戻ったが、すぐ立ちあがれるようにするためか、縁のところに腰かけた。ワインをごくりと飲む。

「前に、デインのまだ生まれていない子どもを殺したと言ったわね」わたしは言った。

ゴーストがうなずく。「カーダンがリリオペの話をしたときの、そしておれのやったことを悟ったときのおまえの顔は見たよ」

「あれは驚きだったわ」正直に言う。「デインはそんなことをしないと思いたかった」

カーダンは鼻で笑い、自分の杯とわたしに用意された杯の両方を手に取った。

「殺しというのは残酷な仕事さ」ゴーストが言う。「おれはいまでも信じている、デインだったらどの王子よりも公正な上王になれたはずだと。とはいえ、おれの父親は人間だった。父はデインを善良とは思っていなかっただろう。おれのことも善良とは思っていなかったはずだ。おまえもスパイの道を走りすぎる前に、どれだけ善良でありたいかを決めておいたほうがいい」

きっとゴーストの言うとおりだ。けれどもいま、そのことを考えている時間はない。

「そうじゃないの。リリオペの子は生きているのよ」

ゴーストはあからさまに驚いて、ボムに向き直った。「秘密というのはこれのことか？」

少しばかり得意そうな顔で、ボムがうなずく。「これこそが計画よ」

ゴーストはボムを長々と見つめたあと、わたしに視線を移した。「新しい働き口を探すのはごめんだ。ここに残って次の上王に仕えたい。いいだろう、王権を奪おうじゃないか」

「わたしたちは善良でなくてもいい」わたしは言った。「でも、正しくありたい。妖精国のどの王子にも劣らないくらいに」

　ゴーストがほほえむ。

「ちょっと勝るくらいのほうがいいかも」カーダンを見ながら言った。

　ゴーストはうなずいた。「そうだな」

　それからゴーストはローチを起こしに行った。わたしはまた一から全部話さなければならなかった。話題が祝宴とそこで実行しようとしている計画の部分に入ると、ローチが何度も口を挟んできて、ひとつの文章を途切れずに話すことがほとんどできないくらいだった。わたしが話し終えると、ローチは飾り棚から上質な皮紙と先の尖ったペンを取りだし、計画を成功させるために誰がどこにどのタイミングでいるべきかを書きとめた。

「計画を練り直すのね」

「ほんの少しだけな」ローチはペンの先をなめて、また書き始めた。「マドックのことが気にかかるか？　彼はこれをよく思わないだろう」

　もちろんマドックのことは心配だ。でなければ、こんなことはしていない。彼にただ王権への生きた鍵を渡してしまえばいいだけだ。

「わかってる」そう言いながら、ゴーストのグラスに浮かぶワインの澱《おり》を凝視した。

わたしがカーダンと腕を組んで宴に入っていった瞬間に、マドックはわたしがゲームをしていることに気づくだろう。わたしが彼をだまして摂政の座を取りあげる気だと知ったら、きっと激怒する。

そしてマドックは激怒すると、どんなときよりも残虐になるのだ。

「着ていくのにふさわしい服はちゃんとあるのか？」ローチがきいた。わたしが驚いた顔をすると、彼はあきれたように両手をあげた。「おまえがやろうとしているのは政治だ。おまえとカーダンは、この宴に見合った豪華な格好をしないと。新王がどこをとっても正しく見えるようにしなきゃだめだ」

みんなでもう一度、計画を確認する。カーダンにも〈虚ろの館〉の見取り図を作るのを手伝ってもらった。紙の上をなぞる彼の長い指を、彼に見られてぞくりとする興奮を、なるべく意識しないようにする。

明け方、わたしは三杯目のお茶を飲み終えると、祝宴前に話しておかなければならない最後の相手にひとりで会いに行った。そう、姉のヴィヴィだ。

金色に輝く朝日がのぼるなか、わたしの家に戻った。マドックの家よ、と自分に言い聞かせる。これまでも、今夜のあとも、わたしの館になることはないのだから。らせん階段をあがり、これまで育ったいろいろな部屋を通り過ぎていると、自分がまるで影のように感じられた。寝室に入り、荷物をまとめる。毒薬、剣、そしてドレスに宝石。これならローチも充分に豪華だと思ってくれるだろう。ベッドのぬいぐるみはしぶしぶ置いていくことにする。ダンスシューズや本、お気に入りだった安物のアクセサリーも。わたしは最初の人生から去ったときと同じように、第二の人生からも去るのだ。少なすぎる荷物を抱えて、次に何が起こるかもまったくわからずに。

ヴィヴィの部屋へ向かい、ドアをそっとノックする。少しして、彼女が眠そうにわたしをなかへ招き入れた。

「ああ、よかった」ヴィヴィがあくびをしながら言う。「荷物をまとめたのね」それからわたしの顔を見て、首を横に振った。「お願いだから、一緒に来ないとか言わないで」

「ちょっと事情ができて」かばんを床におろす。ひそひそ声になってしまった。自分がここにいることを隠す理由なんて本当はないのに、隠すのが癖になってしまっているのだ。「ちゃんと聞いてほしいの」

「あんたがいなくなっちゃって」ヴィヴィが言った。「お父さんの前で平気なふりをしながら、ずっとずっと待ってたのよ。心配したんだから」

「わかってる」

彼女がわたしを見る。ひっぱたいてやろうかと思っているような目だ。「死んだんじゃないかって不安だった」

「死にやしないわ」小声で話せるようにヴィヴィの腕をつかんで引き寄せた。「でも、言わなきゃいけないことがあるの。姉さんがきっと気に入らないのはわかってる。わたし、デイン王子のスパイをしていたのよ。ゲシュのせいで、彼が死ぬまで何も話せなくて」

ヴィヴィの優美に尖った眉がつりあがった。「スパイ？　いったい何をするの？」

「こっそり嗅ぎまわって情報を手に入れたり、人を殺したり。先に言っておくと、腕前はよかったのよ」

「そう」ヴィヴィは言った。わたしに何かあるとは気づいていたものの、彼女の顔から察するに、スパイだなんてことはまったく予想していなかったようだ。

わたしは続けた。「それで、マドックがある政変を起こそうとしていることを知った。オークに関わることよ」ここでふたたび、リリオペとオリアナとデインの話をする。これまで何度も話しているので、必要な部分だけをわかりやすく伝えるのがうまくなっていた。「マドックはオークを王にして、自分は摂政になろうとしているの。

ずっと計画してきたことなのかはわからない。でも、いまそのつもりなのはたしかよ」

「それが理由で、あんたはわたしと人間の世界には行かないってこと？」

「代わりにオークを連れていってほしいの」わたしは言った。「オークがもう少し大きくなるまで、摂政を必要としなくなるまで、こうしたことからあの子を遠ざけてあげて。わたしはここに残って、オークが確実に戻ってこられるようにする」

ヴィヴィが腰に手を当てた。その仕草に母さんを思い出す。「具体的にはどうするつもり？」

「そこはまかせてちょうだい」そうはぐらかしたものの、ヴィヴィはわたしという人間をよく知っている。話題をそらすために、わたしはバレキンの祝宴のことや、〈影の臣下〉に王冠の入手をどう手伝ってもらうかについて語った。オークを戴冠式に備えさせるために、ヴィヴィの力が必要なのだ。「王を支配する者が、この国を支配する。もしマドックが摂政になったら、妖精国が常に戦争状態になるってことはわかるでしょう」

「つまり整理すると、あんたはわたしにオークを妖精国から連れだしてほしい、ここの人たちから遠ざけて、どうしたら善き王になれるかを教えてあげてほしいってこと？」ヴィヴィはせせら笑った。「昔、わたしたちの母さんは妖精の子を連れ去った——わたしのことよ。それでどうなったかは、あんたも知ってるでしょ。それと今回はどう違うわけ？　マドックとバレキンが地の果てまでオークを追ってくるのを、どうやって防ぐっていうのよ？」

「誰かを送りこんで、あの子を守らせるわ。姉さんたちみんなを守らせる。だけど、それとは別に計画があるの。それならきっとマドックは追ってこない」ヴィヴィといると、自分が永遠に幼い妹であるような気がしてくる。ばかで、いまにもへまをしそうな妹。

「わたし、子どもの世話役なんてしたくないわ」ヴィヴィは言った。「駐車場であの子を迷子にさせちゃったり、学校へ迎えに行くのを忘れちゃったりするかもしれない。とんでもないいたずらを教えこんだりとか。それで、あの子からわたしが責められるんだわ」

「だったら、ほかの解決策を教えてよ。わたしが望んでやっていることだと本気で思ってるの？」嘆願しているみたいに聞こえるのはわかっているが、どうしようもなかった。

緊迫した時間が流れ、わたしたちはお互いに見つめあった。ヴィヴィがどすんと椅子に腰をおろし、クッションに頭を預ける。「ヘザーにどう説明しよう？」

「彼女に言わなきゃならないことのなかでも、オークは一番ショックの少ない話だと思うけど。それにほんの数年のあいだだけだから。姉さんの命は永遠でしょう。ちなみにそっちのほうが、ヘザーが聞いてショックを受ける話じゃない？」

いまにも髪が焦げそうな勢いで、ヴィヴィがにらみつけてくる。「これはオークの命を救うことだと約束して」

「約束する」

「それからもうひとつ、あんたの命も犠牲にしないと約束してちょうだい」

わたしはうなずいた。「しないわ」

「嘘つき」ヴィヴィは言った。「卑劣な嘘つきよ。そういうところが嫌いで嫌いでたまらない」

「ええ、知ってる」

少なくともヴィヴィは、わたしを嫌いだとは言わなかった。

屋敷から出ていこうとする途中で、タリンが寝室のドアを開けた。落ち葉模様の刺繡の入った蔦色のスカートに身を包んでいる。

わたしは息をのんだ。彼女に会うことは予定していなかった。

しばらくのあいだ、わたしたちは見つめあった。わたしが肩にかばんをかけ、決闘をしたときと同じ服装のままでいることにタリンは気づいた。

そして、またドアを閉めた。わたしの運命を見放すかのように。

29

〈虚ろの館〉の正面玄関から入るのはこれが初めてだ。これまではいつも、召使いの格好をして台所をこそこそと通っていた。でもいまは、磨きあげられた木製のドアの前に立っている。閉じこめられ、必死にぐるぐると飛びまわるスプライトたちの光体がランプのように灯って、ばかでかい邪悪な顔の彫り物を照らしだしていた。その鼻のところに刺さっているリングが、ドアのノッカーになっている。

カーダンがそれに手を伸ばした。わたしも妖精国で育ったので、ドアについている目が開いたときも、悲鳴をあげて驚くほどではなかった。

「王子殿下」ドアが言った。

「やあ、ドアよ」愛情と親しみをこめた笑顔でカーダンが応える。彼の鼻持ちならない魅力が悪事以外に発揮されているところを見るのは、なんとも奇妙だ。

「おかえりなさいませ」そう言ってドアが開くと、バレキンに仕える妖精の召使いのひとりが姿を現した。彼は行方知れずの王子を、あんぐりと口を開けて見つめた。

「ほかのお客さまはあちらにおいでです」やっとのことで、召使いが言う。

カーダンはわたしの腕を取ると、玄関のなかに勢いよく入っていった。彼の足取りに合わせながら、わきたつような興奮を覚える。ここは自分に正直になるしかなかった。不本意だけれど、カーダンはたしかにひどいやつだけれど、一緒にいて楽しい。

こういうことが、いずれどうってことなくなればいいのに。

でも、いまは不安でしかたがなかった。カーダンはデインの上下そろいの服を着ていた。王宮の衣装部屋から盗んできて、ローチにギャンブルで借金があった手先の器用な妖精に仕立て直してもらったものだ。ベストと上着、ゆったりしたシャツ、それからブリーチズに首巻き《クラヴァット》。微妙に異なる色合いのクリーム色に身を包み、戴冠式のときと同じ先端が銀色のブーツを履いて、左耳にひと粒のサファイアをきらめかせた彼はまさに王にふさわしく見える。そう見えるようにしたのだ。服を選んで、彼のいでたちを整えたのはわたし。そのわたしにも効果は充分だった。

わたしは暗緑色のドレスに、ベリーの形をしたイヤリングという格好をしている。ポケットにはリリオペの黄金のドングリを忍ばせ、腰には父さんの剣。肌に触れるところにはナイフ一式を隠し持っていた。これでもまだ足りない気がする。

わたしたちがフロアを横切ると、みんなが振り返ってこちらを見た。妖精国の諸公やその夫人たち、別の宮廷の王や女王たち、海の国の女王の代理人、バレキン。そして、わたしの家族もいる。オークはオリアナとマドックのそばにいた。わたしはロイベンのほうを見やった。彼の白髪は人込みのなかでもすぐにわかる。でも、ロイベンはわたしと会ったことのないふうを装った。その顔は相変わらず仮面のごとく無表情なままだ。

ロイベンがあの取引を守ってくれると信じるほかないのだが、こういう推測は得意ではない。戦略とは相手の弱みを見つけて、それを利用することだという考えのもとで育ってきたからだ。それなら理解している。けれども誰かを自分になびかせたり、味方になりたいと思わせたりするのはひどく苦手だ。

わたしの視線は軽食が置かれたテーブルから、凝りに凝ったドレスの数々、骨にバリバリとかぶりつくゴブリンの王へと移っていった。そして、上王の血にまみれた王冠へとたどりつく。それはわたしたちの頭上にある岩棚に置いてあった。クッションにのせられ、不吉な光を放ち輝いている。

それを見て、自分の計画がすべて崩れ去るところが心に浮かんだ。あの王冠をみんながいる目の前で盗むのかと思うと気が遠くなる。とはいえ、王冠を求めて〈虚ろの館〉じゅうを探しまわらなければいけなかったとしたら、それも気の滅入ることだっただろう。

バレキンがひとりの女性と会話をやめて移動するのが見えた。見覚えのない女性だ。海草を織ったドレスを身にまとい、真珠の首飾りをつけている。黒髪はさらにたくさんの真珠をちりばめた王冠に結ばれていて、まるで頭の上にクモの巣が張っているように見える。彼女が誰かを解き明かすのに少し時間がかかった——ニカシアの母親のオーラー女王だ。バレキンは彼女から離れたあと、何か思案げにこちらへと部屋を横切ってきた。

カーダンはバレキンを見ると、ワインのあるほうへ向きを変えた。ワインの瓶やカラフは色とりどりだ。淡い緑色、金のような黄色、わたしの生き血のような暗い赤紫色。バラやタンポポ、砕いたハーブやスグリの香りが立ちこめている。その匂いだけで頭がくらくらしそうだ。

「弟よ」バレキンがカーダンに声をかけた。頭のてっぺんから爪先まで、全身を黒と銀色に包んでいる。ベルベットのダブレットには王冠と鳥の模様がぎっしりと刺繡されていて、まるで鎧のように重そうに見えた。額には彼の瞳とよく合う銀の飾り輪。あの王冠とは違うけれど、これもまた王冠のひとつだ。「あちこち探したぞ」

「そうでしょうね」カーダンは悪党のような笑みを浮かべた。以前のわたしなら彼らしいと思う笑みだ。「ぼくが役に立つとわかって、さぞかし驚いたでしょう」

バレキンがほほえみ返す。ほかに体のどこも使わずとも、笑顔さえあれば決闘できるとでもいうように。彼はカーダンを怒鳴りつけ、殴って望みどおりに従わせたいはずだ。けれどもほかの家族全員が死んでしまったいま、戴冠式に進んで参加してくれる者が必要だと学んだに違いない。

いまのところ、カーダンがいるというだけで、人々はバレキンがもうすぐ上王になると信じきっている。でも、もしバレキンが守衛を呼んでカーダンを捕まえたら、その幻想は消えてなくなるだろう。

「おい、おまえ」わたしに視線を移しながら、バレキンは言った。悪意に目がきらりと光る。「この件にいったいなんの関係がある？ 出ていけ」

「ジュード」そう声をあげたマドックが、大股でバレキンの横までやってきた。そこですぐにバレキンは、わたしがこの件に何かしら関係しているのかもしれないと悟ったようだった。

マドックは不愉快そうではあるものの、驚いてはいなかった。たぶん彼はわたしのことを、行方不明の王子を見つけたご褒美に頭を撫でてもらえると期待している愚か者だと思っているに違いない。カーダンをバレキンではなく自分のところへ連れてきてほしいと、はっきりと伝えなかったのを悔やんでもいるはずだ。わたしはマドックにとびきり明るい笑顔を向けた。自分がみんなの問題を解決してあげたと思いこんでいる、無邪気な少女みたいに。

ゴール目前まで来て、マドックはどんなに悔しいだろう。オークと王冠がそろい、妖精国の諸公たちもみんな集まった。ところが自分の前妻の子が現れて、オークの頭に王冠をかぶせてくれる可能性が一番高い人物をライバルに手渡し、計画を狂わせてしまうとは。

でも、わたしはカーダンに向けたマドックの品定めするような視線に気づいた。計画を練り直しているのだ。

マドックがわたしの肩にずっしりと重たい手を置いた。「カーダンを見つけたのだな」そう言って、バレキンに向き直る。「ぜひ娘に褒美を与えていただきたい。彼をここへ連れてくるのに、少なからぬ説得が必要だったことでしょう」

カーダンがマドックにけげんそうな顔を向ける。そういえばカーダンは言っていた、自分が父親にほとんど見向きもされない一方で、わたしがマドックからとても大切にされているのが気に入らないと。とはいえカーダンの表情からすると、赤頭巾の異名を持つ血に飢えた将軍と人間の少女が一緒にいることが、見ていて不思議なだけなのかもしれない。

「そいつが望む以上のものをくれてやろう」バレキンは大げさに約束した。マドックがしかめっ面をしているのが見える。わたしは彼にすばやくほほえんで、ふたつのグラスにワインを注いだ。ひとつには明るい色、もうひとつには暗い色のワイン。慎重に、如才なくグラスを扱う。一滴だってこぼさない。

　グラスをカーダンに手渡す代わりに、両方ともマドックに差しだして片方を選ばせた。マドックが笑みを浮かべながら、生き血の色をしたワインのほうを取る。わたしはもう一方を手に取った。

「妖精国の未来に」そう言って丸いグラスを打ちあわせると、鈴のような音がした。ふたりして飲んだ。たちまち妙な感覚に襲われる――空中を泳いでいるような、ある種の浮遊感。カーダンのほうは見たくもない。ワインを数口も飲めないのかと、大笑いされるだろうから。

　カーダンは自分のグラスにワインを注ぐと、一気に飲み干した。

「瓶ごと持っていくといい」バレキンが言った。「今日は寛大な気分だ。おまえのほしいものを言ってみろ。なんでもいいぞ」

「急ぐことはないでしょう？」カーダンが気だるそうにきく。

暴力的になりそうなのをかろうじて抑えているような鋭い目つきで、バレキンはカーダンを見据えた。「みな、事態が落ち着くのを見たがっていると思うが」

「そうはいっても」カーダンはワインの瓶を手に取り、注ぎ口からじかにごくごく飲んだ。「丸ひと晩あるんですから」

「力を握っているのはおまえだ」バレキンがぶっきらぼうに言う。その口調には〝いまのところはな〟という言葉が隠れていた。

カーダンの顎の筋肉が引きつるのが見えた。間違いなくバレキンは、ぐずぐずしている弟をどう懲らしめてやろうかと想像している。そのせいで、彼のひと言ひと言が重くのしかかるのだ。

それとは反対に、マドックはこの状況を把握して、カーダンにどんな提案をすればいいか試算しているようだった。わたしにほほえみかけながら、ワインをもうひと口ごくりと飲む。それは正真正銘の笑顔だった。歯を見せて安心しきったような笑顔。バレキンよりカーダンのほうが操りやすそうだと考えているのだろう。

そこでふいに確信した。もしこのまま別の部屋へ移動したら、バレキンはマドックの懐におさめられた剣を見る羽目になる、と。

「晩餐が終わったら、ぼくの条件を教えますよ」カーダンは言った。「でもそれまでは、パーティーを楽しませてもらいます」

「永遠の忍耐力など、わたしにはないぞ」バレキンが低くうなる。

「ならば、そういう力を養ってください」カーダンはそう言って小さくお辞儀をすると、わたしを連れてバレキンとマドックから離れた。

わたしは長い銀色のピンが刺さったスズメの心臓が並ぶ大皿の横にワインのグラスを置き、カーダンと一緒に人込みのなかを縫って歩いた。

するとニカシアが長い指の手をカーダンの胸に押し当て、わたしたちを制止した。彼女のブルーグリーンの髪が、青銅色のドレスに映えて輝いている。

「どこにいたの？」彼女はわたしたちの組んだ腕にちらりと目をやりながらきいた。不機嫌そうに鼻にしわを寄せているものの、言葉には動揺がはっきりと表れている。彼女もまた、わたしたちみんなと同じように平静を装っているのだ。

きっとニカシアは、カーダンが死んだか、もっと悪いことになっていると思っていたに違いない。彼にききたいことが山ほどあるはずなのに、わたしの前では何もきくことができないのだろう。

「ここにいるジュードに捕虜にされてた」カーダンが言った。彼の足を思いきり踏んづけたいという衝動と必死で闘う。「縛りがものすごくきつくてね」

笑っていいものか、ニカシアはわからないようだ。思わず同情しそうになる。わたしも笑っていいのかわからない。

「拘束が解けてよかったじゃない」ニカシアが言った。

カーダンは眉をひそめた。「そうか？」ニカシアの思ったより賢くない一面を見せられたとでもいうように、横柄に見下した態度できき返す。

「それで、どうしていまも一緒にいるの？」ニカシアは食いさがった。もう体裁などかまっていられないという様子だ。片手をカーダンの腕に伸ばす。

彼の顔がやわらいだ。わたしにはまったく見慣れない表情だ。「ニカシア」そう言って、カーダンは体を離した。「今夜はぼくに近づくな。それがきみのためだ」

わずかに心がちくりとする。彼にこんな優しさがあるなんて。見たくなかった。

ニカシアがわたしを見た。どうしてこの子は近くにいていいのかと考えているに違いない。けれどもカーダンは彼女から離れていき、わたしも彼についていった。今度は部屋の向こうにタリンがいるのが見えた。隣にはロックがいる。わたしが誰と一緒にいるのかを見て取り、タリンは目を見開いた。憤りにも似た何かが彼女の顔をよぎる。

タリンにはロックがいる。一方、わたしは王子とここにいる。そんなのはフェアじゃない、と彼女が思っているかどうかは、ひと目見ただけではわからない。

「第一関門は突破ね」タリンから目をそらして言う。それから小声でカーダンにささやいた。「ここに来て、なかに入って、まだ鎖につながれていないもの」

「ああ」カーダンは応える。「ローチなら、こんなのは〝お茶の子さいさい〟って言っただろうな」

カーダンにも説明してあるとおり、計画は五つの基本段階からなる。（1）侵入する、（2）ほかのみんなをなかに入れる、（3）王冠を手に入れる、（4）王冠をオークにかぶせる、（5）退散する、だ。

わたしは彼から腕を離した。「ひとりでどこにも行かないでよ」そう念を押す。

カーダンはまるで振られた男みたいに唇を固く引き結んだまま笑い、一度だけうなずいた。

わたしはオリアナとオークのもとへ向かった。部屋の反対側で、セヴェリンが会話を中座してバレキンのほうへ歩いていくのが見えた。

唇に玉のような汗が浮かぶ。脇の下にも。筋肉がこわばる。

もしセヴェリンがまずいことを言ってしまったら、計画の〝退散する〟以外のすべてをあきらめなければならなくなる。

　わたしが近づいていくと、オリアナは眉間にしわを寄せて、オークの小さな肩に両手を伸ばした。オークが両手をあげる。わたしは自分の腕に彼を抱きかかえたくなった。これから何が起こるのかを、ちゃんとヴィヴィに説明してもらったかと尋ねたい。何もかも大丈夫だと言ってあげたい。けれどもオリアナがオークの指をつかんで、ぎゅっと握りしめた。わたしが何をするつもりなのか、警戒しているのだ。

「これはどういうこと？」オリアナはカーダンに向かって顎をしゃくった。

「あなたに頼まれたことよ」わたしは彼女の視線を追った。どういうわけか、バレキンがセヴェリンとの会話にカーダンを引き入れていた。カーダンがバレキンの言ったことに声を立てて笑う。いままで見たこともないくらい、落ち着き払った顔をしていた。ショックだった。いつも危険と隣りあわせで、怯えながら生きている人であれば、さらなる危険は見て見ぬふりをすることはよくある。それはわかっているけれど、まさかカーダンもそうだとは思わなかった。バレキンの手がカーダンの肩に置かれていた。その指がカーダンの首に食いこむところが目に浮かぶ。「簡単なことじゃないの。わかってもらえるといいけど、これには代償が――」

「そんなの、わたしが払うわ」オリアナが間髪をいれずに言う。

「どんな代償かは誰にもわからないのよ」そう言い返してから、自分の口調の棘々しさに誰も気づきませんように、と願った。「わたしたちみんなが、それぞれ支払わなきゃならないの」

ワインのせいで肌がひどく赤らみ、口のなかは金属の味がしていた。そろそろ計画の次の段階に進む頃合いだ。わたしはあたりを見まわしてヴィヴィを探した。でも、彼女は部屋の反対側にいた。たとえ言うべきことがわかっていたとしても、いまは話している時間がない。

オークに励ましの笑顔――になっていますように――を向けた。ときどき疑問に思う。自分の過去のせいで、いまのわたしがあるのだろうか？　過去がわたしを怪物みたいにしたの？　もしそうなら、わたしはオークを怪物にしてしまうのでは？

ヴィヴィならそうはならない、と自分に言い聞かせる。彼女の役割は、オークが権力以外のものに関心を持つよう手伝ってあげることだ。わたしの役割は権力だけに集中すること。そうして、あの子の戻る場所を作ってあげること。いったん深呼吸をしてから、ドアに向かい廊下へ出た。ふたりの騎士の横を通り過ぎて角を曲がり、彼らの視界から外れる。そして何度か息をのみこんだあと、窓の掛け金を外した。

期待とともに、しばらくのあいだ待った。ローチとゴーストがここまでのぼってきたら、王冠のありかを説明できる。けれども代わりに祝宴の会場に通じるドアが開き、マドックが騎士たちに席を外すよう指示している声が聞こえてきた。わたしは彼から見えるように移動した。するとマドックは思惑ありげに近づいてきた。「ジュード。こっちに来ていると思っていたよ」

「新鮮な空気が吸いたかったの」その言葉で、自分がどれだけ緊張しているか明かすことになってしまった。マドックはまだ何もきいていないというのに。

でも、彼はそれを無視した。「カーダン王子を見つけたとき、まずわたしのところへ来るべきだった。それなら強い立場から交渉ができただろうにな」

「そう言うと思ったわ」

「いま大事なのは、カーダン王子と内密に話さなければならないということだ。なかへ行って、彼をここへ連れてきてくれ。そうすれば話ができる。われわれ三人で話そう」

わたしは窓から離れて、廊下の空いているスペースに移動した。ゴーストとローチがもうすぐここへやってくる。マドックには気づかれたくない。「オークのことについて？」

マドックはわたしのあとについて窓から離れると、顔をしかめた。「知っていたのか？」

「あなたが自らエルフェイムを統治する計画があるってことを？　途中で気づいたのよ」

マドックがわたしを、まるで見知らぬ人のようにじっと見る。でも、いままでだってずっとそう感じてきた。わたしたちはお互い初めて仮面を取り去ったのだ。

「知っていて、カーダン王子をここへ連れてきたのか。バレキンのもとへ」マドックが言う。「それともわたしのもとへ？　そういうことか？　わたしと取引をするつもりなのか？」

「どっちかじゃなきゃいけないってことね？」

マドックがいらだち始めた。「上王がいないほうがいいというのか？　もし王冠を破壊すれば戦争になる。そしてもし戦争が起きれば、勝つのはわたしだ。いずれにせよ、わたしはあの王冠を手に入れる。そうなったら、おまえは得をする立場にあるんだ。わたしに逆らう理由がないだろう。騎士の位ももらえる。これまで夢見てきたことがすべてかなうのだぞ」彼はまた一歩、わたしに近づいた。お互いに攻撃できる距離だ。

「いま、〝わたしはあの王冠を手に入れる〟と言ったわね。手に入れるのはあなた」

わたしは剣の柄に手を伸ばした。「あなたはオークの名前をめったに口にしない。あの子は目的のための単なる手段なんでしょう。その目的っていうのは権力ね。あなたのための権力」

「ジュード――」マドックが言いかけたが、わたしはさえぎった。

「取引をしましょう。オークに決して手をあげないと誓って。そうしたら力になってあげる。オークが充分に成長したら、すぐに摂政の地位を退くと約束して。あなたが集めたどんな権力もオークに与えると、進んでそうすると」

マドックの口がゆがんだ。両手をこぶしに握りしめている。彼がオークを愛しているのは知っている。わたしのことも愛している。母さんのことも、彼なりに愛していたのだろう。でも、マドックはこういう人だ。約束なんて、できるわけがない。

わたしが剣を引き抜くと、マドックも続いた。金属の擦れる音が空間に大きく鳴り響く。遠くで笑い声が聞こえるが、この廊下にはわたしたちふたりしかいない。

両手が汗ばんでくる。とはいえ、こうなったのは必然のようにも感じた。このためにすべての時間を、これまでの人生を走ってきたとでもいうように。

「おまえにわたしは倒せない」マドックはそう言うと、戦闘態勢に入った。

「すでに出し抜いたわ」そう言い返した。

「おまえに勝ち目はない」まるでこれが単なる練習試合であるかのように、彼は剣を軽く振り動かして、わたしをあおった。「このバレキンの牙城で、行方不明の王子ひとりいたところで、何ができるというのだ？　わたしがおまえを倒し、おまえからカーダンを奪うまでだ。望むものはなんでも手に入れられたのに、いまや何も残らんぞ」

「そうだわ、いいことを教えてあげる。あなたがわたしをこの計画に駆り立てたのよ」わたしは顔をゆがめた。「これ以上ぐずぐずするのはおしまい。戦うときよ」

「少なくとも、おまえは臆病者ではないな」マドックが襲いかかってくる。あまりの力に、その一撃をブロックしたにもかかわらず床に投げだされた。くるりと回転して立ちあがるも、体が震える。彼がこんなふうに全力でわたしと戦うのは初めてだ。これはきっと上品な剣の交わしあいにはならないだろう。

　マドックは上王に仕える将軍。わたしより戦い方が上手なのはわかっていたけれど、どれほどかは知らなかった。

　窓のほうをちらりと見た。たしかに彼より強くはなれないが、その必要はない。あともう少し、倒れずにいられるだけでいい。わたしは不意打ちを食らわせようと攻撃に出た。マドックにふたたび打ち返される。身をかわして反撃したものの見抜かれていて、ぶざまによろよろと後ろへさがりながら、さらに振りおろされる彼の剣を防御するほかなかった。攻撃のすさまじさに両腕が痛む。

すべての動作があまりにも速い。

マドックに教わった一連の技で攻め入り、次にゴーストから習った剣術を試してみた。左に行くと見せかけて、相手の脇腹を巧みに切りつける。浅い一撃ではあったけれど、ひと筋の赤い線がマドックの上着を濡らすと、ふたりして驚いた。彼が突進してくる。片側に飛びのいたわたしの顔面を彼が肘で突き、地面に叩きのめした。鼻から血が噴きだし、口を覆った。

わたしはふらふらしながら立ちあがった。

怖い。どれだけ平静を装おうとしてもだめだ。自分は思いあがっていた。なんとか時間を稼ぎたいが、わたしなんてマドックの一撃でまっぷたつだろう。

「降参しろ」彼がわたしの喉元に剣を突きつける。「よくがんばった。許してやる、ジュードよ。だから一緒に祝宴へ戻ろう。おまえはカーダンを説得して、わたしの言うとおりにさせるのだ。これですべてがあるべき姿になる」

わたしは石のタイルの上にぺっと血を吐いた。

マドックの利き腕が少しだけ震える。

「降参するのはそっちよ」

まるでわたしがとびきりおもしろい冗談でも言ったかのように、彼は声をあげて笑った。けれども次の瞬間には笑うのをやめ、顔をしかめた。

「具合があまりよくないみたいね」

マドックの剣が少し下を向く。急に何かを理解したように、彼はわたしを見た。

「何をした？」

「毒を盛ったの。心配しないで。少しだけだから。生きていられるわ」

「あのワインか」マドックが言う。「だが、わたしがどちらを選ぶか、なぜわかった？」

「わかっていなかったわ」マドックなら、この答えに不本意ながら感心するのではないだろうか。これは彼が一番好きなタイプの戦略だから。「両方に毒を入れたの」

「ひどく後悔するぞ」彼は言った。いまや両脚にも震えが来ているようだ。わたしにはわかる。自分にも、その感覚がまだ残っているから。でもいまでは、毒をのむのにも慣れた。

マドックの目の奥をじっと見つめながら、剣を鞘におさめる。「お父さん、わたしという人間はあなたが作った。結局、あなたの娘になってしまったわ」

最後にもう一度攻撃しようとするかのように、マドックがふたたび剣を持ちあげた。

でもそれもつかのま、剣は手から落ち、彼もくずおれて床に倒れこんだ。

緊張感の漂う数分が過ぎたあと、ゴーストとローチがなかに入ってきた。彼らが目にしたのは、疲れ果ててマドックを移動させることも考えられず、彼のそばにへたりこんでいるわたしの姿だった。

ローチが何も言わずにハンカチを手渡してくる。わたしは鼻血を拭き始めた。

「第三段階だ」ゴーストが言った。

30

祝宴に合流すると、みんな長いテーブルの席についていた。わたしはバレキンのところへまっすぐ向かい、お辞儀をした。

「上王さま」声をひそめて言う。「マドックから、遅れるので先に始めていてくれと伝言を頼まれました。心配は無用とのことですが、デインのスパイが何人かここにやってきています。捕まえるか殺すかしたら、また報告するそうです」

バレキンは口をわずかにすぼめ、目を細めてこちらを凝視した。洗い落とせずに鼻や歯に残った血痕や、ぬぐいきれなかった汗を見ている。マドックはカーダンの昔の部屋で眠っている。わたしの計算では、意識が戻るまでに少なくともあと一時間はあるはずだ。もしバレキンが注意深く観察したら、そのこともわたしの顔から読み取ってしまいそうな気がする。

「思ったより役に立つのだな」バレキンはそう言うと、わたしの肩に軽く手を置いた。

わたしが最初にカーダンと入ってきたとき、あれだけ気分を害していたことはどうやら忘れてしまったらしい。そのうえ、わたしにも忘れてくれと言っているのだ。「このまま続けるなら褒美をくれてやる。われわれの仲間として暮らすのが望みか？　われわれの一員になりたいのか？」

妖精国の上王が、本当にそんな褒美を与えてくれるのだろうか？　わたしを人間ではない何かに、死す者ではない何かにしてくれると？

ヴァレリアンが、わたしを塔から飛びおりさせようとしたときに言っていたことを思い出す。〝人間に生まれるってことは、死人として生まれてくるも同然だからな〟

わたしの顔に浮かぶ表情を見て、バレキンはほほえんだ。わたしの心のなかにあるひそかな願望を探り当てたに違いない。

それからわたしは自分の席へ歩いていったが、そのあいだ、どうにも心が落ち着かなかった。勝利を感じてもいいはずなのに、代わりに気分が悪くなる。マドックを出し抜けたことは、望んでいたほど満足のいくものではなかった。なぜなら、それができたのもマドックがわたしのことを裏切り者だといっさい思わずにいてくれたからだ。あと何年かすれば、この計画に対するわたしの信念は正しかったと証明されるかもしれない。だけどそれまでは、腹の底にこの辛酸を抱えたまま生きていかねばならない。

妖精国の未来は、わたしが長期戦をどうプレイするか、どれだけ完璧にプレイするかにかかっている。

わたしはニカシアとセヴェリンのあいだに座っているヴィヴィに気づいた。さっと笑みを送ると、ヴィヴィは不機嫌そうな笑顔を返してきた。

ロイベンが横目でちらりとわたしを見る。隣にいる緑色のピクシーが、彼の耳元に何かをささやいた。ロイベンが首を横に振る。テーブルの反対側では、ロックがタリンの手にキスしていた。タリンと、わたしと、セヴェリンの連れの赤毛の少年。ここには人間が三人しかいない。オーラー女王は物珍しそうにわたしを見ている。わたしたちを見るオーラー女王の目つきから察するに、猫の集会にしゃしゃりでるネズミでも思い浮かべているのだろう。

頭上には、雲母《マイカ》の薄板でできたシャンデリアがつるされている。ぬくもりのある光を部屋に添えるため、そのシェードの内側に小さな光る妖精が何人か閉じこめられていた。彼らがときどき飛びまわって、踊る影を作りだす。

「ジュード」ロックが腕に触れてきたので、わたしはぎくりとした。彼のキツネのような目の端に、楽しげにしわが寄った。「白状すると、カーダンがきみと腕を組んであちこち連れまわしているのを見て、ちょっと嫉妬したよ」

一歩後ろへさがった。「話してる暇はないの」

「きみが好きだったんだ、わかってるだろう」ロックが言う。「いまでも好きだ」

もし、いま腕を引いて勢いよく彼を殴ったらどうなるだろう？

「あっちへ行って、ロック」

彼はふたたび笑顔になった。「ぼくが何より好きなのは、きみが必ずぼくの想像を超えてくることさ。たとえば、まさかぼくのことで決闘するとは思わなかったよ」

「してないわ」わたしはロックから離れてテーブルに向かった。足元が少しだけふらつく。

「やっと来たか」わたしが隣の席に座ると、カーダンは言った。「今夜の調子はどうだ？　こっちは、ぼくの頭がどうさらし首になるかっていうつまらない話ばかりだよ」

腰を落ち着けると手が震えた。単に毒のせいだ、と自分に言い聞かせる。口も乾いてきた。言葉を返す機転がきかない。召使いたちが料理の皿を並べていった——スグリのソースが照り輝くガチョウのロースト、オイスターと煮込んだヒラタマネギ、ドングリのケーキ、ローズヒップを詰めこんだ魚の姿焼き。ワインも注がれる。深緑色の合間に金色のかけらが浮遊していた。その光る澱がグラスの底に沈んでいくのを見守る。

「言ったっけ？　今夜のおまえはひどい顔をしてるって」カーダンはそう言うと、凝った彫刻のほどこされた椅子にもたれかかった。その言葉のあたたかさが、質問を賛辞のようなものに変える。

「いいえ」ありがたいことに、むっとしたことで現実に戻れた。「言ってみなさいよ」

「言えない」カーダンが顔をしかめた。「ジュード？」彼の唇から発せられる自分の名前の響きには、決して慣れそうにない。彼の眉間にしわが寄る。「顎に痣ができてる」

　わたしはごくりと水を飲んだ。「平気よ」

　もうすぐだ。

　バレキンが席を立ち、グラスを掲げた。

　爆発が起こったら立ちあがれるように、椅子を後ろに押しやる。一瞬、部屋が斜めに傾いたかと思うほどの大きな音にすべてが包まれた。妖精たちが悲鳴をあげる。クリスタルのゴブレットが次々に落ちて砕け散った。

　ボムの爆弾だ。

　混乱のなか、陰になった壁のくぼみから一本の黒い矢が飛んできて、カーダンのすぐ目の前のテーブルに突き刺さった。

バレキンが飛びあがった。「あそこだ」彼は叫んだ。「暗殺者だ！」騎士たちがローチのほうへ走る。ローチは暗がりから躍りでて、ふたたび矢を放った。

さらなる矢がカーダンめがけて飛んでいく。彼は驚きのあまり動けないふりをしていた。練習どおりだ。じっとしているほうがどれだけ安全か、どれだけ狙いを外しやすいか、ローチから事細かく伝授されている。

予想外なのはバレキンだった。彼はカーダンを椅子から突き飛ばして床に倒すと、その上に覆いかぶさった。それを見て、わたしは彼らの関係をほとんど理解していなかったことに気づいた。何しろバレキンは、ゴーストが王冠の置かれた岩棚によじのぼっているのにも気づかないくらいなのだ。彼は騎士たちにローチを追わせて、その隙にボムが部屋を出て外側からドアのかんぬきをかけるのも見逃した。

ただし同時に、バレキンはカーダンにも気づかせてしまった。こちらの計画に協力し続ける必要がないということを。

わたしはバレキンを、カーダンが忌み嫌う兄として、家族を皆殺しにした兄としてしか見ていなかった。バレキンがカーダンの家族だということを忘れていた。デインが陰謀をくわだてていたとき、父親がカーダンを王宮から追いだしたとき、彼を育てたのはバレキンなのだ。バレキンはカーダンに残されたすべてと言っていい。

間違いなくバレキンは、カーダンやほかの大勢の人たちを傷つける恐ろしい王になるだろう。でもその一方で、彼はカーダンにも権力を与えるつもりなのではないか。そうなればカーダンは、これまでどおり残酷でいられるのだ。バレキンをしのぐほど残酷なことでもしない限りは。

カーダンにとっては、バレキンの頭に王冠をかぶせるほうが確実なのだ。わたしを信じるよりも、オークに未来を賭けるよりもずっと。でも、カーダンはわたしに忠誠を誓っている。だからとりあえず、彼がわたしの命令を無視できる抜け穴を見つけないよう、用心しておけばいい。

わたしは一瞬遅れを取った。思ったよりも人込みをかき分けるのが難しくて、ゴーストに伝えてあった予定の場所に行けなかった。岩棚を見あげると、ゴーストが物陰から出てきていた。彼が王冠を投げる。けれど、それはわたしのいる方向ではなかった。ゴーストが王冠を投げた先にいたのは、わたしにそっくりの双子だった。王冠がタリンの足元に落ちる。

ヴィヴィがオークの手を取った。ロイベンが人々を押しのけて突進する。

タリンが王冠を拾いあげた。

「それをヴィヴィに渡して」わたしは彼女に叫んだ。自分のミスに気づいたゴーストが、クロスボウの矢を引き抜いてタリンに狙いを定める。けれど、彼女を射ってもこの場は切り抜けられない。タリンはぞっとしたような、裏切られたという顔をわたしに向けた。

カーダンがなんとか起きあがった。バレキンも立ちあがり、ずんずんと大股で部屋を横切っていく。

「おい、それをこちらに渡さないとまっぷたつに切り裂いてやるぞ」バレキンはタリンに言った。「わたしは上王になる。そうなったら、わたしに迷惑をかけた者はひとり残らず罰する」

タリンは王冠を前に差しだしながら、バレキンとヴィヴィとわたしのあいだに視線をさまよわせた。それから彼女を見つめる諸公や貴族たちに目をやる。

「わたしの王冠をよこせ」バレキンはそう言って、タリンに近づいた。

ロイベンがそこへ割りこみ、バレキンの胸に手を押し当てる。「待ちなさい」剣は鞘におさまったままだが、代わりに上着の下に光る複数のナイフが見えた。

バレキンがロイベンの手を押しのけようとする。けれどもロイベンは動かなかった。ゴーストがバレキンにクロスボウを向けた。部屋にいる全員の目がゴーストに向けられる。オーラー女王は何歩か身を引いた。

暴力の気配が色濃く漂う。

わたしは移動してタリンの前に立った。

もしバレキンが武器を手にしたら、交渉をやめて攻撃に出たら、この部屋はすぐにでも殺戮の場となってしまうだろう。きっと彼の味方をして戦う者も、敵になる者も出てくる。いまは王への誓いなど関係ない。バレキンが自分の家族を殺すところを見てしまったせいで、誰もが安全を感じられなくなっている。だからバレキンは妖精国の王族や諸公たちに認めてもらうために、彼らをここへ招待したのだ。さらなる殺戮を繰り広げれば、それが難しくなることもちゃんとわかっているはず。

それにバレキンがタリンのもとへたどりつくよりも、ゴーストが矢を放つほうが早い。バレキンは服の下に防護具を何も身につけていない。刺繍がどれだけ重厚だろうと、心臓を弓矢から救うことはできないだろう。

「たかが人間の小娘が」バレキンが言った。

「すてきな晩餐会だこと、バレキン、エルドレッドの子よ」オーラー女王が口を開く。「ただ残念ながら、いまのところおもしろみが少ないですわ。これを余興にするのはどうかしら。とりあえず、王冠は間違いなくこの部屋にある、そうですね？　そしてそれをかぶることができるのは、あなたとあなたの弟だけ。どちらに王冠を渡すか、その少女に選ばせましょう。お互い相手に戴冠する気がないとしても、それはまた別の話」

わたしは驚いた。オーラー女王はバレキン側だと思っていたのに。でも彼女がカーダンに好意的なのは、彼が娘のニカシアと親しいからかもしれない。あるいはどちらに対しても好意などなく、ただ陸の力を弱めることで、海の力を強めたいだけなのかも。

「そんなのはばかげている」バレキンは言った。「先の爆発は？　あれはたいしておもしろくなかったというのか？」

「たしかにわたしは興味をそそられたがな」ロイベンが割って入る。「将軍もどこかに行かれたようだ。あなたの統治はまだ正式に始まってもいないのに、すでに混乱をきたしている」

わたしはタリンのほうを向いて、指で王冠の冷たい金属をつかんだ。間近で見ると、このうえなく美しかった。暗い色の黄金から葉が伸びてきているようで、まるで生きているみたいに見える。茎が繊細な編み細工のなかで絡みあっていた。

「お願い」わたしは言った。タリンとのあいだには、いまだにわだかまりが山ほどある。あまりにもたくさんの怒り、裏切り、嫉妬が。

「何をする気？」タリンがささやいた。彼女の背後で、ロックが奇妙に目を輝かせながらこっちを見ている。わたしの物語はちょうどおもしろくなってきたところ。そしてロックは何より物語を愛している。

「できる限りのことよ」

わたしが引っ張ると、タリンは放すまいとして躍起になった。でもまもなく手をぱっと開いたので、わたしは王冠もろとも後ろによろめいた。

ヴィヴィができるだけ近くにオークを連れてくる。オリアナは大勢の観客にまぎれて、両手を握ったり開いたりしていた。彼女はマドックがいないことに気づいているに違いない。わたしの言った〝代償〟とはどういう意味かを考えているはずだ。

「カーダン王子」わたしは呼びかけた。「これをあなたに」

人込みが割れてカーダンを通した。この物語のもうひとりの主人公。彼は歩いてわたしとオークの片側までやってきた。

「やめろ！」バレキンが叫ぶ。「いますぐあいつらを止めるんだ」そう言って剣を抜いた。もはや駆け引きなど、どうでもよくなっているのは明らかだ。彼の剣の恐ろしい音に呼応して、部屋のあちこちでさらに何本もの剣が鞘から引き抜かれる。神秘的な鋼の音が鳴り響いた。

わたしがナイトフェルに手を伸ばした瞬間、ゴーストが弓矢を放った。

バレキンが後ろへよろめく。部屋のいたるところから息を吸いこむ音が聞こえた。王に矢を射るなんて、たとえ王冠をかぶっていないとしても、とんでもないことだ。それからバレキンの剣が古いカーペットに落ち、矢が刺さったところがあらわになった。

彼の手が、クロスボウの矢でダイニングテーブルまで射抜かれていた。おそらく鉄製の矢だろう。

「カーダン」バレキンが呼びかける。「わたしはおまえというやつを知っている。わたしに統治という難しい仕事をさせておいて、自分は権力を満喫していたいんだろう。おまえは人間や悪党や愚か者をさげすんでいる。たしかに、わたしはいつもおまえの言うとおりにしてやるわけではなかった。だが、おまえはわたしに本気で逆らう気はなかったじゃないか。さあ、王冠を渡せ」

わたしはオークを近くに引き寄せると、彼の両手に王冠をのせた。彼に見てもらいたくて。持つことに慣れてもらいたくて。ヴィヴィが励ますようにオークの背中をぽんと叩く。

「王冠をこっちへ持ってこい、カーダン」バレキンが言う。

カーダンは冷たく計算高い目を兄に向けた。それは彼がこれまでにほかのたくさんの生き物たちに向けてきた目つきと同じだった。彼らの背中から羽をもぎ取る前に、川へ投げ落としたり、宮廷から永久に追放したりする前に向けた目つきと。「いやです、兄上。王冠は渡さない。もし兄上に逆らう理由がなければ、渡してやってもよかったんですが」

オークがわたしを見あげる。こんな怒鳴りあいのなかでやってもいいのかと、確認を求めているかのように。わたしは励ましの笑みを浮かべてうなずいた。

「オークに見せてあげて」カーダンにささやく。「どうすればいいのか見本を見せてあげてちょうだい。ひざまずくのよ」

「それじゃみんなが誤解——」彼が言いかけたが、わたしはさえぎった。

「やりなさい」

カーダンが膝をつくと、みんないっせいに静まり返った。剣も鞘に戻される。動きがゆっくりになった。

「ほう、これはおもしろい」ロイベンが低い声で言う。「この幼子は何者かな？　あるいは誰の子だ？」彼はアネット女王と、アンシーリー・コートらしい悪意たっぷりの笑みを交わしあった。

「わかったか？」カーダンはオークにそう言うと、もどかしげな仕草をした。「じゃあ、王冠を」

　わたしは妖精国の人々を見まわした。友好的な顔はひとつもない。誰もが警戒して、様子を見ているようだ。バレキンは怒りに満ちた表情をして、自分の手をまっぷたつに引き裂いてしまいそうな勢いで矢を反対側に引っ張った。オークがカーダンに向かって、ためらいがちに一歩、また一歩と踏みだす。

「第四段階だな」カーダンがわたしにささやいた。わたしたちが同じ気持ちでいると、まだ信じているのだ。

　階上で眠るマドックのことを、彼が描いた殺戮の夢のことを思う。何年も引き離されるオリアナとオークのことを。そしてカーダンのことを。彼にどれほど憎まれるだろう。自分が作品の悪役になることの意味について考えた。「いまから一分のあいだ、動かないよう命じるわ」わたしはささやき返した。

　カーダンが完全に静止した。

「さあ」ヴィヴィがオークに言った。「練習したとおりに」

　それを合図に、オークはカーダンの頭に王冠をおろした。額にぴったりおさまるまで。「おまえに王冠を授ける」オークの幼い声はたどたどしかった。「王よ。妖精国の上王よ」オークの視線がヴィヴィとオリアナに向かった。どちらかに、よくできました、もう終わりよ、と言ってもらえるのを待っているのだ。

人々は息をのんだ。バレキンが怒りのうめき声をあげる。笑い声と憤怒《ふんぬ》と歓喜がわき起こった。誰しもサプライズは好きなものだけれど、特に妖精国の人々は何よりもそれが好きなのだ。

どうすることもできない怒りをこめて、カーダンがわたしを見た。そして命令の一分間が過ぎると、ゆっくりと立ちあがった。彼の怒りに満ちた目には、もう慣れっこだ。まるで埋《うず》み火のように、これ以上ないほどの熱い炎で燃える石炭のように、ぎらぎらと輝いている。今回はそれもそのはずだろう。わたしは彼に、宮廷とその舵取《かじと》りから逃れられると約束した。そういったすべてから解放されると。わたしは嘘をついたのだ。

オークに上王になってほしくないわけではない。いつかはなる。でもオークが必要なことをすべて学ぶあいだ、王座を——たとえ別の誰かがいったんその座につくとしても——確実にあの子のために用意しておける方法はひとつしかない。七年経てば、カーダンは身を引ける。退位してオークを後継者につけ、自分は好きなようにすればいい。けれど、それまではわたしの弟の王座を、彼にあたためておいてもらう必要がある。

ロイベンが約束どおりにひざまずいた。「わが王よ」彼は言った。この約束に対して、自分はどんな代償を支払うことになるのだろう。カーダンに王冠を与える手助けを果たしたいま、ロイベンはわたしたちに何を頼むつもりなのか。

次の瞬間、部屋じゅうに叫び声があがった。アネット女王から、オーラー女王から、そしてセヴェリンから。反対側でタリンが、明らかにショックを受けた様子でわたしをじっと見ている。彼女にしてみれば、わたしは正気を失ったように見えるに違いない。軽蔑する相手を王位につけるだなんて。でも、弁明のしようもない。わたしがほかのみんなと同じようにひざまずくと、タリンも続いた。

わたしの約束はこれで全部終わりだ。

カーダンは長いあいだ、ただ部屋を見まわしていた。とはいえ、選択肢なんてないも同然で、そのことは彼もわかっているはず。「立ってくれ」カーダンが言い、わたしたちは立ちあがった。

わたしは後ろへさがって、人込みにまぎれた。

カーダンは生まれてからずっと、妖精国の王子だった。だから自らの望みはどうあれ、自分に何が期待されているのかを把握している。群衆をどう魅了すればいいのか、どう楽しませればいいのかを知っているのだ。彼は割れたグラスを片づけるよう命じ、新しいゴブレットを持ってこさせた。新しいワインが注がれる。カーダンがサプライズと、酔っ払いすぎたおかげで前の戴冠式に出ずにすんだことを祝して乾杯すると、その場にいるみんなが笑った。カーダンの手が指の関節も白くなるほどきつくワインのグラスを握りしめていることにたとえ気づいたとしても、彼の怒りに気づくのはわたしだけだろう。

それでもカーダンが目に憤怒をたたえてこちらを向いたときは、びっくりした。まるで、この部屋がわたしたちだけを残して空っぽになった気がする。彼は改めてグラスを持ちあげ、形ばかりの笑みに口元をゆがませた。「そして今夜、ぼくにプレゼントをくれたジュードに乾杯。同等のお返しをするつもりだよ」

周囲でグラスが掲げられるなか、わたしはあからさまに尻込みするまいとした。クリスタルが鳴る。さらに多くのワインが注がれ、多くの笑い声が響いた。

ボムがわたしの脇を肘で突いた。「あなたのコードネームを思いついたわ」気取った調子で言う。わたしは彼女がかんぬきを外して部屋に入ってきたことにも気づいていなかった。

「何？」かつてないほどの疲労を感じる。これからの七年も、心から休めることはないのだろう。

ボムはきっと〝嘘つき《ライアー》〟と言うつもりではないだろうか。彼女は秘密めかして、いたずらっぽい笑みを浮かべた。「決まってるでしょ。〝クイーン〟よ」

やっぱり、わたしはまだ笑い方がわからない。

エピローグ

オークとヴィヴィがベッドシーツやらランチボックスやらスキニージーンズやらサンダルやらを選んでいるあいだ、わたしは〈ターゲット〉（アメリカの大型ディスカウント店）の真ん中でカートを押していた。オークは少しとまどいつつも、楽しそうにあちこちを見てまわっている。いろいろと手に取っては首をかしげ、ふたたびもとの場所に置く。お菓子売り場に行くと、チョコレートバー、ジェリービーンズ、棒付きキャンディ、砂糖漬けジンジャーと、次々とカートに突っこんでいった。ヴィヴィが止めないので、わたしも止めなかった。

魔法で角を消し去り、わたしと同じ丸い耳をしたオークを見るのは変な感じだった。フクロウ形のリュックを片腕にかけて、おもちゃ売り場でキックスクーターを試し乗りしている姿を見るのも。

彼をヴィヴィと一緒に行かせるようオリアナを説得するのは、きっと難しいだろうと思っていた。けれどもカーダンの戴冠式のあと、オークが数年のあいだ宮廷から離れるのが最善だろうとオリアナも納得してくれた。バレキンは塔に幽閉された。マドックは怒りのなか目を覚ましたものの、王冠を手にするチャンスはすでに過ぎ去っていた。

「それで、あの子は本当に弟なのね？」ヘザーがヴィヴィに尋ねる。オークはキックスクーターを蹴って、グリーティングカード売り場を飛ぶように突っ切った。「息子だったら、そう言ってくれてかまわないのよ」

ヴィヴィがうれしそうに声をあげて笑う。「わたしにはたしかに秘密があるけど、これは違うわ」

幼い子どもを連れて現れ、その子と一緒に暮らさなければいけない理由についてあいまいな説明しかできないヴィヴィを、ヘザーは喜びはしなかったものの、追いだしもしなかった。ソファベッドがあるから、ヴィヴィが仕事を見つけてもっと大きなアパートメントに住める余裕ができるまで、オークをそこに寝かせてもいいということで話がまとまった。

ヴィヴィが普通の仕事をする気がないのは知っている。でも、それでいいのだろう。いや、そうするほうがいいのだ。両親や過去のことを考えると、これがあっちの世界なら、ヴィヴィにヘザーを信じて真実を明かすべきだと言い続けていたと思う。でも当面ヴィヴィがごまかしたほうがいいと感じているなら、わたしは反対できる立場にない。

みんなでレジの列に並び、ヴィヴィが紙幣に見える魔法のかかった葉っぱで支払いをしているあいだ、戴冠式と化した宴の、あのあとの様子を思い返した。飲み食いして冗談を言いあう妖精たちのざわめき。オークの存在に驚愕する面々。当の本人は喜んでいるようにも、うろたえているようにも見えた。それから、わたしを褒めるべきかひっぱたくべきか、見るからに迷っていたオリアナ。静かに考えをめぐらせながら、ロックの手をぎゅっと握りしめていたタリン。カーダン王の頬に長々とキスをしていたニカシア。

すべてはわたしのしたことだ。これからは、その事実を背負って生きていかなければならない。

わたしは嘘をついて、裏切って、勝利した。せめて、おめでとうと言ってくれる人がいてくれたら。

わたしたちはヘザーのプリウスのトランクに買ったものを積みこんだ。そのあいだヘザーはヴィヴィを見て、夢見心地にため息をついたり、ほほえんだりしていた。アパートメントに戻ると、ヘザーは冷蔵庫からあらかじめ作ってあったピザ生地を取りだして、自分流のオリジナルパイの作り方を説明した。

「ママは遊びに来てくれるんでしょ？」生地の上にチョコレートやマシュマロをのせながら、オークがきいた。

わたしは彼の腕を握りしめた。ヘザーがオーブンにパイを突っこむ。「もちろんよ。ヴィヴィとここにいることは見習い期間だと考えるの。必要なことを学んだら、おうちに帰れるわ」

「必要なことが何かも知らないのに、学んだかどうかどうやってわかるのさ？」

なぞなぞみたいな質問だった。「帰ることが簡単な選択じゃなくて難しい選択だと感じるようになったら、戻っておいで」わたしはようやく言った。その言葉が聞こえたらしく、ヴィヴィが目を向けてくる。何かを思案しているような表情だった。

オークの作ったピザをひと切れ食べてから、指についたチョコレートをなめる。甘すぎて顔がゆがんでしまう。だけど、それでもいい。わたしはただ、ひとりきりで妖精国へ帰る前に、もう少しだけこの子たちと一緒にいたかった。

ラグワートの馬からおりると、王宮へ向かった。いまはそこにわたしの部屋がある。

広大な居間があって、掛け金がかかる両開きのドアの奥が寝室になっていた。さらに、がらがらのクローゼットを備えた化粧室もある。そのクローゼットにかけるものといえば、マドックの屋敷から持ってきたものと、〈ターゲット〉で買ったちょっとしたものだけ。

わたしはこれからここに住むのだ。カーダンを近くに置いて、物事が円滑に進むよう、彼を意のままに操るために。〈影の臣下〉は上王のスパイと守護者の両方となり、王宮の地下で勢力を拡大していくだろう。

彼らは上王の手からじきじきに黄金をもらうようになるのだ。

実は、わたしにはまだやっていないことがあった。それはカーダンと話をすることだ。わずかな命令だけを残して別れ、それっきりになっている。彼の顔に浮かんでいたおなじみの憎しみは、わたしを臆病にさせるのに充分だった。でも、いつかは話さなくては。これ以上避けていても、なんの得にもならない。

とはいえ、いざ上王の部屋へ向かうと、やっぱり心が沈み、足取りが鉛のように重くなった。ノックをしてみたものの、金色の顎ひげに花を編みこんだ堅苦しい感じの男の召使いに、上王は大広間に行っていると言われただけだった。

カーダンはそこにいた。妖精国の王座にゆったりと座って、玉座からあたりを見渡している。室内にはわたしたち以外に誰もいない。わたしが部屋を横切ると、足音が響いた。

カーダンはブリーチズをはき、ベストの上に上着をはおっていた。その上着は彼の肩にぴたりと沿い、ウエストのところできゅっと細くなって、腿の真ん中あたりまでかかっている。生地は濃い赤紫色のパイル織りのベルベット。上着の折り襟と肩の部分、そしてベストはアイボリー色のベルベットだ。金糸の刺繍が全体を覆っていて、金のボタンやロングブーツの金のバックルともうまく調和していた。喉元には、淡い色のフクロウの羽根でできたひだ襟をつけている。

カーダンの黒髪が、豊かなカールを描いて頬のあたりに落ちていた。その影が彼の骨格の鋭さやまつげの長さ、そして冷徹なまでに美しい顔立ちを際立たせている。まさしく妖精国の王らしい彼の姿に、わたしは恐れおののいた。カーダンのもとにひざまずきたいという自分の衝動、指輪をはめた手で頭を触れられたいという欲望にも。

わたしは何をしてしまったのだろう？　ずっと、これほど信頼できない人はいなかったというのに。なのにいまは、その彼を受け入れて、ふたりの志を同じにしなければならないのだ。カーダンが立てた誓いだけでは、彼の狡猾さを封じる手段として充分とは思えない。

わたしはなんてことをしてしまったの？

それでもわたしは歩き続けた。できるだけ冷静な表情を保ちながら。

カーダンが笑う。けれども彼の笑顔は、どんな厳しい顔よりも冷たかった。「一年と一日」彼は声を張りあげた。「まばたきをすれば終わるほど、あっという間だ。そのあとおまえはどうする？」

わたしは彼に近づいた。「オークが戻ってくる準備が整うまで、あなたを説得して王のままでいさせるつもりよ」

「統治することに喜びを見いだすようになるかもしれないぞ」カーダンが冷ややかに言う。「権力を手放したくなくなるかも」

「それはないわ」そう返したが、その可能性があることは常にわかっていた。彼を王座につかせるより、そこから退かせるほうが難しいかもしれないということは。

カーダンとの取引の効力は一年と一日。つまり、もっと長い期間の取引に応じさせるのに、一年と一日あるということだ。〝一分たりとも延びることはない〟

カーダンのにんまりとした笑みが大きくなって、歯がのぞいた。「ぼくが善き王になれるとは思えない。王になりたいと望んだこともないのに、ましてや善き王なんてもってのほかだ。おまえはぼくを操り人形にした。ならば、マドックの娘ジュード、ぼくは本当におまえの操り人形になってやる。おまえが国を治めるんだ。おまえがバレキンと、ロイベンと、オーラーと戦え。ぼくの執事長となって仕事をこなせ。そうしたら、ぼくはワインを飲んで、臣下たちを笑わせる。ぼくはおまえの弟の前に置かれた役立たずの盾かもしれないが、いずれ役に立つようになるとは思うなよ」

もっと違う、直接的な脅しのようなものを受けると思っていた。どういうわけか、こっちのほうが最悪だ。

カーダンが王座から立ちあがる。「来い、ここに座れ」その声は危険と脅威に満ちていた。王座の花咲く枝には、花びらもほとんど見えないほど、びっしりと棘が生えていた。

「これがほしかったんだろう？」カーダンがきいた。「これのためにおまえはすべてを犠牲にした。ほら、おまえのものだ」

謝辞

この本の企画から、着想、執筆、編集までを見守ってくれた作家の友人たちに感謝を伝えます。サラ・リース・ブレナン、リー・バルドゥーゴ、ケリー・リンク、カサンドラ・クレア、モーリーン・ジョンソン、ロビン・ワッサーマン、スティーヴ・バーマン、グウェンダ・ボンド、クリストファー・ロウ、アラヤ・ドーン・ジョンソン、パオロ・バチガルピ、エレン・カシュナー、デリア・シャーマン、ギャビン・グラント、ジョシュア・ルイス、キャリー・ライアン、キャスリーン・ジェニングス（彼女はワークショップ中にすてきなイラストを描いてくれました。それがこれまでで一番お気に入りの批評となりました）、ありがとう。

ＩＣＦＡ（芸術におけるファンタジー国際会議）で、最初の三章を朗読した際に感想をくださったみなさんにも感謝します。

わたしの風変わりな構想を支持してくれた〈リトル・ブラウン・ブックス・フォー・ヤング・リーダーズ〉のみなさん、どうもありがとう。なかでも、すばらしい担当編集者のアルヴィーナ・リン、それからケリン・カレンダー、リサ・モラレダ、ヴィクトリア・ステイプルトンには格別の感謝を。

また、数々の試練を乗り越えてこの本を世に送りだしてくれた、バリー・ゴールドブラット、ジョアンナ・ヴォルペに感謝します。

そして何より、この本について何年もいろいろな話にとことんつきあってくれた夫のテオ、執筆の合間の気晴らしとなり、心を満たしてくれた息子のセバスチャン、本当にありがとう。

訳者あとがき

一軒の家にひとりの男が訪れるところから物語は始まります。家のなかにいるのはごく普通の家族。幼い三人姉妹が電子レンジであたためたフィッシュスティックにケチャップをつけて食べていたり、テレビでアニメを見ていたり、ソファで昼寝をしていたり。ところがその姉妹が急転直下、妖精の国へと連れ去られ、両親を殺した妖精貴族のもとで成長し、国を統べる上王の退位とその後継をめぐる駆け引きにいつのまにか巻きこまれていくことになります。

著者のホリー・ブラックは子ども向けの〈スパイダーウィック家の謎〉シリーズで有名で、映画化もされたこの作品を読んだことがある方もいらっしゃるのではないでしょうか。〈スパイダーウィック家の謎〉シリーズには本書と同じく妖精と人間が登場しますが、舞台は人間の世界。わたしたちの日常を乱す存在として妖精が登場し、子どもたちの活躍で平和が戻るというストーリーになっています。けれども本書から始まるシリーズは、同じように妖精と人間を描きながらも舞台は妖精の世界。主人公である人間の少女ジュードは養父が貴族であり将軍であることから王宮の学校に通っていますが、妖精の同級生たちに受け入れられているとはとうてい言えません。それでも人間の世界に戻りたいと考えている妖精と人間のハーフである姉とは違い、なんとかして妖精国に自分の居場所を見つけたいともがいています。一方、ジュードの双子の姉タリンも同じように妖精国で生きていきたいと思っていますが、そのための方法がジュードとはまったく違っていて、ふたりはやがて対立していくことに。それが物語のひとつの大きな柱となっているのですが、このふたりだけでなく大勢いる登場人物それぞれにひと筋縄ではいかない背景があり、〈スパイダーウィック家の謎〉シリーズより年上の読者向けのこのシリーズは、どろどろした人間関係が織りなす複雑な物語となっています。本作は〝ナナカマドの実を身につけていれば妖精の魔法から身を守れる〟とか〝靴下を裏返しにはけば道に迷わされることがない〟などといった、いかにもおとぎばなし風の伝承を織りこんだ、大人のための妖精物語と言えるかもしれません。

人間の世界と行き来できるほど近くにある妖精国は、上王と貴族が存在し、貴族の館では大勢の召使いが働いている中世のような世界。妖精は人間とは違う超自然的な存在で、多くの種族がいます。本書にもトロル、ゴブリンなど聞き覚えがあるものから初めて聞くものまで多くの種族が出てきますが、本文中のキャラクターの描写からなんとなく姿を想像していただければと思います。妖精は種族によって異なる外見をしていますが、本書で一般的な特徴としてあげられているのは、耳が尖っていること（人間は耳が丸い）。それから外見とは関係のないところでは、鉄が苦手、嘘をつけない、寿命がないということ。特に寿命がないというのは人間と妖精を分ける本質的な違いで、ジュードもそれを理解しているので自分が妖精になれることは決してないとあきらめています。それでも妖精国に居続けたいという願いを抑えられないジュードがこの先どう道を切り開いていくのか、カーダン王子との関係がどうなっていくのか、三部作の残り二作をぜひ楽しみに待っていただければと思います。

二〇二一年四月

ザ・ミステリ・コレクション

冷《れい》酷《こく》なプリンス

2021年 6月20日　初版発行

著者　ホリー・ブラック

訳者　久《く》我《が》美《み》緒《お》

発行所　株式会社 二見書房
東京都千代田区神田三崎町2-18-11
電話 03(3515)2311 [営業]
03(3515)2313 [編集]
振替 00170-4-2639

印刷　株式会社 堀内印刷所
製本　株式会社 村上製本所

落丁・乱丁本はお取り替えいたします。
定価は、カバーに表示してあります。

ISBN978-4-576-21073-5
https://www.futami.co.jp/

蠱惑の堕天使

J・R・ウォード
氷川由子［訳］

ジムはある日事故で感電死し、天使からの命を受けて堕天使となって人間世界に戻り、罪を犯しそうになっている7人の人間を救うことに。愛と悲しみを知る新シリーズ開幕

黒き戦士の恋人

J・R・ウォード
安原和見［訳］
〔ブラック・ダガー シリーズ〕

NY郊外の地方新聞社に勤める女性記者ベスは、謎の男ラスに出生の秘密を告げられ、運命が一変する！ 読み出したら止まらない全米ナンバーワンのパラノーマル・ロマンス

永遠なる時の恋人

J・R・ウォード
安原和見［訳］
〔ブラック・ダガー シリーズ〕

レイジは人間の女性メアリをひと目見て恋の虜に。戦士としての忠誠か愛しき者への献身か、心は引き裂かれる。困難を乗り越えてふたりは結ばれるのか？ 好評第二弾

運命を告げる恋人

J・R・ウォード
安原和見［訳］
〔ブラック・ダガー シリーズ〕

貴族の娘ベラが宿敵〝レッサー〟に誘拐されて六週間。だれもが彼女の生存を絶望視するなか、ザディストだけは彼女を捜しつづけていた…。怒濤の展開の第三弾！

闇を照らす恋人

J・R・ウォード
安原和見［訳］
〔ブラック・ダガー シリーズ〕

元刑事のブッチがヴァンパイア世界に足を踏み入れて九カ月。美しきマリッサに想いを寄せるも梨の礫。贅沢だが無為な日々に焦りを感じていたところ…待望の第四弾

情熱の炎に抱かれて

J・R・ウォード
安原和見［訳］
〔ブラック・ダガー シリーズ〕

深夜のパトロール中に心臓を撃たれ、重傷を負ったヴィシャス。命を救った外科医ジェインに一目惚れすると、彼女を強引に館に連れ帰ってしまうが…急展開の第五弾

漆黒に包まれる恋人

J・R・ウォード
安原和見［訳］
〔ブラック・ダガー シリーズ〕

自己嫌悪から薬物に溺れ、〈兄弟団〉からも外されてしまったフュアリー。〝巫女〟であるコーミアが手を差し伸べるが…。シリーズ第六弾にして最大の問題作登場!!

約束のキスを花嫁に
リンゼイ・サンズ
上條ひろみ［訳］〔新ハイランドシリーズ〕

幼い頃に修道院に預けられたイングランド領主の娘アナベル。ある日、母に姉の代役でスコットランド領主と結婚しろと命じられ…。愛とユーモアたっぷりの新シリーズ開幕！

愛のささやきで眠らせて
リンゼイ・サンズ
上條ひろみ［訳］〔新ハイランドシリーズ〕

領主の長男キャムは盗賊に襲われた少年ジョーンを助けて共に旅をしていたが、ある日、水浴びする姿を見てジョーンが男装した乙女であることに気づいてしまい⁉

口づけは情事のあとで
リンゼイ・サンズ
上條ひろみ［訳］〔新ハイランドシリーズ〕

夫を失ったばかりのいとこフェネラを見舞ったサイは、しばらくマクダネル城に滞在することに決めるが、湖で出会った領主グリアと情熱的に愛を交わしてしまい……⁉

恋は宵闇にまぎれて
リンゼイ・サンズ
上條ひろみ［訳］〔新ハイランドシリーズ〕

ギャンブル狂の兄に身売りされそうになったミュアライン。ドゥーガルという男と偽装結婚して逃げようとするが、結婚が本物に変わるころ、新たな危険が…シリーズ第四弾

二人の秘密は夜にとけて
リンゼイ・サンズ
相野みちる［訳］〔新ハイランドシリーズ〕

妹サイに頼まれ、親友エディスの様子を見にいったブキャナン兄弟は、領主らの死は毒を盛られたと確信し犯人探しにとりかかる。その中でエディスとニルスが惹かれ合い…

忘れえぬ夜を抱いて
リンゼイ・サンズ
上條ひろみ［訳］〔新ハイランドシリーズ〕

ブキャナン兄弟の長男オーレイは、顔の傷のせいで婚約者に逃げられた過去を持っていた。ある日、海で女性を救出するが、記憶を失った彼女は彼を夫だと思い込み…

ハイランダー戦士の結婚条件
リンゼイ・サンズ
喜須海理子［訳］〔新ハイランドシリーズ〕

治療士として名高い弟とまちがわれ領主の治療目的のために拉致されたコンラン。領主の娘エヴィーナと運命的な出会いが…。人違いが恋のはじまり⁉ シリーズ最新刊

＊の作品は電子書籍もあります。

赤と白とロイヤルブルー ＊
ケイシー・マクイストン
林 啓恵［訳］

アメリカ大統領の息子と英国の王子が恋に落ちるLGBTロマンス。誰にも知られてはならない二人の恋は切なく燃え上がるが…。全米ベストセラー！

世界の終わり、愛のはじまり
コリーン・フーヴァー
相山夏奏［訳］

リリーは研修医のライルと情熱的な恋に落ち結婚するが、彼は実は心に闇を抱えていた…。NYタイムズベストラー作家が贈る、ドラマチックな愛と再生の物語

霧の町から来た恋人
ジェイン・アン・クレンツ
久賀美緒［訳］

ともに探偵事務所を経営する友人のオリヴィアが何者かに連れ去られ、カタリーナはちょうどある殺人事件で彼女の力を借りにきたスレーターとともに行方を捜すが…

時のかなたの恋人 ＊
ジュード・デヴロー
久賀美緒［訳］

イギリス旅行中、十六世紀から来た騎士ニコラスと恋に落ちたダグラス。時を超えて愛し合う恋人たちを描く、タイムトラベル・ロマンス永遠の名作、待望の新訳！

愛は闇のかなたに ＊
L・J・シェン
水野涼子［訳］

父の恩人の遺言で政略結婚をしたスパロウ。十も年上で裏社会にさえ顔がきくという男との結婚など青天の霹靂だったが、いつしか夫を愛してしまい…。全米ベストセラー！

ミッシング・ガール ＊
ミーガン・ミランダ
出雲さち［訳］

10年前、親友の失踪をきっかけに故郷を離れたニック。久々に家に戻るとまた失踪事件が起き……。〃時間が巻き戻る〃斬新なミステリー、全米ベストセラー！

そして彼女は消えた
リサ・ジュエル
氷川由子［訳］

15歳の娘エリーが図書館に向ったまま失踪した。10年後、エリーの骨が見つかり…。平凡で幸せな人生の裏でじわじわ起きていた恐怖を描く戦慄のサイコスリラー！